YAMAKAWA SELECTION

物語　世界史への旅

大江一道・山崎利男 著

山川出版社

［カバー写真］
タペストリー《貴婦人と一角獣》より「味覚」
（クリュニー中世美術館所蔵）

『山川セレクション　物語　世界史への旅』への序文

本書は一九八一年にはじめて上梓された大江一道・山崎利男著『物語世界史への旅』をリニューアルしたものである。旧著は世界史に関心をもつ中学生や高校生だけでなく一般読者にも好評で、何度も版をかさねてきた。世界史を暗記物として扱うのではなく、なんの予備知識がなくても「物語」として世界史上の出来事を再体験・理解できるようにしたことが、旧著が広く受けいれられた背景であろう。

しかし執筆から約四〇年が経過し、世界情勢の変化によって叙述の一部を修正したり、あらたに書きくわえる必要が生じる事態となった。第二次世界大戦後の米ソ冷戦を基盤とする国際関係が終結し、ヨーロッパでは一九八九年以降におこったベルリンの壁の崩壊、東欧世界の社会主義体制の崩壊、ドイツ統一、ソ連邦の解体などを経て、ＥＵが誕生し国境がとりのぞかれ、人や資本の移動が自由になった。しかし最近ではドイツ・オーストリア・イタリアなどでポピュリズムが台頭し、移民などに対する差別的言動もめだっている。イギリスの離脱問題がＥＵの解体という将来を暗示するとの指摘もある。中東では湾岸戦争、アメリカのアフガニスタン攻撃、ＩＳとの戦い、シリアの内戦など混迷が続いている。南アジアでは本書でとりあげたインド独立運動指導者ガンディーがとなえた非暴力・平和主義は消滅し、インド・パキスタン両国は核実験を実施して軍事的・政治的緊張を高めている。東アジアでは、共産党が指導する中国が社会主義市場経済をすすめ、世界第二位の経済大国となり、経済・軍事・政治の分野でのプレゼンスを高めている。さらに北朝鮮と韓国と日本との関係は決して順調とはいえない。その歴史的背景は一九一〇年の「韓国併合」以降の日本による朝鮮半島の植民地支配にある。

学術研究の分野でも変化がおきている。第一に、ウォーラーステインが主張する世界システム論が大きな影響力をもつにいたっていることである。彼の理論によると、大航海時代以降、ヨーロッパが主導するかたちで世界が再編された。十八世紀後半以降、世界で一番早く産業革命に成功して「世界の工場」「世界の銀行」となり中核地域となったイギリス、国民経済と富国強兵をすすめてそれに続いたドイツなどの「後進資本主義諸国」、商品作物を栽培するモノカルチュア化が強制されて従属地域となったラテンアメリカ・アフリカなど、世界の三層構造ができあがり、この体制が現在も続いているとする。本書ではアフリカという従属地域との黒人奴隷貿易がイギリス産業革命の資本を蓄積することになった事実をとりあげている。

第二に、アメリカやヨーロッパで台頭著しい反グローバル主義の主張のなかにみられる差別的な言動である。これはエドワード・サイードが著書『オリエンタリズム』(一九七八年)のなかで指摘したヨーロッパ諸国がアジアやアフリカに対してもつ「まざなし」に内在する差別主義の延長線上にある。本書ではアメリカ独立戦争やド＝ゴールの項目でとりあげている。

第三に社会史研究の進展によって新しい視点や事実が明らかになってきたことである。本書では宗教改革の項目でグーテンベルクの活版印刷術の発明を背景として当時民衆に流布した木版画の意義の説明をくわえたり、ナチスの項目でモッセやブロイエルらの社会史研究者が明らかにしたように、ドイツ大衆が国家主義のもと巧妙な宣伝やイメージ戦略、そして大衆操作をとおして、ヒトラーのもとに統合されて攻撃的となり、対外侵略やユダヤ人虐殺に協力した過程を、旧著の原文を尊重しつつ研究成果の一部を記述のなかにとりいれた。

前記以外の変更箇所はつぎのとおりである。

(1)　テーマごとの記述量は大きくは変更しなかったが、テーマに関しては、時代や地域のバランスを考慮して、現在の世界情勢に基本認識の一助となると思われるテーマに厳選した。古代・中世では現在も信仰されているキリスト教・仏教・イスラーム教などの宗教をとりあげ、全体としては虐げられている人びとからの視点を重視しつつ、それが歴史の流れに与えた影響を考慮した。そして、テーマの内容を的確に把握するための簡単な問いを設定した。

(2)　人名や地名などの表記も変更した。たとえば旧著では「アレキサンダー」という英語表記となっていたが、本書では「アレクサンドロス」というギリシア語表記に変更した。カタカナ表記することと自体がすでに日本語であるとの指摘もあるが、できるだけ原音に近い表記につとめた。これは山川出版社の教科書『詳説世界史』にも共通する姿勢で、本書はこの教科書表記に準拠した。いくつかの変更をくわえた本書が、多くの読者の方々に受けいれていただけるよう祈念するのみである。

二〇二〇年三月

渡辺修司

目次

山川セレクション

物語　世界史への旅

1

埋もれた都バビロン
古代メソポタミア

伝説の都市バビロンは
どのような都だったのだろう

メソポタミア地方では
前三〇〇〇年ごろから都市がうまれ、やがて
シュメール人の都市国家が数多く形成された。
そしてここにバビロン第一王朝が強大な王国をたてたあと、
ヒッタイトやカッシートなどの諸民族があいついで興亡した。
前七世紀になってアッシリアが
はじめてオリエントを統一したが、短期間で滅亡し、
その後新バビロニアが独立し、
バビロンに壮大な都をきずいて栄えたが、
アケメネス朝にほろぼされた。

バビロンの風に吹かれて

イラク共和国はメソポタミア地方にあり、首都はバグダードである。ティグリス川とユーフラテス川が北から南へと、この国をつらぬいて流れ、下流で合してペルシア湾にそそぎこむ。

メソポタミアは歴史の宝庫である。北方の山麓地帯のジャルモやヨルダン川西岸に位置するイェリコというところでは、前八千年から前六千年頃にかけて、小麦を栽培する農業がはじめてはじまった。この農業はやがてティグリス・ユーフラテス両河流域平野にもおよんだ。この平野では、早くから灌漑農業が発達してゆたかな農業地帯となり、人びともここに多く住むようになった。

ここで、前二七〇〇年ごろまでに、シュメール人が数多くの都市国家をつくった。都市には王や神殿の祭司や職人・商人が住み、文字を発明し、金属器を普及させて高度な文明をつくりあげた。だが、メソポタミアに花咲いた都市文明の歴史は、その後、忘れられてしまった。それを土のなかからほりおこして、むかしの跡を知ることができるようになったのは、十九世紀の終わりからである。そのとき、ここはオスマン帝国の領土となっていた。

一八九九年の早春、ロベルト＝コルデワイを隊長とするドイツの調査隊が、メソポタミアにやってきた。大むかし栄えたバビロンの都の跡を発掘しようというのである。

当時のドイツ帝国はさかんに中東へ進出しようとしていた。また、ドイツ政府とトルコ政府は接近しだしていた。だから、できたばかりの「ドイツ＝オリエント学会」が、最初の事業としてこのバビロン発掘をおこなうのは、まことに好つごうであった。

調査隊は、バグダードから南へ約八〇キロくだった、ユーフラテス川の東岸にいくつもつらなっている丘の一角を発掘場所にきめた。見わたしたところ、人家がいくらかちらばっているだけの、とうてい都の跡などありそうもない荒れはてた土地であった。

だが、コルデワイは確信していた。この下には、世界の七不思議といわれた空中庭園をもつ、ネブカドネザル王の宮殿がねむっていることを。また、『旧約聖書』のなかに伝えられたバベルの塔のあとも埋もれているにちがいないということを。

調査隊は、毎日二〇〇～二五〇人という多数の人夫を使って、ふかくふかく土をほっていった。ほった土は、メソポタミアではじめてのトロッコを使って運びすてた。

発掘開始後まもなく、ここがバビロンの都のあとであることがわかった。コルデワイは一八年間もほりつづけ、世界にバビロンのありし日のすがたを明らかにした。

バビロンは、各辺がおよそ二・五キロと一・五キロの、あつい城壁にかこまれたほぼ平行四辺形の都市であった。だが、この平行四辺形は、中心の軸がかなり西に傾いている。それは、北西からのかわいた気持よい風が、暑いバビロンの市街を吹きぬけやすいようにと気をくばったためらしい。

では、わたしたちも、この北西の風に吹かれて気ままに北からバビロンにちかづいてみることにしよう。今はただ廃墟でしかないバビロンに。

二重の城壁に向かって北西から南東の方角へとはしる道は行列道路といわれ、バビロンではもっとも重要な道路である。北西風はこの道路をすずしげに吹きぬける。

城門にちかづくと両がわに焼成レンガの高い壁があり、西がわには北の城と本城がそびえていた。本城は、石柱や石像など、王たちが戦勝記念品として運んだものをおさめた、一種の博物館であった。

さて、この高い壁にそって、勾配のついた行列道路を約二〇〇メートルほど進むと、のぼりきったところに、高さ約一五メートルのイシュタル門がある。愛と戦争の女神のイシュタルにささげられた二重の大門で、この門までせまった敵軍は、頂上ののこぎり型の壁から、射手のはなつ、雨あられのような矢に苦しめられるというしかけになっていた。

ドイツの調査隊はおどろいた。この門の正面と内がわが、青と黄色のうわ薬をかけて焼いたあざやかなレンガでおおわれ、そのうえ、五七五体の竜と牡牛の浮彫りが、たがいちがいに一三列にわたって配置されていたのである。バビロンが完全なすがたで地上にあったころ、これらの色あざやかな竜と牡牛の浮彫りが、月あかりに照らされて静まりかえる夜の光景は、どんなにぶきみなことであったろう。

古代のバビロンでは、毎年、春のはじめに新年の祭りがおこなわれた。新年祭は、バビロン第一王朝でいちばん偉大なマルドゥク神が、王にたいして、この一年間、王としてふるまう権利をさずける儀式でもあった。その新年祭に、マルドゥク神をたたえる行列が、北西から南東へ九〇〇メートルつづくこの行列道路の上を、しずしずと進んだのであった。

調査隊員は、幅二〇メートルもあるこの道路の敷石をはがしてみた。そして、どの石にも、裏がわの隅に、くさび形文字でつぎのような言葉がきざまれているのを知った。

わたしは、バビロンの王ナボポラッサルの子、バビロンの王ネブカドネザルである。わたしは、偉大なる主マルドゥク神の行列のために、山から運んだ岩石で道路を舗装した。わが主マルドゥクよ、わたしに永遠の生命をあたえたまえ。

二六〇〇年以上もまえに、永遠の生命を願って——そんなことが不可能だと知りつつ——王の命令で大地のなかに埋められた文字が、今ふたたび太陽の光に照らされた。調査隊員はいい知れぬ感動に興奮せずにはいられなかった。

イシュタル門をくぐった行列道路は、西に王宮を見ながらくだり坂となる。そのまま進むと、マルドゥク神の神殿の境内が西がわにひろがる。この地域がバビロンでもっとも神聖なエサギラ(聖域)である。道路はちょうどその真ん中あたりを西へ直角に折れて、ユーフラテス川にいきつく。

行列道路で二つに分けられたエサギラの北がわの境内に、そのむかし七層の塔(ジッグラト)が立っていた。『旧約聖書』のなかのバベルの塔とは、この塔のことであったのだろうか。

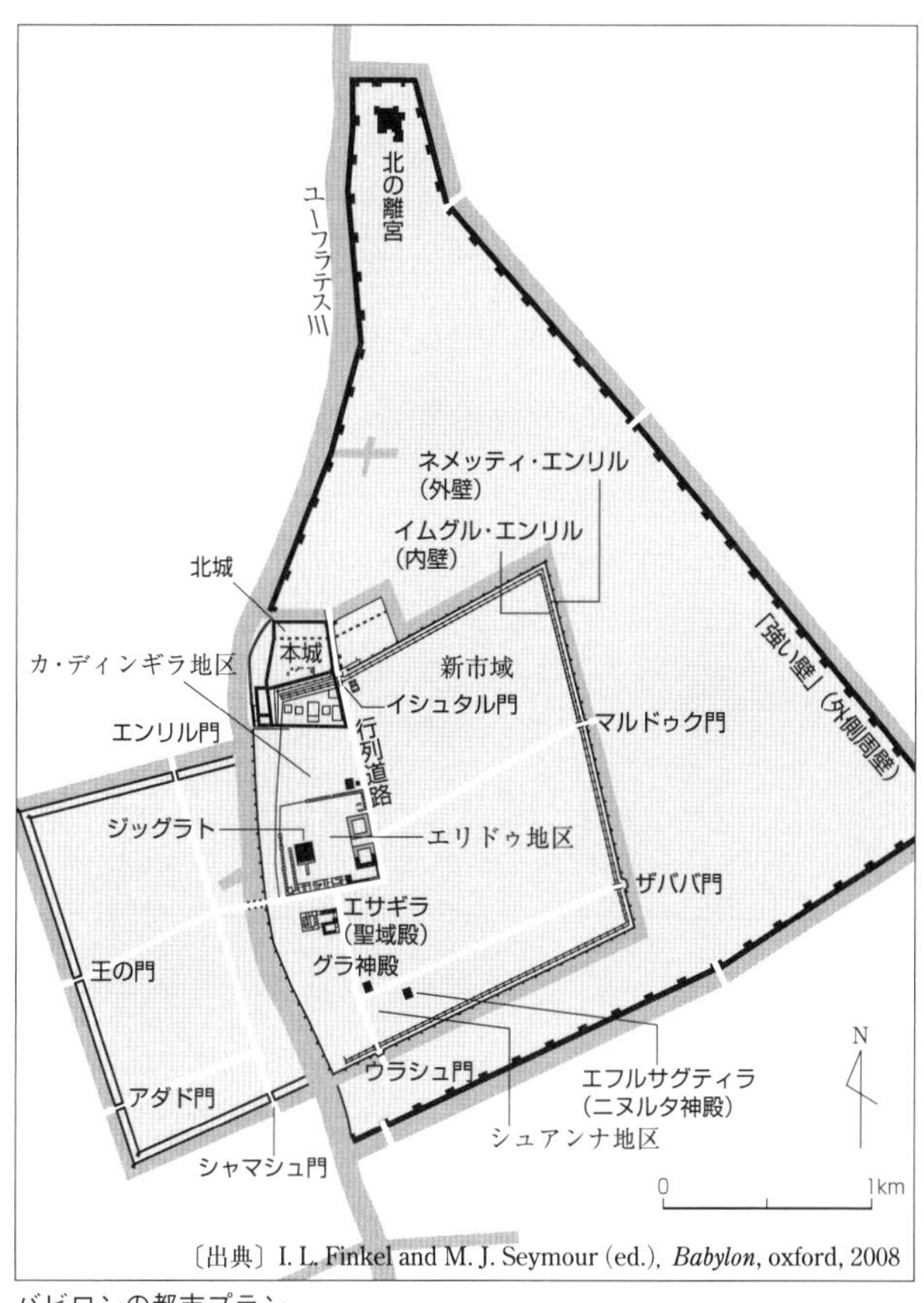

北の離宮
ユーフラテス川
ネメッティ・エンリル
(外壁)
イムグル・エンリル
(内壁)
北城
本城
新市域
「強い壁」(外側周壁)
カ・ディンギラ地区
イシュタル門
行列道路
マルドゥク門
エンリル門
ジッグラト
エリドゥ地区
ザババ門
エサギラ
(聖域殿)
王の門
グラ神殿
エフルサグティラ
(ニヌルタ神殿)
ウラシュ門
アダド門
シュアンナ地区
シャマシュ門
N
0
1km
〔出典〕I. L. Finkel and M. J. Seymour (ed.), *Babylon*, oxford, 2008

バビロンの都市プラン

バベルの塔のなぞ

『旧約聖書』の「創世記」一一章には、こんなことが書いてある。

はじめ地上に住む人びとは、みな同じ言葉を使っていた。やがてセムの子孫すなわちセム族の人がシナルの平地に住み、レンガとアスファルトで町をつくり、天までとどく塔をつくりだした。天にある神は、「みなが一つの言葉で団結し、町や塔をつくりだしたが、これはよくない。かれらの言葉をみだし、たがいに言葉がつうじないようにしよう。主であるわたしを忘れて天までのぼろうとする民を、ちりぢりにみだそう。」と決心された。

ある日、とつぜん、人びとはたがいの言葉がつうじあわなくなったことを知った。町や塔をつくるのは途中で中止され、人びとは四方にちった。それいらい、この町を「みだれた門」という意味でバベル、未完成の塔を「バベルの塔」というようになった。

『旧約聖書』のこの話はほんとうなのか。いつごろのことか。また、バベルの塔はどこにあるのか。これが後世のユダヤ教徒やキリスト教徒がもっとも知りたいなぞの一つであった。

歴史のうえに歴史がかさなるように、古代メソポタミアの都市や記念物は、それらの上につもる赤い土のなかに埋もれてしまった。

そのうえ、『旧約聖書』をつくったユダヤ教の人びとは、ローマ帝国のとき、ローマ皇帝の迫害を受けて各地にちっていった。七世紀のなかばすぎからティグリス・ユーフラテス川の流域の人びとは、イスラーム教徒になった。『旧約聖書』にかわって『コーラン』が、かれらの経典になった。

しかし、ユダヤ教徒やキリスト教徒であるヨーロッパの人びとは、バベルの塔のことを忘れず、十二世紀のころから、メソポタミア地方をおとずれ、遺跡をさがしまわって、ここがバベルの塔の跡だ、とのべる人があとをたたなかった。そして、もっとも確実と思われるバベルの塔の跡を発掘したのが、コルデワイらドイツの調査隊であった。二十世紀にはいってすぐのことであった。

ところが、第一次世界大戦後の一九二二年から、イギリスの考古学者ウーリーを団長とするイギリス・アメリカ合同調査隊が、南イラクの古代遺跡を十数年にわたって発掘した。その結果、そこが、大洪水によって運ばれた土のなかに埋もれてしまった、紀元前二〇〇〇年以上もまえのシュメール人の都市国家ウルの跡であることがわかった。

ウルは『旧約聖書』にもでてくる。そして、遺跡のなかからどうどうたる塔（ジッグラト）があらわれた。古代のイスラエル人たちが伝説として語り伝えてきたバベルの塔とは、こちらではないか、という説もある。

古代のメソポタミアには、バベルの塔といえるものがじつに四〇以上もある。どの都市国家でも中心となる神をまつったが、その神殿のわきに、かならず塔をたてたからである。

なぜ、このような塔がたてられたのだろうか。

東方の山岳地帯から平地のメソポタミアに移り住んだシュメール人は、はじめは、神々を大地より一段高いプラットフォームにまつった。しかし、メソポタミアは二つの大河のはげしい洪水におびやかされる地方である。土台を高くし、そのうえに神殿をきずけば、この洪水の魔の手からのがれられることに彼らは気づいたのだろう。

メソポタミアは石材をほとんど産出しないが、豊富な土を水でかためて太陽の熱でかわかせば、日ぼしレンガができる。貴重な木材を焼いてつくる焼成レンガは、ふんだんには使えなかった。そこで、塔の芯はもり土や日ぼしレンガでかため、表面を、焼成レンガや、雨水を吸いこまないようにうわ薬をぬったエナメルレンガでおおった。

はじめは神殿といっしょだった塔がきりはなされ、七つの層にきずきあげられた。塔の頂上には、神が降りてくるほこらがつくられた。前五世紀にバビロンにきたギリシアの歴史家ヘロドトスが観察した塔は、このようにしてできた塔であった。

ドイツの調査隊は、ま四角の遺構のほかはなにも発見できなかったが、ヘロドトスの報告や遺構の綿密な研究によって、ほぼつぎのことがわかった。

塔の第一層は各辺が約九一メートル、第七層は二四メートルで、その外壁には、厚さがじつに一五メートルもかたい焼成レンガの表張りがしてあった。南正面から真ん中の階段で地上から直接第二層へ、左右の階段で第一層へ、さらにそこから第二層へとのぼるようになっており、そのさき頂上までは、傾斜路で周囲をまわりながらのぼっていくというしくみであった。

塔の高さは約九〇メートルで、頂上には神のほこらがあり、そこからは、ひろびろとしたメソポタミア平原を、はるかな地平線まで眺めることができた。

イスラエル人の予言

メソポタミア文明をひらいたシュメール人がどんな民族であったかは、今もわからない。ただ、かれらは、バビロンのあたりを「カ(門)＝ディンギル(神)＝ラ(の)」とよんだ。「神の門」という言葉を、シュメール人を征服してこの地を支配したセム語系遊牧民のアッカド人が、「バーブ＝イリ」といいなおした。バビロンとは、異説もあるがこのバーブ＝イリが変化してできたよび名と考えられている。

この「神の門」という名の土地に都をさだめて、メソポタミア地方をはじめて統一したのが、バビロン第一王朝である。前十九世紀ごろのことであった。前十八世紀ごろに生まれたこの国のハンムラビ王は、ととのった法典をつくったことで有名であり、この王国の黄金時代をきずいた王でもあった。

メソポタミアは、地形が周囲にひらかれていたこともあって、その富をねらって多くの民族が争いあった。そのなかでも、ティグリス川の上流地方のアッシリアが強くなり、セナケリブ王は、前七世紀、バビロンを攻めて町を破壊した。「バビロンの土までけずりとってユーフラテス川に流した。」と、くさび形文字の記録は伝えている。

しかし、その勢いもながくはつづかなかった。前七世紀の終わりには、バビロニアのカルデア人が反撃し、ナボポラッサル王はふたたびバビロンを都にして、新バビロニア王国をたてた。その子が、前六世紀の世界ではもっとも雄大な都市バビロン市を建設した、ネブカドネザル二世である。

ネブカドネザル王の時代に完成したバビロンの塔は、「エ＝テメン＝アンキ（天と地の基礎の建物）」とよばれた。それが『旧約聖書』でバベルの塔とよばれた背後には、つぎのような事実がかくされているとみてよいだろう。

バビロンを東のはしと見立てた三日月を地図の上にかいてみると、西のはしにあたるところにくるのは、イェルサレムという町である。ここには、前一〇〇〇年をすぎたころ、ただひとりの神ヤハウェを信じる人たちの王国ができた。

この国は一〇〇年くらいすぎたあと、南と北とに分裂し、北のイスラエル王国は、前八世紀後半アッシリアのために、南のユダ王国は、前六世紀のはじめに、新バビロニア王国のネブカドネザル王に攻撃された。このとき、王族や文武の役人、技術者など、国の有力な人びとがバビロンにつれさられた（これを「バビロン捕囚」という）。

イェルサレムの新しい王は、エジプトとむすんで新バビロニアに反抗したので、ネブカドネザルは、こんどは完全にユダ王国をほろぼし、またも多くの人びとをバビロンにつれさった。

『旧約聖書』の「詩篇」のなかでは、捕われびとイスラエル人の悲しみが、つぎのように歌われている。

> バビロンの流れのほとり
> そこでわれらはすわって泣いた、
> シオン(エルサレムの丘)を想い出しながら。
> われらはそのなかのポプラの樹に
> われらの琴をかけたのだった。
> というのはわれらを捕え移したものが
> われらにそこで歌をもとめ、
> われらを苦しめたものが楽しみをもとめたのだ。
> 「われわれのためにシオンの歌を一つ歌え」と。
> どうしてわれらは異境の地で
> ヤハウェの歌を歌えようか。
>
> (関根正雄氏訳による)

バビロンのイスラエル人たちは、九〇メートルの壮大な塔を眺めつつ、捕われの日々をおくった。

バビロニアの主神マルドゥクへの崇拝を強制されても、心は、彼らの主であるヤハウェの神を、かたときも忘れることはなかったにちがいない。

バベルとは、イスラエル語で「みだれる」という意味であった。イスラエル人は、天をつくカルデア人のこの塔を、主をおそれぬふとどきな思いあがりのしわざと解釈し、バビロンの呼び名であるバーブ＝イリ（神の門）の音に、バベル（みだれる）という言葉をからませて、『旧約聖書』の「創世記」のバベルの塔の話をつくりだしたのではなかったろうか。

ともあれ、ネブカドネザル王は、前五六二年、四三年のながい治世を終えてこの世をさった。それからわずか二三年ののち、新バビロニアはペルシア人が建設した新興のアケメネス朝のために、あっけなくほろぼされた。

ペルシアのキュロス王は、バビロンのイスラエル人たちの一部が、故郷のパレスチナに帰ることをゆるした。約五万人の人びとが帰ったという。

バビロニアでのイスラエル人の物質生活は、かならずしもみじめであったわけではない。べつに獄につながれていたわけでもない。かれらのなかには、バビロンや周りの各地にそのままいのこって、金融業などに従事したものもあった。

バビロンは、その後もアケメネス朝の、つづいてアレクサンドロスとその後継者の帝国のもとで、しばらくは栄えた。しかし、前二世紀のすえに、イランのパルティア人に攻められてから、急速におとろえていった。そして、新バビロニア王国時代の栄光を、二度ととりもどすことはなかった。

国をほろぼされたイスラエル人が、カルデア人をのろい、バビロンの運命を予言したのは、バビロンが栄華によいしれていた遠いむかしのことである。

メソポタミアの大地に、いたいたしい残がいをよこたえて、むかしのままの北西の風が、人もいない行列道路を吹きぬけるままにまかせている現在のバビロンの廃墟を見れば、わたしたちは、『旧約聖書』のなかのかれらの予言の、あまりにも鮮やかな的中に、歴史のぶきみさを感じないわけにはいかない。

国ぐにのほまれであり、カルデア人の
誇りであり美わしいバビロンは、
神のほろぼしたソドムとゴモラのようになる。
ここには長く住むものが絶え、
世の終わりまで住みつくものがない。
アラビア人もそこにテントを張らないし
羊飼もそこに群れを伏させることはない。
野の獣がそこに伏し、
ふくろうはその家に満つ。

2

乱世の思想家
戦国時代の中国

「諸子百家」とよばれる思想家たちはどのような方法で
戦国時代の混乱を解決しようとしたのだろうか

中国では現在考古学的に確認できる最古の王朝である殷、
つづいて周が氏族集団の連合体として隆盛をした。
が、周辺民族の活動によりしだいに周は衰退したことから、
「覇者」とよばれる有力諸侯が主導権を争う「春秋」時代、
「七雄」とよばれる強国が争いあう「戦国」時代となった。
この時代は鉄製農具の発明と普及による生産力の拡大
商業活動の活発化を背景とする青銅貨幣の普及
個人の能力が重視される実力本位の傾向など
中国社会の大転換期であった。
「諸子百家」が活動するのはこんな時代である。

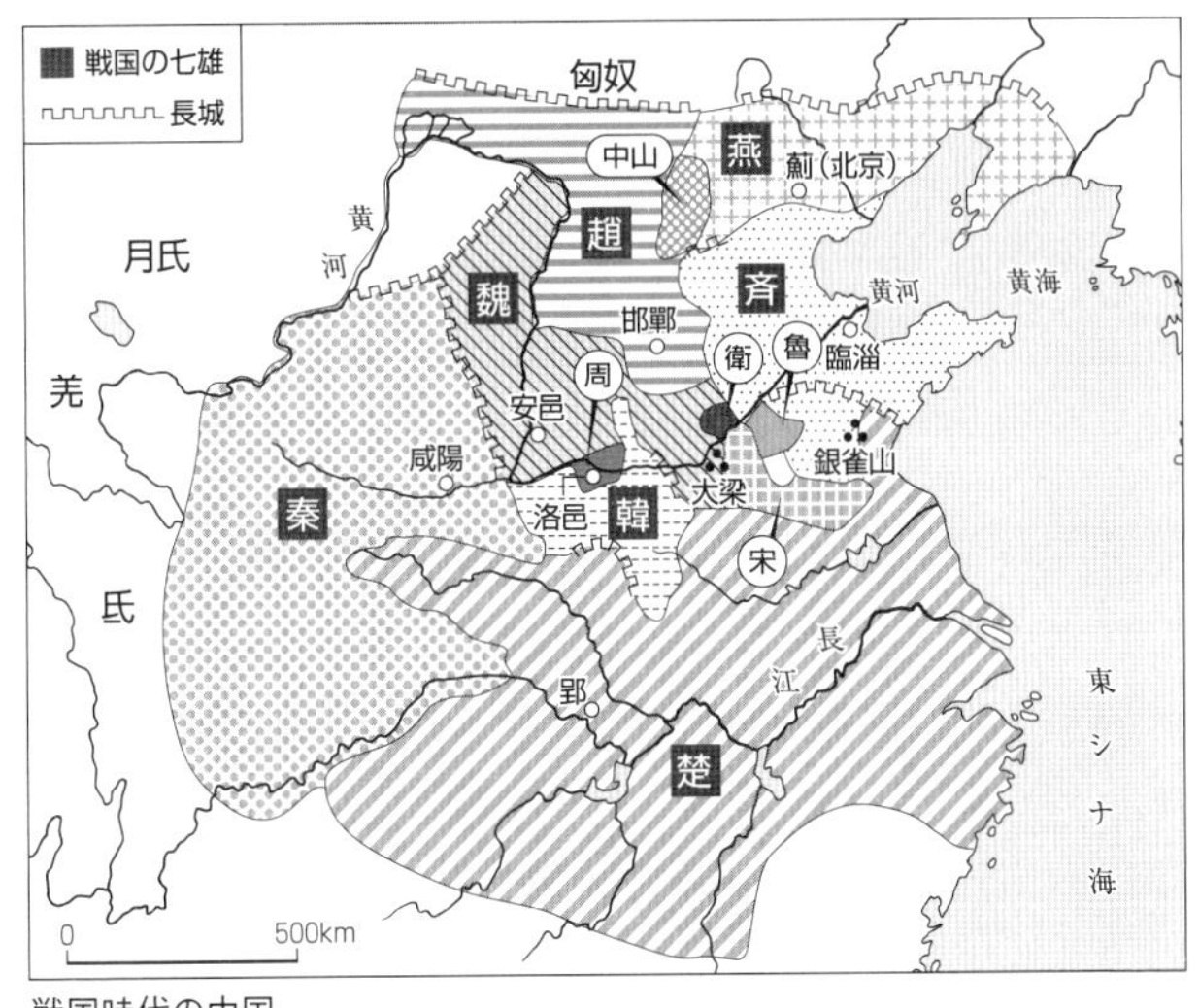

戦国時代の中国

孫臏の兵法

一九七二年、山東省臨沂銀雀山というところで、今から二〇〇〇年以上もむかしの墓が見つかった。

その墓から、竹をあんでつくった古代中国の書物(竹簡)がたくさんでてきた。そのなかに『孫子兵法』と『孫臏兵法』という兵法(戦術)の書物がまじっていた。これはたいへんなビッグ＝ニュースであった。

『孫子』という書物は、はやくから日本にも伝わり、戦国時代(一五～一六世紀ごろ)の軍師(参謀)がよく読んだものである。その作者は、前六世紀ごろに生まれたとされる兵法家孫武か、それとも前四世紀ごろの兵法家孫臏か、と長いあいだ議論されてきた。それがこの発掘で、ふたりがべつべつに兵法の書物を書いたことがはっきりしたのである。

今の山東省には斉という国があった。孫武も孫臏もその斉の人で、孫臏は孫武の子孫だともいわれているが、正確なことはわからない。

中国は黄河の流域から文明がはじまり、前十一世紀の末ごろから、周という王朝によっておさめられた。しかし、前八世紀のころから国がみだれ、多くの国ぐにに分かれた。斉はそのなかでも有力な国の一つであった。

斉の西どなりにあった晋という国は、前五世紀の終わりごろ、三人の大臣に国をのっとられてほろび、韓・魏・趙の三国に分かれた。また、斉の北には燕、長江（揚子江）の中流域には楚、黄河の上流域には秦という国があり、これらの七国が、そのころの中国でもっとも強い国であった。

これらの国ぐには、領土をひろげ、他国をおさえようとしてたがいに戦いあった。前五世紀の終わりから約二〇〇年ほどつづいたこの戦乱の時代を、戦国時代とよんでいる。

孫臏はその時代の人であった。彼には、若いころいっしょに兵法を学んだ龐涓という仲間がいた。才能は孫臏のほうが上だったようで、龐涓はそれをいつもくやしがっていた。

やがて龐涓は、魏の軍師として召しかかえられると、孫臏に使者をおくって、魏の王につかえられるようにしたから、と伝えた。孫臏は友人の言葉を信じて魏へいった。

ところが、これはわなであった。龐涓はひそかに司法官にいつわりの告げ口をし、孫臏に無実の罪をきせて捕えさせ、両足を切る刑にかけた。孫臏を二度と世にでられないようにしようという、ライバルを憎むあまりの卑劣なしわざであった。

臏(びん)とは足切りの刑のことである。彼が孫臏という名で歴史にしるされることになるのは、そのためである。

孫臏は、運よく魏にきた斉の使者の目にとまり、使者が帰るとき、こっそりその車にのせてもらい、斉にのがれることができた。そして、斉の軍師に召しかかえられた。

やがて、魏と趙とが同盟して韓を攻めた。韓は斉にたすけをもとめた。孫臏が復讐するときがきた。

斉の軍隊が魏の都大梁(たいりょう)を攻めたあと、軍師の孫臏は、田忌(でんき)将軍に一つの計略をさずけた。「いったん兵を引き揚げよ。そのさい、今日は一〇万、明日は五万、そのつぎの日は三万と、宿営のかまどを毎日減らすがよい。」と。

龐涓は魏の軍勢をひきいて、引き揚げる斉軍のあとを追ったが、敵の陣営のかまどが、毎日どんどん減っているのを見て、「敵はわずか三日でかくも逃亡者が続出しているぞ。いっきに追い打ちをかけよ。」と、勢いこんで追撃した。

孫臏は、魏軍の速度からみて、馬陵(ばりょう)という、道がせまくて崖になっている難所に、日没後到着すると判断した。そこで、道ばたの大樹の幹をけずってこう書いた。

「龐涓よ、お前はこの樹の下で討死するぞ。」

いっぽう、斉の兵士たちにはこのあたりで待ち伏せすることを命じ、「暗くなって火がともされたら、そこをめがけていっせいに弓を射よ。」と指示した。孫臏の計算どおり、日が暮れたころ、魏の軍勢は馬陵にやってきた。龐涓は、けずられた大樹の白い幹に、何かが書かれてあるのに気づき、たいまつをともして読みだした。とたんに、かくれていた斉軍の矢がいっせいにはなたれ、魏の軍勢はせまい道で大混乱におちいった。

龐涓はここで討死した。漢代の歴史家司馬遷（しばせん）は『史記（しき）』のなかで、龐涓の最期のせりふをこう書いた。

ついに豎子（じゅし）をして名を成さしむ。（無念だ、きさまに手柄を立てさせるとは！）

これが、司馬遷の名筆によって後世に伝えられることになった、前三四三年の馬陵の戦いのハイライトである。成功するためには平気で友をあざむく。そのかわり、復讐もまた徹底をきわめる——それが戦国時代であった。

孫臏はこの馬陵の戦いでいちやく天下に名を知られる軍師となった。『孫臏兵法』は、かれのかずかずの戦術をまとめた書物であり、数百年後の司馬遷の時代にも世間に伝わっていたことを、司馬遷は『史記』のなかでのべている。竹簡の発見によって、それが事実であったことが証明されたのであった。

戦国時代の中国で、孫臏や龐涓のような兵法を論じる人びと（兵家（へいか））が、諸国の王に重んじられたのはとうぜんである。だが、富国強兵をのぞむ王のために意見をのべる思想家は、ほかにもたくさんいた。これらの思想家は、諸国をまわり歩き、自分を使ってくれる王をさがしもとめた。山東地方を領土とする斉の王は、こういう思想家をおおぜい集めていたことでも有名であった。

稷下の士

山東省を黄河と並行して東北に流れる川に、小清河(しょうせいが)がある。その支流淄河(しか)の左岸に、現在人口一万たらずの臨淄(りんし)という町がある。

ここは戦国時代、斉の都があったところである。今でも、王城の跡らしい城壁の一部分がのこっているが、この都を復原してみると、土の城壁が長方形に約二〇キロめぐらされ、その西南部に、一辺一・八キロないし二キロの城壁にかこまれた王城(営邱城(えいきゅうじょう))があったようである。今ものこっているその王城の城壁でいちばん高いところは、地上から八メートルもあるというから、宮殿も壮大であったにちがいない。

この斉の国の都臨淄には、当時、どれほどの人が住み、どんな生活をしていたのだろうか。司馬遷は『史記』のなかで、斉の国にきた外交家蘇秦(そしん)の言葉だとして、つぎのように書いている。

> 都の臨淄は戸数七万戸、一戸平均三人の男子がいるように思われますので、遠い県から徴発す

るまでもなく、臨淄の士卒（兵士）だけで二一万になります。」（『史記』「蘇秦列伝」）

前四世紀といえば、わが国では縄文時代の末期である。まだ国はつくられていない。そのころ斉の都は、成年男子だけで二一万もの人口をもってにぎわっていたというのだ。「人びとは楽器をならし、闘鶏・競犬・双六・けまりなどを楽しみ、道ゆく人びとは肩をすれあわせるほどである。」と、蘇秦はつづけてのべている。

この臨淄城の西門、稷門のあたりには、りっぱな門がまえの広い邸宅が立ちならんでいた。斉の王にまねかれた学者・思想家たちの住宅街だったのである。前四世紀の斉の威王・宣王父子は、戦国時代でもとくに学者を手あつく保護した王であった。

ここにまねかれた学者たちは、卿（大臣）につぐ高い身分をあたえられて多額の俸給をもらい、それでいてきまった仕事はなく、王がたてた講堂などに集まって、学問や政治のことを議論していればよかった。王は、ときおり、政治をとるうえでこれらの学者の意見をもとめた。この学者連中のことを、稷門付近に住んでいたところから、「稷下の士」という。他の国ぐにでも、これと似たことはおこなわれていたが、斉の国はとくべつであったようだ。学者・思想家の数は、数百人、ときには数千人に達したという。

稷下の士のなかで主流をなしていたのは、道家といわれる一派であった。道家というのは、老子や荘子の学説を信じる思想家のグループである。老子という人がほんとうにいたかどうかは疑わしい。

老子がのべたという書物『老子』が、いつごろできたかについても、いろいろ議論が分かれている。

とにかく、その『老子』の教えでは、自然の根本にある「道」というものがもっとも重んじられた。道は、人間もふくむ万物をうみだしたもので、人間の社会も政治も、この道にしたがって自然のままに動けばおのずからよくおさまる、という考えであった。稷下の士のひとり田駢も、政治はこの「道」、つまり自然の根本の原理にもとづいておこなわれるべきだ、と考えた学者である。

あるとき、斉の威王にどのようにおさめればよいかと聞かれて、田駢はこう答えた。

「わたくしが申しあげることは、林の木のようなもので、材木そのものではありませんが、林の木をもとに材木がつくられるのです。王もそれと同じように、わたくしの話から斉の政治の進め方をひきだし、形あるものにしてください。」

と。威王が納得したかどうかはわからない。ただ、「道」の考えは理論で、政治はその応用だととく道家の説に、斉の王は興味をもったらしい。

いっぽう、荘子(荘周)は、宋という、のちに斉や楚にほろぼされた国の人で、斉の宣王と同じ時代の人といわれている。荘子は斉にはつかえなかったが、老子とならんで道家を代表する人であった。かれは『荘子』という書物のなかで、つぎのような有名な話を書いている。

あるとき、自分は夢のなかで蝶になりきり、心ゆくまで楽しく飛びまわった。ところが、とつぜん目がさめてみれば、自分はまぎれもなく荘周なのだ。いったい、荘周が夢のなかで蝶になったのか、それとも蝶が夢のなかで荘周になったのか、よくわからない。荘周と蝶とはちゃんと区別されているのだが、はて、どうも区別がつかない。物の変化とはそんなものなのだ。自然のままであるかぎり、万物はみな同じなのだ。（『荘子』「斉物論」）

世の中がはげしく動き、そしてかわる戦国時代に、無心無欲の心、物や現実に執着しない心を人びとにすすめたのが、老子や荘子の思想(老荘思想)であった。老荘思想は、その後も、地下水の役割をはたし、中国人の生き方や思想にふかい影響をあたえた。

儒家と法家

荘子と同じ時代の学者で、斉の宣王に認められ、しばらくのあいだここで自分の政治論をのべたものがいる。孟子という人である。

あるとき、斉の宣王が孟子に聞いた。

「殷王朝をひらいた湯王は、夏王の桀を追放したというし、周の武王は殷の紂王を征伐したというが、それはほんとうか。」

中国でもっとも古い王朝だということがはっきりわかっているのは、殷王朝である。殷王朝がはじまった正確な年代を知ることはできない。また、殷のまえには夏という王朝があったと、むかしからいわれてきた。中国の考古学者は、この夏王朝のたしかな遺跡をさがしあてようと、熱心な調査を進めている。

すでに宣王の時代、夏の桀王を湯王がたおして殷がはじまり、殷の最後の王、紂王を武王がたおして周がおこったという話は伝えられていた。そこで宣王は、この伝説をもちだしてきて、臣下のものが君主を殺して新しい王となったらしいが、そういうことがあってよいのか、と孟子にたずねたわけである。

孟子はこう答えた。

「仁愛をそこなうものを賊とよび、道義をそこなうものを残といいます。仁義をそこなった残賊の人は、一夫(ただの人)にすぎません。わたくしは、武王が一夫の紂を殺したとは聞いていますが、君主を殺したとは聞いておりません。」

仁義にもとづく政治をとってこそ王の資格があるのだ、というのが孟子の考えであり、このような考え方を重んじたのが、孔子を祖とする儒家の人びとであった。

孟子は、前四世紀前半、山東地方の鄒(今の山東省兗州府鄒県)という小さな国に生まれたといわれる。家柄・父母・兄弟のことや前半生の生活については、まったくわかっていない。とにかく、孔子の孫弟子の門人あたりから、孔子の思想を間接的に学んだようである。しかし、後世わが国でも「孔孟の教え」といわれたぐらい、儒家を代表する思想家として成長した。

孟子の時代は、戦国時代のなかごろにあたり、国ぐにの争いはいよいよはげしくなっていた。その結果、民衆は労役や重税に苦しみ、合戦がおこれば耕地は荒らされ、凶作ともなれば、たちまち飢死の恐怖にさらされた。

民を苦しめるような悪政をつづけていて、どうして君主といえるのか。仁愛と道義がすたれた国がどうして栄えることができようか。仁政をほどこすことこそ王のつとめ（王道）ではないか。

孟子は戦乱の現実を見つめるなかで、このような考え方を強くもつようになった。

孟子の考えにひかれて多くの門人が集まり、名声がひろがりだしたのは、前四世紀の終わりごろである。孟子は、自分の考えに耳を傾けてくれる君主をもとめて、後半生の大部分を諸国の行脚(あんぎゃ)についやした。車は数十台、従者は数百人というから、孟子一門の人びとの遍歴は、かなり大がかりなものであった。

たずねた国の君主に気にいられれば、よい待遇を受けて弟子の生活も保障される。孟子自身は、君主や他の学派の論客を相手に自分の主張をぶっつけ、理想とする政治の実現をすこしでもこころみることができた。孟子がいちばんながく滞在できた国は斉であった。斉のような大国の君主が仁政をおこなってくれれば、麻のようにみだれた戦国の世もおさまるにちがいない、と孟子も期待したからである。

しかし、孟子が考えるようにはことは進まなかった。彼も賛成した燕への遠征が失敗したことから、孟子は斉を立ちさらねばならないはめになる。晩年は郷里にもどって、弟子たちと『孟子』という政治論集を編集しつつ、生涯を終わったようである。

ところで戦国時代の中期ごろまでに儒家をしのぐ勢いをもっていたのが、墨家であった。この一派の創始者は墨子であるが、かれは粗衣粗食に甘んじ、昼夜の別なく働きつづけ、「墨突くろまず（墨子の家の煙突は黒くなる時がない）」などと言われた。儒家を痛烈に批判し、家族や国家の枠をこえた平等無差別な人間愛（兼愛）こそが戦国の抗争を終わらせられると説いた。大国による小国への侵略を非難し（非攻）、厳格な規律の下に組織化された技術者集団を編成し、小国の自衛戦争にあたらせた。

ただこの集団は「義」を重視して自己犠牲をいとわず、その徹底で勢力を伸ばしたのだが、秦の迫害で衰微し、前漢時代に儒学が官学化して「絶学」となり、事実上消滅した。

こうしたなか孟子の晩年のころから、辺境地方の国、秦がめきめき強くなりだした。秦にも多くの学者・思想家がでむいたが、秦の孝公（こうこう）が、前四世紀のなかごろ衛（えい）の国からきた商鞅（しょうおう）の主張をとりいれて大改革をおこなった。これが強国となった原因であるといわれている。

商鞅の改革の特徴は、農民を小家族ごとに畑を耕させて収穫をふやし、この農民たちから税をとり、兵士を集めるしくみを徹底させたことである。これをおし進めるため、全国に郡（ぐん）と県（けん）をおき、役人をおくっておさめさせた。

また農民を戸籍に登録し、隣組の組織をつくらせ、たがいに監視させた。いっぽう、戦争で手柄を立てたものは、農民でも爵位をあたえて高い身分にひきあげた。この新しいしくみは、血筋や家柄を重んじる貴族の力をとりのぞくことでもあった。

このような改革は、君主の力を国のすみずみにまでおよぼし、富国強兵を実現するうえでおおいに効果があがった。君主の政策に反対するものをきびしく罰し、功績あるものを賞する(信賞必罰)ためにも、法律をととのえ、きちんと文章にしておくようにした。

商鞅や、のちにあらわれた韓非子のように、法にもとづき、君主による中央集権の政治を理想とする人びとを法家という。法家の政策は、道家や儒家の人びとよりずっと具体的に、国をおさめる技術を教えてくれた。そこで、古い伝統にしばられる東方の国ぐによりも、秦のような辺境にある国のほうが、かえって法家の説をとりいれて思いきった政策をとることができた。

実力をつけた秦は、前三世紀になると、まわりの小さな国を併合して領土をひろげ、他の六大国にたいしても圧迫をくわえだした。

前二四七年、秦では一三歳の政が即位した。はじめは大臣に実権をにぎられていたが、九年後みずから政治をとるようになると、法家の説をとくに重んじた。法家以外の学者たちは、お払い箱になり、秦をさった。その数三〇〇〇人という。

政は東方の六国にたいしても大攻勢にでた。まず、前二三〇年にとなりの韓をほろぼした。その後九年のあいだに、趙・燕・魏・楚と打ち破り、最後に、前二二一年、東方の大国斉もほろぼしてしまった。

こうして、周が東遷した前八世紀のはじめから数えて約五五〇年ののちに、広大な中国は秦によってはじめてしっかりと統一されることになった。

秦王の政は、戦国時代に各国の君主がもちいていた王という称号をすてて、「皇いなる帝」という意味の「皇帝」という称号を採用することにした。政がはじめてこの「皇帝」の称号をもちいたことから、かれを「始皇帝」とよぶようになったのである。

始皇帝は全国的に郡県制を施行して中央から官吏を派遣し、貨幣や度量衡・文字を統一し、諸国の王や王族・富豪を秦の都咸陽(今の西安付近)に強制的に移住させた。さらに医薬・占い・農業関係以外の書物を焼き、儒家数百人を生き埋めの処刑にする(これを「焚書・坑儒」という)など、始皇帝はその政策から「暴君」のイメージが強い。しかし一九七四年に始皇帝陵の近くで偶然発見された「兵馬俑坑」、翌七五年湖北省雲夢県にある一地方役人の墓から発見された多量の竹簡(睡虎地秦簡)など、各地で同時代資料の発見が続き、始皇帝のイメージの転換とその統治体制の実態がすすんでいる。

前述の臨沂銀雀山の墓からは、『孫子兵法』や『孫臏兵法』とならんで、ほかにも多くの書物が発見された。これは、秦からつぎの漢帝国にかけて、戦国時代の思想が学ばれつづけていたことを物語っている、といえるだろう。

3

釈尊と祇園精舎
古代インドと仏教

釈尊(ガウタマ＝シッダールタ)は
どのような経緯で悟りを開いたのだろうか

前六世紀ごろ、
インドにはガンジス川流域を中心に
多くの国ぐにが興亡した。
ヒマラヤ山麓のシャカ族の王子シッダールタは、
人生の真理をえようとして出家し、
前六世紀のすえごろ、
マガダ国で仏教をおこした。
仏教は、
マガダ国、コーサラ国などで
多くの貴族や商工業者に信奉され、
やがてアジア各地にひろまった。

シッダールタの旅立ち

ネパール王国の西南部、タライ盆地にあるルンビニーのあたりは、今から二千数百年まえ、シャカ族の国であった。その国の都はカピラバストゥといい、ルンビニーよりすこし北にあった。国とはいっても、東西八〇キロ、南北六〇キロほどの小さなものである。

前五六三年ごろ(前四六三年ごろという説もある)、スッドーダナ王(浄飯王)の妃マーヤー(摩耶)は、初産のためコーリヤ国の実家にむかった。その途中、このルンビニーでひと休みした。

時は春であった。ふりむけば、雪におおわれたヒマラヤの山々のするどい稜線が、ぬけるように青い空に切り立っていた。四月の風が夫人のほおを気持よくなでてすぎた。真紅の花をつけた無憂樹(アショーカ樹)も、身重の夫人の心をなごませてくれた。

マーヤー夫人はおもい腰をあげ、無憂樹の一枝を折ろうとした。そのとき、きゅうに陣痛がはじまった。コーリヤ国の実家までは、まだかなりの距離がある。お供のものはあわてた。結局、夫人はこのルンビニーで、かなりの難産であったらしいが、王子を生んだ。四月八日のことであった。のちに仏教をおこす釈尊の誕生である。

王子は、花をとろうと右手をあげたマーヤー夫人の、右脇の下から生まれたといわれる。また、王子は生まれるやいなや、七歩あるいて右手をあげ、「天上天下唯我独尊」(宇宙のなかで自分がもっともすぐれた聖者だ)と、高らかにさけんだともいう。
釈尊が、ルンビニーで生まれたのはたしかであるが、これらの話は後代の人びとによってつくられた伝説である。

カピラバストゥの王城は喜びにわきかえった。いろいろな儀式がおこなわれ、五日めに、王子はシッダールタ(姓はガウタマ)と命名された。ヒマラヤ山中に住む名高い占い師アシタ仙人がよばれた。仙人は王子の顔を見て、このまま家におれば理想の王である転輪聖王(てんりんじょうおう)になられるだろう、もし家をでることになれば、ブッダ(真理をさとるもの)になられるだろう、とのべたという。

ところで、マーヤー夫人は、ルンビニーでの難産がわざわいしたのだろうか、王子の誕生七日後、とつぜん世をさった。時に三五歳ぐらいであった。シッダールタは、新しい母となったマーヤーの妹マハーパジャーパティーにそだてられて大きくなっていった。

シッダールタは、王子として何不自由なくそだてられた。七歳のときから学問や武芸をならいだし、どちらにもすぐれた素質をしめしたという。

宮殿の庭園には、シッダールタの目を楽しませようと、青・紅・白と、とりどりの花を咲かせる蓮の池が、あちこちにつくられた。シッダールタがもちいる香や衣裳はすべて、ガンジス川のほとりにあるベナーレスの町から運ばれた。

スッドーダナ王は、王子シッダールタが、占いどおりに転輪聖王となり、シャカ国を強大にしてくれることを願った。だが、はたしてシャカ国に、それだけの力があったのだろうか。

シッダールタが生まれた当時の北インドは、古い時代から新しい時代に移ろうとする転換期のただ中にあった。

インドでは、前二六〇〇年ごろから、インダス川の流域に文明がはじまった。それから一〇〇〇年ぐらいたち、中央アジアからアーリヤ人が侵入してきて、この文明をになう先住民を支配するようになった。アーリヤ人たちは、前一〇〇〇年ごろから、東のガンジス川の上・中流域にも進出し、多くの村落をつくって農業をいとなんだ。

アーリヤ人は、前八世紀にはいるころから、鉄器をもちいて森をきりひらき、田畑をひろげだした。やがて、手工業や商業もさかんになり、都市ができ、この都市を中心とする小さな国が多数うまれた。スッドーダナを王とするシャカ族の国もその一つであった。

ガンジス川のまわりにできた国ぐには、しきりに戦いあい、そのなかから大きな勢力をもつ国があらわれた。ネパールにちかい北方ではコーサラ国が、ガンジス川下流地方ではマガダ国が強国となった。シャカ国は、じつは独立国ではなく、コーサラ国の属国であった。

シャカ国をとりまく情勢のきびしさを知ればこそ、父のスッドーダナ王はシッダールタに期待をかけ、たくましい青年として成長してくれることを願ったのであろう。生まれつき感受性の強かった王子シッダールタにも、はげしくゆれ動く時代の空気は感じられたことであろう。

そんななかで、シッダールタの目は、なぜかこの世に生きる人間のすがたにひきつけられていった。人はだれでも老いる。病いや死からのがれることはできない。なのに、若く健康なものはその若さにおごり、老人や病人を見ては顔をしかめ、欲にとりつかれて浮かれさわぐ。そんなことでいいのだろうか。この世にあるかぎりさけることができない苦しみというものがある。それを、どうしたらのりこえることができるのだろうか。

シッダールタは、いつもそのことでなやみ、年とともに心がしずんでいった。父王は、そういう王子に気づき、王子が一六歳になると、コーリヤ国からヤソーダラー姫を妃にむかえた。ヤソーダラー姫はまだ一〇歳にもならないかわいい少女であった。結婚すれば、王子にとりついたふさぎ虫も退治できるのではないか、という親心からであった。

一〇年ほどしてラーフラという男の子が生まれた。父王はこれでもう大丈夫だと安心したにちがいない。だが、シッダールタは、ついに家をでる決心をかためた。

二九歳の、ある冬の夜のことである。カピラ城の宮殿のなかで父も継母も、妻もわが子もみな静かにねむっているなかを、シッダールタは愛馬カンタカにのり、馬丁(ばてい)チャンナをつれて北の門から城外にでた。転輪聖王への道をすてたシッダールタの、ブッダへの旅立ちであった。

樹下のさとり

シッダールタは出家した。ただし、そのころのインドでは、出家することはべつにめずらしいことではなかった。

インドのアーリヤ人の社会で、いちばん身分が高いのは、バラモン階級であった。バラモンとは、多くの神々の祭りをおこなう僧侶たちであって、『ヴェーダ』という聖典の句をとなえ、儀式をつかさどるバラモン教の権威者であった。

バラモン階級に生まれた人びとは、学業をおさめ、家庭をもったのち、家をでて森林にはいって修行をつみ、さらに各地をめぐり歩いて、徳をみがくことを理想的な生涯とした。前六世紀ごろになると、バラモン以外でも出家して修行するものがふえだした。

このころ、都市を中心とする北インドの大小の国ぐにでは、実際の政治や経済を動かす王・貴族・武人(クシャトリヤ)や商工業者(ヴァイシャ)などが、むかしながらの儀式と権威だけにしがみつくバラモンに、反発するようになった。バラモンが正しいとする思想に反対して、宇宙や、生・死の問題に、バラモンとはちがった考え方をする思想家もうまれた。これらの人びとのなかに、出家して修行するものがふえてきたのである。

森林にはいったり、各地を遍歴したりするこれらのバラモン以外の修行者たちは、沙門(しゃもん)(努力する人)

とよばれ、国王や商人たちからの援助を受けた。

クシャトリヤにぞくしたシャカ国の王子シッダールタも、出家してこの沙門となり、真理をさとって人生の苦しみからぬけだすこと（解脱）をこころざしたのである。

スッドーダナ王がいくら願ってみても、財力も軍事力もとぼしい小さなシャカ国が、強大なコーサラ国に勝てるわけがない、と考える人びとがシャカ族のなかにもいたであろう。この人びとのうちには、幼いときからすぐれていた王子がブッダとなって、人びとを苦しみから救いだしてくれることをのぞみ、シッダールタの出家を内心ではよろこんだものもあったかもしれない。

いや、シッダールタ自身が、シャカ国の心ぼそい運命を予感して、きっぱりと国王となることを拒絶し、出家して人を救う道をえらんだとも考えられる。いずれにせよ、シャカ国は、のちにコーサラ国によってほろぼされてしまう。

さて、王城をでたシッダールタは、途中で馬丁と馬をかえし、ただひとり南へくだった。やがてガンジス川にでた。この大河をわたり、当時のインドでもっとも強いマガダ国の首都ラージャグリハ（王舎城）についた。新しい思想家が多数集まっていたこの大都市で、すぐれた先生につこうというのが、シッダールタの最初の目標であった。

シッダールタは、まず、うわさの高いふたりの仙人に入門し、静座によって精神を統一し、無念無想の境地に達する（禅定という）方法を、数カ月で学びとった。ふたりともシッダールタの能力におどろき、彼をひきとめたが、シッダールタはこの修行法だけでは満足できず、もっときびしい苦行をのぞんで、ネーランジャラー川のほとりの森にはいった。

ここでシッダールタがおこなった六年間の苦行のきびしさは、のちに釈尊が「どんな人も自分ほどにはげしい苦行をしたものはいない。」と回想したというほど、肉体を苦しめるものであった。煩悩や悪魔の誘惑に打ち勝つために、断食もし、からだは骨と皮だけになってしまった。

それだけの苦行をしても、まだ心の平安をえられないでいたシッダールタは、やがてハッと気づいた。

じぶんは、ふたりの仙人の禅定が、禅定のための禅定になっているのが不満でそこをさったのに、今していることは、苦行のための苦行ではないのか。死んでしまってなんになる、生きていてこそ真理はさとれるのではなかったか！

シッダールタは、そう気がつくと、ごく自然に苦行をやめることができた。よろよろとした足どりで森をで、ネーランジャラー川でよごれたからだを洗い、のこっている力をふりしぼって岸にあがった。

ちょうどそのとき、村の娘(スジャータ)がとおりかかり、手にもっていた乳がゆをシッダールタに飲ませてくれた。シッダールタは生きかえった。

しだいに体力を回復させたシッダールタは、やがてマガダ国のガヤーの町にむかった。ガヤーは古くからバラモン教の霊場となっていた。郊外についたシッダールタは、アジャパーラとよばれる大樹の下に、草刈り人がしいてくれたやわらかい干し草(吉祥草)にすわり、ながい時間、静かに座禅をつづけた。

シッダールタのふかい思索のなかから、やがて光明が浮かびあがってきた。

人間のすべての苦悩は欲望からおこる。その欲望は、無明、つまり、ことを明らかにできる知がないために、いたずらにことにさからうことによって生じるのだ。

ものにはすべて縁っておこる原因(縁起)があるのだから、人間が安楽の境地(涅槃・ニルバーナ)にはいるには、無明にとらわれているおのれを自覚し、欲望に執着せずに、すべてをありのままのすがたで受けとる平静な心で生きることだ。

シッダールタが達したさとりの境地とは、かんたんにいえばそういうことであった。シッダールタは、ついに自分のなかの無明の闇を消しさった。今は、苦しみも悩みもない、ただ、やさしい安らぎだけが、彼の表情にただよっていた。シッダールタはまさしくブッダ(真理をさとったもの)となったのである。

時に三五歳の十二月八日、東の空から、冬の夜明けの光が、大樹とその下にすわるシッダールタにやさしくとどいた。

アジャパーラの大樹は、いらい菩提(さとり)をひらいた大樹、菩提樹とよばれ、ガヤーは、のちにブッダガヤとよばれるようになった。このとき以後のシッダールタを、釈尊あるいは釈迦牟尼という。

シャーラ(娑羅)の白い花

祇園精舎の鐘の声、諸行無常の響あり。娑羅双樹の花の色、盛者必衰のことはりをあらはす。

『平家物語』は、この有名な言葉ではじまる。

精舎とは僧院のことである。祇園精舎はコーサラ国の首都、シュラーバスティーの郊外にたてられた僧院であった。

シッダールタがさとりをひらきブッダとなってからのことであるが、この町の資産家スダッタが、コーサラ国の王子ジェータから、王子の所有地である林を買いとった。そして、それを釈尊と弟子たちに寄進し、そこにレンガづくりの僧院をたてた。その林は「ジェータの園林」といわれ、漢語に訳されて「祇陀園」、略して「祇園」とよばれた。

今のインドのウッタル＝プラデーシュ州のサヘート＝マヘートに、まわりを田と畑にかこまれた小高い丘があり、樹木がしげっている。ここが祇園精舎の跡だといわれる。

六月のなかごろから四カ月ばかりつづく雨季には、釈尊と弟子たちはこの祇園精舎でくらした。ただし、古代インドの僧院には鐘はなかった。『平家物語』の「鐘の声」という表現は、あくまで日本

祇園精舎跡

の作者の文学的空間である。

ガヤーでさとりをひらいたあと、釈尊はさらに一週間静座して瞑想をつづけた。そのあと、修行者がおおぜい集まるベナーレスにむかい、郊外のサールナート（仏典では鹿野園）で、かつての苦行仲間五人にであい、彼らに最初の説法をおこなった。

釈尊の自信に満ちた言葉に、はじめは反論した五人も、しだいに耳をかたむけ、彼らにもまた真理をとらえる目（法眼）がひらかれた。五人は釈尊の弟子となり、ここに、ささやかながら最初の仏教教団ができた。

ブッダ（仏陀）となった釈尊の教えが仏教である。釈尊は、人が、無明をなくし真理をつかんで安らぎ（ニルバーナ）をえるには、快楽にふける生活でもなく、苦行に身を苦しめる生活でもなく、その中道を歩み、正しく考え、正しくおこなうことだといた。いわゆる八正道である。

商工業のさかんなベナーレスの町では、資産家たちのあいだに、バラモン教にかわって、心の支えとなる宗教をもとめる気分が高まっていた。出家修行者とならなくても、釈尊の教えにしたがえば心の安らぎがえられるというので、彼らは仏教に強くひかれるようになり、信者の数はしだいにふえた。なかには、出家して仏教教団にくわわるものもあらわれた。

　マガダ国のビンビサーラ王も、この新しい宗教に好意をもち、釈尊たちが首都ラージャグリハにやってくると、歓迎してその教えを聞いた。そして、郊外の竹林園を寄進し、ここに僧院をたて、マガダ国で釈尊たちが布教をつづけるための足場を用意してやった。この精舎を竹林精舎といい、この精舎が最初の仏教寺院となった。

　あるとき、コーサラ国の資産家スダッタは商用でマガダ国のラージャグリハにいき、人びとがブッダとよんでいる釈尊にあった。そして、その説法を聞いてふかく心を打たれ、ぜひコーサラ国にきて法をといてほしいとたのんだ。

　釈尊は承知した。そこでスダッタは、おおぜいの弟子たちとともに、釈尊が滞在できる土地をさがしたすえ、まえにのべた祇園精舎をたてたわけであった。

　当時の出家修行者たちは、森のなかの、草木でつくったそまつな庵（いおり）に住んでいた。だから、釈尊たちが僧院でくらすということは、新しい生活のしかたをはじめたことを意味している。ただし、よその土地をまわるときは、僧院があるわけではないから、托鉢（たくはつ）して食事をもらい、野外か空家で夜をすごした。

ところで、シッダールタが出家したあと、シャカ国では、夫人は悲しみ、王は落胆した。それから数年して、シッダールタがブッダとなり、マガダ国で尊敬を集めているといううわさが、王やシャカ国の人びとにとどいた。

シッダールタは、ガヤーでさとりをひらいてから、どれぐらいたってからか正確にはわからないが、いちどカピラバストゥに帰ったことがある。スッドーダナ王は、釈尊が城内の家々を托鉢してまわるのを見て、「王家に生まれたものがそんなことをして、恥ずかしいではないか。」と非難した。しかし、釈尊はかまわず教え歩き、多くの人びとがまもなく、出家するか在家（ざいけ）のままで仏教信者になった。

釈尊は、自分にかわって王をつぐはずの、弟ナンダや、いとこのアーナンダ、デーバダッタなども出家させてしまった。そのうえ、まだ年の小さい息子のラーフラをも、沙弥（しゃみ）(見習い修行僧)として出家させた。シャカ国におとずれる不幸を、あるいは予見していたのでもあろうか。

釈尊は、ブッダとなっていらい四五年にわたり、バラモン教や他の宗派の妨害とか弟子の反逆などにあいながらも、倦まずに教えつづけた。晩年には、シャカ国を憎むコーサラ国の新しい王のために、故郷のシャカ族が全滅させられるのを、いたましい思いで見おくった。

しかし、釈尊の暗殺をはかった弟子デーバダッタも、シャカ国をほろぼしたコーサラ国王ビドゥーダバも、そのむくいを受けて無残な最期をとげた。生あるものはかならず死ぬ(生者必滅（しょうじゃひつめつ）)が、悪業をなしたものにはかならずおそろしいむくいがくる（因果応報）、という釈尊の信念は、生涯ゆらぐことがなかった。

八〇歳の釈尊は、生まれ故郷にむけて最後の旅をした。その途中、鍛冶職人のチュンダに招待され、釈尊にだけきのこ料理がだされた。ところが、その料理が原因になったらしく、釈尊ははげしい腹痛と下痢に苦しめられ、ネパールちかくのクシナガラの郊外にようやくのことでたどりついたが、そのさきへはもう一歩も進めなくなった。

釈尊は一対のシャーラ（娑羅）の樹のあいだに、衣をたたんで床をしいてもらい、頭を北にむけ、右脇を下にし、足を重ねて横になった。

「アーナンダよ、水を一ぱい汲んできておくれ、のどがかわいてたまらないから。」

二月だというのに、シャーラの樹は、時ならぬ白い花を咲かせていた。

弟子たちは釈尊のまわりに集まり、悲しみにくれた。彼らは釈尊の口から師の最期の言葉を、はっきり聞いた。

「すべてのものごとは無常だ。あなたがたよ、おこたらずに努力しなさい。」

釈尊は静かに息をひきとった。永遠の安らぎの世界、ニルバーナ（涅槃）の世界へと旅立ったのであった。

いま釈尊入滅の場所は公園になり、代がわりした娑羅の樹が立っている。

4

ギリシア悲劇の舞台うら アテネの民主政

さかんに演じられた演劇とアテネの民主政とは どのような関係があるのだろうか

山が多く耕地のせまいギリシア半島に、
前二十世紀いらい、
ギリシア人が移住した。
かれらのミケーネ文明が崩壊し、
数百年の過渡期をへたあと、
前八世紀から
ポリスといわれる都市国家が各地に成立、
なかでもアテネとスパルタが発展した。
アテネでは前六世紀すえから
民主化が進み、演劇が発達した。

ディオニュソスの祭り

ギリシアの三月は、ものみないっせいに春のよそおいをこらす月だ。野には赤いけしの花がいちめんに咲きだす。このあいだまで、白い波頭を荒々しくさか立てていたエーゲ海が、今は、明るい陽の光と心地よくたわむれている。

古代のアテネでは、このよろこばしい季節のさきがけとなる祭りが、三月のなかばごろおこなわれた。大ディオニュシア祭である。収穫と酒の神ディオニュソスの祭礼である。三月がくれば市民の心はおおいにはずんだ。

その祭礼はどのように祝われたのであろうか。わたしたちは、タイム＝トンネルをくぐり、ひとっとびにむかしのアテネをたずねてみよう。

その日は、前四七二年の大ディオニュシア祭の日であった。アテネの市民は、十分腹ごしらえをしたあと、軽食やぶどう酒を用意して、日の出まえから家をでた。人びとの足は、アクロポリス（神殿のある丘）の南麓にあるディオニュソス劇場にむかっている。大ディオニュシア祭は、劇が上演され、市民がそれを見ることであった。

では、その劇場を眺めてみよう。

三〇度ほどの勾配の急な丘の斜面に、木の「さじき」が組まれてある。市民はここに集まってくる。

このさじきをギリシア語で「テアトロン」という。劇場という英語シアター(theater)は、この言葉からできたものである。

すり鉢型のこの野外劇場の、いわば底になるところは、直径三〇メートルぐらいの円形の土間である。これは、劇のなかで合唱隊(コロ)がおどるオルケストラ(踊り場)である。そのうしろに細長い舞台があり、そのまたうしろには、今日の劇のための、スケーネという小屋が用意されている。役者や、ときには合唱隊がそこから登場してくるはずである。なお、オルケストラから今のオーケストラという言葉がうまれたことも知っておこう。

市民たちがさじきに腰をおろして、ざわめきながら劇のはじまりを待つうちに、日がのぼった。まずはじめにおこなわれるのは、聖なる儀式である。お清めのために、子ぶたがいけにえにささげられる。つぎに、ふだんは劇場敷地内の神殿に安置され、今日の祭礼のため劇場にもちだされたディオニュソス神の神像に、ぶどう酒がささげられる。そのあと一、二の行事があって、いよいよ開演となる。

とはいっても、現代の屋内劇場とはちがうから、幕はあかない。というより幕なしである。一二人の合唱隊が西がわの入口から入場してオルケストラにあがると、劇がはじまるのである。さじきいっぱいにはいれば一万六、七千人にはなる観客が、ようやく静まりかえって、オルケストラのほうを注目しだした。

ギリシアの劇場

この年の祭礼には、現存するギリシア悲劇としてはもっとも古い、アイスキュロスの『ペルシアの人びと』が上演された。劇は、ディオニュソス神への奉納行事である。悲劇は三人の作者の競演となる。一日かけて、ひとりが用意した悲劇三篇と軽い狂言一篇を上演する。だから、悲劇は三日にわたって上演される。このほかにもう一日、五人の競作者が一篇ずつだす喜劇が上演された。

市民は、夕方までたっぷり一日、ぶどう酒を飲んだり食物を口に運んだりしながら、劇につきあうことになる。

舞台からさじきまで、ちかくて四〇メートル、うしろの高いところだと、一〇〇メートルもある。劇のすじが退屈で、役者がへただったりすると、観客のほうもやじをとばし、足をふみならしてさわぎ立てる。あるいは、うららかな早春の陽気も手伝って、いねむりもでようというもの。

だが、アイスキュロスの『ペルシアの人びと』は、おおいに市民を感動させた。

八年まえの前四八〇年、アテネはペルシア軍に占領されながらも、サラミス湾での海戦でみごとな勝利をおさめた。このペルシア戦争のハイライトともいえる歴史的事件をもとにつくられたのが『ペルシアの人びと』であったからだ。作者アイスキュロス自身、サラミス海戦にも、その一〇年まえのマラトンの戦いにも参加している。ペルシアにたいするアテネ市民の恐怖は、まだ消えさってはいない。ペルシア戦争はまだ終わってはいなかったのだ。

観客は、かたずをのんで舞台を注視した。舞台は、アケメネス朝(ペルシア)の首都スサ。登場人物もみなペルシア人に扮している。まず、長老たちの合唱隊が歌う。「ギリシアに攻めこんだクセルクセス王の軍勢はどうなっただろうか。なぜか不安にかきむしられる。」と。

そこへクセルクセス王の母があらわれて、アテネはどんな国か、と長老たちにたずねる。長老たちは歌う——

彼らはだれにも隷属せず、だれにも服従していないのです。ダレイオスさまのあのみごとな大軍を打ち破ったこともあるのです。

ペルシア全土が、不安におののきながら遠征の結果を待っている。その舞台のようすを、結果を知っているアテネの市民は、小気味よく眺めている。やがてそこへ使者がかけつける。サラミス海戦の悲報がとどけられる。合唱隊は嘆きの歌を歌い、先王ダレイオスの亡霊をよびだす。舞台は、亡霊が、クセルクセスの慢心とおごりをいましめる場面となる。

人間というものは、分をこえた思いをいだいてはならぬということだ。
おごりは花を咲かせ、破滅という穂をみのらせる。
そして、その刈りいれは、なんという悲しいものであることか！
……現在の運にあきたりずに、それ以上をのぞんで、
かえってみずからの大きなしあわせをなくする
——そんなことをしてはならぬ。
ゼウス神は、思いあがった心の懲罰者であり、きびしい裁きの手でもあるのだ。
（中村善也氏訳による）

ギリシア悲劇の約束で、役者は三人しか登場せず、舞台もはじめから終わりまでかわらない劇でありながら、市民たちはこの劇にぐいぐいとひきこまれた。神の正義こそすべてにまさる、というアイスキュロスの信念に魅せられたのであった。

民主政への歩み

アテネの大ディオニュシア祭は、前六世紀の後半にうまれた祭りである。そのころのアテネは、ペイシストラトスという独裁的な指導者におさめられていたのだが、そのペイシストラトスが、劇の競

演を主とする新しい祭礼をもうけたのである。ここにいたるまでには、つぎのようなながい歴史の道のりがあった。

ギリシア人が、エーゲ海につきでたバルカン半島の先端に移住したのは、前二〇〇〇年をすぎたころである。やがて、この半島にミケーネ王国などいくつかの王国がおこり、それらが連合して、海のむこうの小アジアにあるトロイア王国をほろぼした。それらの王国も、前十二世紀にはいってから、支配体制のいきづまりや気候変動、外部勢力の侵入によって突然滅亡した。そのあとギリシア人は、多くの種族に分かれて、あちこちに小さな村をつくってくらしていた。

そのあいだも、ミケーネ時代のトロイア戦争の物語が口づてに伝えられ、前八世紀ごろ、詩人ホメロスによって『イリアス』『オデュッセイア』という二つの雄大な詩にまとめられた。のちのアイスキュロスやソフォクレス、エウリピデスらの悲劇詩人――ギリシア悲劇はすべて詩の形式で書かれる――も、このんで題材をこの叙事詩にもとめたものである。

同じ前八世紀ごろから、いくつかの種族がまとまり、他の種族からの攻撃をふせぐのにつごうのよい地形をえらび、有力な貴族を中心にかたまって住むようになった。その場所は、たいてい百数十メートルの高さの丘――アクロポリスといわれる――と、そのふもとの一帯であった。

こうして、ギリシア人は、アクロポリスから眺めることができる範囲の、耕地と森と小川、それにふもとのアゴラ(広場)を中心とした町からなる、独立の都市国家をたくさんつくりだした。この小国

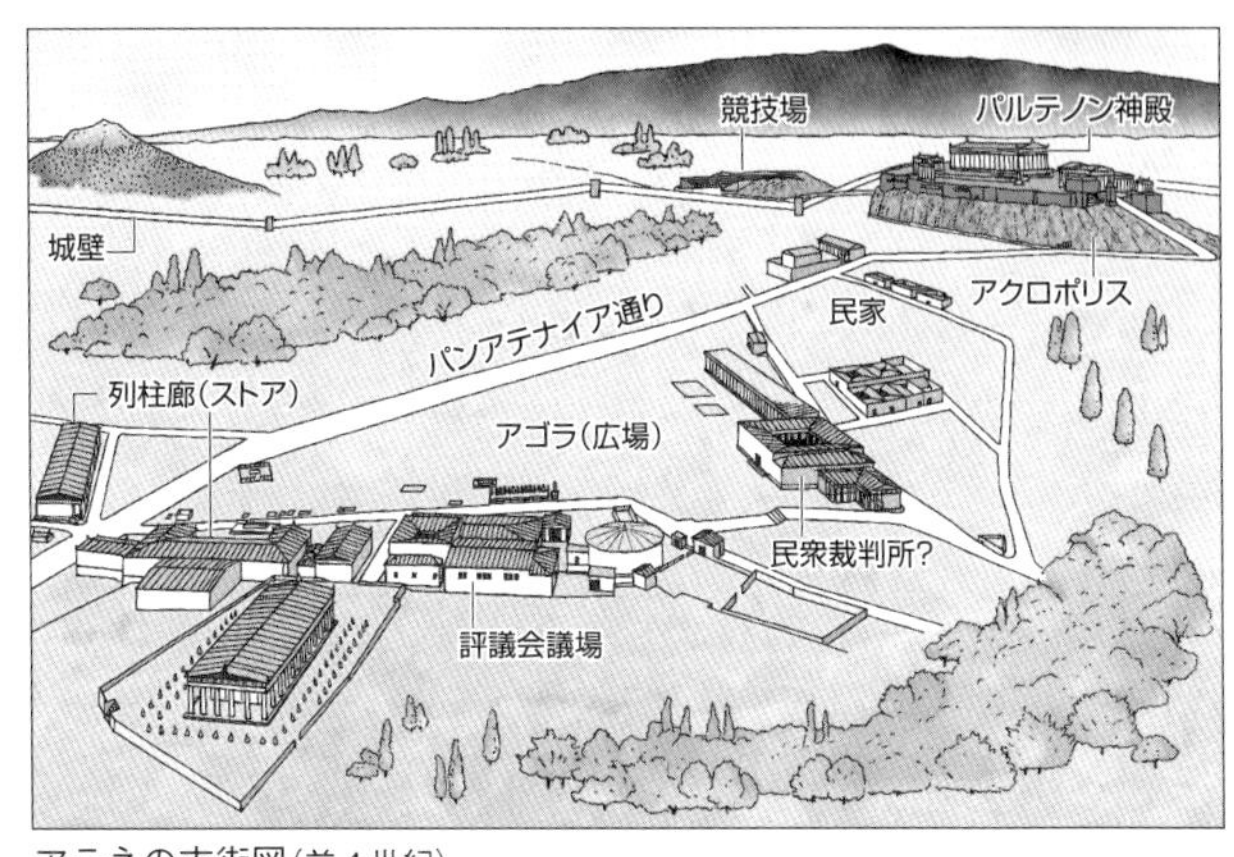

アテネの市街図(前4世紀)

家はポリスとよばれた。

ポリスのうちで例外的に大きいのは、佐賀県ぐらいの広さのアテネと、広島県ぐらいのスパルタであり、あとはどれも小さく、その数は半島だけで二〇〇をこえた(エーゲ海の島々や地中海沿岸各地につくられたギリシア人の植民地をくわえれば、一〇〇〇以上になるという)。

ポリスどうしは、たえず戦いあい、しかも、ついに一つの国家にまとまることはなかった。ポリスには、はじめは王もいたが、やがて貴族のなかからえらばれた執政官が政治をとるようになった。アテネでは、執政官とその経験者が、アクロポリスの西方のアレオパゴスの丘に集まって、政治をとり、裁判をおこなった。

貴族は、広い土地と多くの家畜・奴隷をもち、戦争のさいは指揮官になった。小さな土地をたがやす平民も、ポリスを支える市民であることにかわりはないのだから、戦争のときはかれらもみな武器をもって従軍した。

ギリシアで発掘された古代のつぼ絵には、まるい盾を左手にもち、右手にながい槍をにぎって戦う戦士がよくえがかれている。これは、青銅のよろい・かぶとに身をかため、まる型の盾で身をまもりながら戦う、ギリシアの重装歩兵のすがたである。

この重装歩兵戦術は、前八世紀の後半ごろからはじまり、戦士はたがいに密集隊形をつくって戦うようになった。この重装歩兵の中心は、武器を自分で用意して戦場におもむく平民であった。

平民は、自分たちが国防の主力になっているのに、ポリスの政治に関してはなんの発言権も認められないことに不満をもちだした。また土地を担保にして借りた金をかえせず、貴族や富裕なものの奴隷になる貧しい平民がふえた。

それやこれやで、前六世紀のアテネでは、貴族と平民の対立がふかまり、貴族のなかには、平民と組んで古い貴族政治をあらためようとするものもあらわれた。大ディオニュシア祭をはじめたペイシストラトスは、じつはこのような平民派の貴族であった。彼は、前五六一年、貧しい平民を自分の味方にしてクーデタをおこし、アテネの政権をにぎって独裁政治をはじめた。このような独裁的指導者を、古代ギリシアでは僭主という。

ペイシストラトスの政治はたしかに思いきったものだった。反対派の貴族の土地を没収して貧しい農民に分けたり、商業や工業をさかんにした。また、土木事業をおこしてアクロポリスをかざり、アテネの守護神(女神)のアテナをまつる大祭を、国をあげての行事にした。大ディオニュシア祭をもうけたのも、そうした新しい政治の一つであり、市民の人気を高めるねらいもあった。だが、独裁政治はけっしてながつづきするものではない。彼の息子の代になると、アテネ市民は民主政をもとめて立ちあがり、この独裁政治を打ちたおした。

そのあと、市民の支持をえて政権についたクレイステネスのもとで、民主政は大きな前進をみせる。ギリシアの演劇が誕生した時代というのは、このように、貴族政治から民主政にかわろうとする大きなまがりかどにあたっていた。アイスキュロスは、こうしたアテネの民主化の動きを、一〇代のなかばで目撃しながら成長した悲劇詩人であった。

アテネの明暗

民主主義のことをデモクラシーというのは、みなさんがよく知っているとおりだ。さてそのデモクラシーとは、ギリシア語のデモクラチアからはじまったものなのである。デーモス(民衆)のクラチア(支配)といった意味である。

このデーモスというのは、区のことでもある。アテネでは約一七〇ほどの区に分かれ、市民はそのどれかに登録された。市民の総会である民会もデーモスといわれた。

その区と市民は、クレイステネスのときから新しく編成した一〇部族に統合されるようになった。

それまでの四部族制では、古い部族の血縁関係を基盤としてあらわれる保守勢力を破れない、と考えたからである。これ以後、役人の選出も、戦争のさいの部隊編成も、この一〇部族を基礎にしていた。

劇の審査もこの一〇部族制を単位にしておこなわれた。劇のはじまるまえに、一〇部族ごとに何人かの審査員候補者がえらばれて、その名札が一〇個のかめにいれられ密封される。開演にさきだち、この国家行事を監督する執政官が、みんなの前でかめの封を切り、一枚ずつ名札をとりだす。こうしてきまった一〇人の審査員の判断でしるされた劇作家三人の順位によって、その年の優勝者がきまる。

順位決定の方法もまた手がこんでいた。一〇人の票で自動的に結果がきまるのではない。最終審査は、一〇人の票がはいったかめから、執政官がもういちど五票だけ抜きだし、その五票に記入された順位によって、一位・二位・三位がきまる、というぐあいに、審査の公正がくふうされていた。アイスキュロスは、このコンクールで一三回優勝したといわれる。

クレイステネスは、一〇部族制のほかに、僭主になりそうな人物を追放する陶片追放制（オストラキスモス）もさだめた。これは、市民が、僭主になるおそれがあると思う人物の名を、陶片（オストラコン）にきざんで投票する。その票数が六〇〇〇をこえた人物（一説では投票総数が六〇〇〇をこえたときの最多得票者）が、一〇年間アテネから追放されるというしくみである。

当時、紙は発明されておらず、エジプトから輸入するパピルスは高価なものだったから、アテネの特産物であった陶器のかけらが投票にもちいられたわけだ。この制度は、たしかに僭主の出現をふせぐのには役立ったが、政敵の追放に利用されることも多く、のちには弊害が生じて中止されるようになる。

しかし、ともあれ、なにごとによらず抽せん・投票によってきめるというならわしがひろまって、アテネの民主政は、前五世紀になるといっそう進んだ。ペルシアがアテネに攻めてきたのは、そういうときであった。

ギリシアの国ぐには、日ごろはたえず衝突していたが、このときは力をあわせてよく戦った。そして、ついにペルシア軍をギリシアの土地から追いだした。『ペルシアの人びと』のなかで、アイスキュロスのつぎの言葉を聞いたとき、観客は、いいしれぬ胸の高鳴りをおぼえたことであろう。

おおヘラスの子らよ、すすめ！
祖国に自由を！
子や妻に自由を！
古い神々の御社や父らの墓地に自由を！
すべてはこの一戦できまるのだ。
（久保正彰氏訳による）

アイスキュロスが『ペルシアの人びと』を上演したのは五三歳のときである。それから一六年後の前四五六年にかれは世をさったが、そのときはもう、アテネの政治と演劇の推進力は、つぎの世代に移っていた。

民主政を徹底させようとする人びとは、名門貴族出身のペリクレスを立てて保守派と争い、民会を、立法・行政の最高機関にすることに成功した。裁判権も、抽せんでえらばれた一年任期のしろうと審判人がおこなう民衆法廷に移した。市民のあいだに支配するものと支配されるものの区別をなくすこと、それがアテネ民主政のねらいであった。

しかし、じつは市民というのは、市民権をもつ人のことで、成人の男子市民にかぎられ、女性やアテネに住む外国人、それに奴隷はふくまれなかった。とくにペリクレスは、市民権をえる資格をきびしくし、両親ともアテネ人であるものにかぎった。この法律がさだめられた前五世紀なかごろの市民は約三万、婦女子をふくめたアテネ人の数は一二万ぐらい。それにたいして、おもに生産労働にしたがう奴隷は、約一〇万を数えたという。

民主政は、アテネに住むすべての住民のうち、ごく少数のものによっていとなまれていた、ということになる。アテネの民主政は確立されたが、市民とそれ以外のものとの区別は、かえってきびしくなったのであった。

ペリクレスは、民衆法廷の審判人には日当をだし、有料になっていた大ディオニュシア祭の観劇には、観劇手当をだしたりした。また、今もアクロポリスにのこる守護女神アテナの神殿（パルテノン神殿）の建造は、かれがおこした事業であった。民衆をひきつけるためのこれらの政策は、ペイシストラトスによく似ている。ただし、そのために必要な資金は、ペルシアの攻撃にそなえてエーゲ海の島々の多くのポリスでつくった同盟(デロス同盟)の金を、かってに流用してまかなった。同盟の国ぐには、アテネの尊大さに腹を立てた。

このようなペリクレスと生涯親しくまじわった悲劇詩人が、ほぼ同い歳のソフォクレスである。アイスキュロスより三〇歳若かったソフォクレスは、悲劇の形式や内容を改革した。合唱隊よりも役者の役割を重んじ、神のさだめたおそろしい運命にも、きぜんとして立ちむかう人間の雄々しさをえがいて、市民たちの尊敬を集めた。彼の優勝回数はアイスキュロスより多く一八回であったという。

ソフォクレスは、晩年、祖国のアテネがスパルタとの戦い(ペロポネソス戦争)で右往左往するのを見つづけながら、前四〇六年、アテネが敗れる二年まえに世をさった。

古代ギリシアの歴史の舞台は、そのころからいよいよめまぐるしくまわりだすのであった。

5

ガリラヤびとイエス
キリスト教以前

イエスはどのような時代に生まれ、どのような主張をしたのだろうか

前二世紀
パレスチナにユダヤ人王国が成立し、
ローマのシリア併合後もヘロデ王の支配が継続、
アウグストゥス帝時代に属州とされた。
北部のガリラヤ地方に
イエスがあらわれ、
イェルサレムを根城にする
特権的な神殿貴族を批判し、
重税に苦しむ民衆に
神の福音をといたが、支配者に憎まれ、
十字架上で刑死した。

パレスチナのユダヤ人国家

南にはアラビア半島の砂漠につらなる荒野、北には東地中海の海岸にせまるけわしいレバノン山脈、中央部は貧しい地味の高原地帯。このパレスチナのなかで、北部のガリラヤ地方だけは、めずらしくやさしい自然の風景をもっている。

糸杉やオリーブ畑の丘と、黄色い菊や、赤いコクリコの花が咲きみだれる野とが、なだらかな起伏をひろげている。そのガリラヤ地方の南端にちかい丘の中腹から、すり鉢型に、低い平地にかけて人家がつらなっているのがナザレの町である。ナザレは現在の人口が約六万。一〇〇年まえは三、四千人。ローマ帝国の時代ともなれば、それよりはるかに少ない小さな寒村であった。

あかりとりの窓が一つぐらいの、小さな石づくりの村びとの住居に、夏は強烈な日射が焼きつき、冬はきびしい寒気がおそった。アウグストゥス帝がローマ帝国をたててから四〇年ほどたったころ、大工の親子がこのナザレでくらしていた。父はヨゼフ、母はマリア、息子はイエスといった。他の村びと同様、彼らのくらしは貧しかった。イエスも大工となり、父の死後は母をやしなうのがかれのつとめで、仕事をたのまれてはあちこちの村や町にはたらきにでて、日々の糧をえていた。

イエスの顔かたちは正確にはわからないが、当時のふつうのイスラエル人のように、黒い髪を真ん中から分けて肩までたらし、口ひげとあごひげをはやした。ふつうの身長の青年であったと思われる。

そのころ、パレスチナはおおまかには三つの地方に分かれていた。イェルサレムを中心とする南のユダヤ地方、ガリラヤ湖から西にひろがる北のガリラヤ地方、そして、この二つの地方にはさまれたサマリア地方である。

どの地方の人びともユダヤ教を信じていた。だが、ユダヤ地方の人びとは、かつてのイスラエル王国の都、大神殿をもつイェルサレムがそこにあるという理由で、他の二つの地方の人びとを、「いなかもの」とか「家畜の群れ」などとよんでけいべつしていた。

イエスの時代のパレスチナは、ローマの属州となっていた。ただし、ローマ人が直接おさめるのはユダヤ地方とサマリア地方であって、ナザレがあるガリラヤ地方の統治は、ヘロデ＝アンティパスというヘロデ王家のものにまかせていた。ユダヤやサマリア地方のばあいでも、ローマの代官は、イェルサレムではなく、地中海ぞいのカイサリアという町にいた。そして、ここでイェルサレム神殿の大祭司を任命し、七一人からなる最高法院（サンヘドリン）を監督し、これらのイスラエル人の支配者集団をあやつるという方法をとった。代官の上級職になる属州総督はシリアにいた。

ローマが前一世紀にパレスチナにのりこんできたとき、ここにはマカベア家が支配するユダヤ人国家があった。ユダス＝マカバイオスがひきいるイスラエル人の反乱の結果、前一四二年にシリア王国（セレウコス朝）から独立してできた王国であった。前四〇年からは、廷臣ヘロデが王位をうばった。

ユダヤ人国家の支配階級になったのは、王家や貴族・祭司・大商人たちで、かれらはみな大土地を所有する人びとであった。ユダヤ教の唯一神ヤハウェの権威を地上において代表するのが大祭司たちであり、最高法院のおもなメンバーになるのもこれらの人びとであった。

ローマ人は、外国人の支配にたいするユダヤ教徒の抵抗が強いパレスチナの歴史を知り、イスラエル人がしたがう大祭司や最高法院をつうじて全体を支配しようと考えたのである。

すべてのユダヤ教徒は、神殿税と収穫物の十分の一をイェルサレムの神殿、いいかえれば、そこをつかさどる大祭司ら少数の神殿貴族に毎年おさめなければならなかった。そのうえ、ローマにたいして直接（ユダヤ・サマリア地方）、間接（ガリラヤ地方）に、租税をさしだす義務があった。

これらの負担は、多くの土地・財産をもったゆたかな少数の人びとにくらべ、大多数の貧しい人びとには、息もつけないような重苦しさとなって、のしかかっていた。

イエスは、そういう貧しい人びとのひとりであった。

パレスチナには、ほかにパリサイ派といわれた一派の律法学者がいた。『新約聖書』の「マタイ伝」のなかに、イエスの言葉としてつぎのような文章がある。

律法学者どもは、重い荷物をいろいろたばね、他人の肩にのせて背負わせるが、自分では指一本動かしてそれにふれることもしない。（田川建三氏訳による。以下引用同じ）

律法学者とは、『旧約聖書』にしめされるユダヤ教のおきてや教えを解釈し、イスラエル人の日常の社会生活を、その法律にしたがってきびしくまもらせようとする人びとである。いわば、在家（ざいけ）の聖職者（パリサイ派）で、同時に法律の専門家でもあった。彼らは、食うためにはたらかなくてもすむ裕福な家の出身者が多かった。たいていがイェルサレムに住み、ガリラヤ地方にもやってきて、地元のパリサイ派を教化・指導した。大多数の貧しいイスラエル人は、神殿貴族だけでなく、これらの律法学者をつうじて、不平等な社会のしくみをうたがわずに、苦しみをがまんして生きることを強いられた。

イエスは、このような社会のありかたと特権階級のいつわりの教えの批判者として、貧しい人びとの前にすがたをあらわすことになるのである。その時期は、第二代ローマ皇帝のティベリウス帝が即位して十数年すぎた、後二十年代の終わりのころであったと思われる。

おそらく後二八年の一月ごろ、イエスはとつぜん家族をすてて、死海のほとりの荒野へむかった。この荒野の一隅に、預言者（よげんしゃ）ヨハネがいた。ヨハネは「神の国があらわれるのはまぢかだ。悔いあらためて神の国にはいろう。」とさけび、その声にひかれてやってきた人びととともに、小さな教団をつくっていた。

イエスはそこへむかっていったのである。

貧しいものとの共生を

死海——ユダヤ地方の荒野のなかでぶきみにしずまりかえっている塩湖。湖面の標高は海面下約四〇〇メートルと世界でもっとも低く、長さ八二キロ、幅一八キロのこの広大な湖に、生物はまったくいない。文字どおり「死の海」だ。

第二次世界大戦が終わって二年後の一九四七年、ひとりの羊飼いの少年が迷った羊をさがしにいって、死海西北岸の小さな洞穴にはいった。そして、そこで古い巻物を見つけた。その洞穴のちかくで、まもなくクムラン教団の廃墟が発掘され、べつの文書も発見された。これらの文書をあわせて「死海文書」という。

これらの発見は、古代ユダヤの世界を知るうえで、じつに貴重な手がかりをあたえてくれた。イエスが青年になったころ、死海のほとりにどのような動きがあったかが、一九〇〇年以上の歳月をへて、ふたたび明るみにだされることになったからである。

紀元前後のころの、パレスチナには、逆境におかれたイスラエル人のあいだに、メシア(救世主)を待ちのぞむ願いが高まっていた。その救いの時をはやくむかえるために、二つのグループが動いていた。一つはローマの支配をくつがえして独立をかちとろうとする人びとで、のちに「熱心党」と名のってローマと戦うようになる。イエスの時代には、まだその先駆的な動きがみられただけである。

もう一つは、クムラン教団がぞくしていたエッセネ派である。彼らは、ローマの支配にも、またそれに協力するイェルサレムの祭司たちにも反対であったが、政治的な反抗運動にはむかわなかった。死海のほとりの荒野できびしいおきてにしたがって共同生活をおくり、しずかに世の終わりとメシアの出現を待つ人びとであった。

ヨハネの教団は、このエッセネ派とつながっていたとも考えられている。ヨハネは、悔いあらためて神の国にはいろうとするもののからだを、死海に流れこむヨルダン川の水で清める、洗礼の儀式をほどこした。イェルサレムの祭司や律法学者たちにたいしては、はげしい言葉で非難した。しかし、ガリラヤの領主ヘロデ＝アンティパスの不正・不義を責めたことで、のちにヨハネは殺される。

ガリラヤにあって、重税と差別に苦しむ人びとともに生きてきたイエスには、荒野にさけぶヨハネの声が共感をもって受けとめられたにちがいない。ある日、ナザレの村をさり、ひとりヨルダンの谷をくだったのである。

やがて、ヨルダン川でイエスも洗礼を受け、ヨハネの教団の一員となった。だが、人里を遠くはなれた荒野のなかで、きびしい禁欲の生活をつづけているうちに、イエスは、自分が思いえがく神はこの教団の人びとのものとはちがう、ということを感じだした。

ヨハネやその一派は、神のうちに怒りと裁きをみようとする。しかしイエスは、ごくふつうの村や町の人びとのように、たらふく食べ大酒を飲むのが好きであった。そういう人びとが、ありのままの生活をしていてもなお神の愛がえられるような、そういう神でなければならないはずだ。イエスの心のなかには、そういう神のすがたがしだいに大きくなってくるのであった。

四〇日の断食と祈りを終えたあと、イエスはユダヤの荒野をさり、ふたたび故郷ガリラヤに帰った。このとき、ヨハネの教団にいたふたりのガリラヤ出身のものがイエスにしたがった。

イエスは、これから数年、おもにガリラヤ湖畔の、わりあいに交通の多い町や村を中心に――たとえば湖北の町カペナウムなどで、大工の仕事もし、神について語るなどの活動をつづける。

イエスは神の国をどういうものと見、考えていたのか。とうぜん、パリサイ派の人びとが、この問題でつっかかってきた。

「神の国はいつくるんだね、イエスさん。」

とげをふくんだ質問に答えるイエスの言葉はこうだった。

「神の国というのは、見られるかたちでくるものではないんだよ。また、〝見よ、ここにある〟とか〝あそこにある〟などといえるものでもないんだ。神の国というのはね、あなたがたのただ中にあるのだ。」

「ただ中に」というのは、原語では「手のとどくところに」という意味であるという。もちろん、その「手のとどくところに」というのは、目に見える固定された場所といったような意味ではない。人間の生きかた、ふるまいのなかに可能性としてあるものなのだ、とイエスは考えているのである。

では、どういう人びとにその可能性が見いだせる、とイエスは考えたのだろうか。マタイとルカが伝える伝承の原型を復原して、イエスが語ったもともとの言葉というものを再現すると、つぎのようになる。

幸い、貧しい者
神の国はかれらのものとなる。
幸い、飢えている者
かれらは満ちたりるようになる。
幸い、泣いている者
かれらは笑うようになる。

「幸い……」といういいかたは、よびかける相手を祝福する、イスラエル社会では日常的にもちいられるいいかたであったという。

ところで、「貧しい者」「飢えている者」「泣いている者」が幸いだというようなことは、祭司もパリサイ派の律法学者も、けっしていうはずがないいいかたであった。パレスチナの民衆は、貧しく、飢え、泣かされる日常生活を、くる年もくる年もおくっていた。そういう生活が悲しく不幸なことであるとは、民衆自身が、そしてイエスも、いちばんよく知っていた。

しかし、イエスはあえて逆のことをいった。貧しく、飢え、泣くものが神の国へはいれないで、ほかにだれがはいれるというのか。神の国が、いつも涙をためているような「地の民」のためにひらかれていなくてどうする。貧乏なもののためにこそ、神の国はちかづきつつあるのではないか。あるときパリサイ人が、「律法を知らない群衆は呪われている。」といった。イエスは、「とんでもない、そのような群衆こそ幸いだ。」といいきった。

律法でがんじがらめにしばられているユダヤ教徒の社会の価値観を、ひっくりかえすイエスの大胆なふるまいは、下層の民衆を勇気づけ、上層の支配者たちに警戒と憎悪の心をたかぶらせていくことになった。

イエスの死

イエスの行動や言葉は、彼の刑死後にのこされたさまざまの伝承が、後一、二世紀ごろまでに編集されてできた『新約聖書』によってしか知るほかはない。『新約聖書』の最初には、マルコ、マタイ、ルカ、ヨハネの四つの福音書(ふくいんしょ)がおかれ、イエスの生涯と教えがしるされている。そのうち、マルコのは後六〇年代、マタイとルカのは七〇~八〇年代にしるされたものと推定され、しかもこの三つの福音書は併行記事が多いので、共観(きょうかん)福音書と総称されている。対照しながら見わたせる福音書、という意味である。ヨハネ福音書は、一世紀すえから二世紀はじめにかけてしるされ、共観福音書とはすこし性格がちがっている。

イエスが十字架にかけられて処刑されたのはティベリウス帝の時代で、後三一年か三二年ごろと考えられており、福音書はみな、それから数十年あとのものである。書かれた時代と、書き手のさまざまの判断がまじっている。

だから、イエスがほんとうに何をのぞみ、何を、どんなつもりで語ったのか、ということは、聖書にのこされた記録の奥ふかいところを読みとることによってしかわからない。とりわけ、イエスは逆説を語ることによって、支配者を撃つという態度をとりつづけた人であったことを、忘れるわけにはいかない。「マタイ伝」には、つぎのような有名なイエスの言葉がある。

> 空の鳥を見よ、播(ま)くことも、刈ることも、倉に穫(と)りいれることもしない。しかも天なるなんじらの父がやしないたもう。なんじらは鳥よりもすぐれたものではないか。……着物のことでなぜ思いわずらうのか。野の花がどうしてそだつかを学ぶがよい。労働もせず、つむぎもしない。しかし、その栄華の絶頂にあるソロモンでさえ、この花の一つほどにもよそおうことができなかったではないか。

造物主と、彼の手になる自然にたいする美しい讃美(さんび)の言葉として、また、華美をしりぞけてあるがままの生活を尊いとする倫理の言葉として、むかしからよく知られた一節である。しかし、現代のあるユダヤ教学者によれば、聖書にあらわれる倫理的な教えで、ユダヤ教の各種の文献にふくまれてい

城壁にかこまれたイェルサレムの旧市街

ないものはない、とのことである。

おそらくそうであろう。律法学者が語ることと同じような倫理的教えも、イエスは語ったにちがいない。そうでなければ、この時代に、イスラエル人とつうじあうコミュニケーションは不可能であったはずだ。しかし、だいじなところで、イエスの言葉は決定的にちがっていた。

「野の花」の自然の美しさをたたえて、人工的な「栄華の絶頂にあるソロモン」をまっこうから否定するとき、否定されるのは、過去ではなく、現在のイェルサレムの神殿であった。

ソロモン王は、前十世紀のイスラエル王国の繁栄を象徴する王であり、イェルサレムに巨大な神殿をつくった専制君主である。その神殿も、一〇〇〇年後のイエスの時代には、ほとんど名ごりもとどめぬほどに破壊されてしまっていた。しかし、イエスが比喩として使う「ソロモンの栄華」は、実際にはイエスが生まれるまえに、ユダヤ王ヘロデがイェルサレムにたてた神殿である。

ヘロデ王一家は、ポンペイウス、カエサル、アントニウス、オクタウィアヌスと、つぎつぎかわったローマの支配者の鼻息をうかがいつつ、たくみにのりかえながら、権力の座をまもってきた。この親ローマの権力者が、ローマの建築技術を導入して、ローマ風の神殿や王宮・劇場・円形競技場、それらの器としてのローマ風都市をつくっていったのはとうぜんである。イェルサレムの神殿は、イエスの時代にも工事が継続されていた。

そして、この神殿をあずかって神殿税や十分の一税、ほかにも各種の献納物を民衆から吸いあげているのが、祭司・貴族を中心とするユダヤの支配階級であった。イェルサレムから辺境の地にあるガリラヤの人びとは、ときには「異邦人」などとよばれて差別され、人工的な栄華のために、いっそうの重圧を受けていた。

おだやかなガリラヤの自然の野に咲く、菊やコクリコの花のほうが、そして、そこにせいいっぱい生きている人間のほうが、どれだけりっぱなことか。そういう思いをこめていいはなった言葉が、あの「栄華の絶頂にあるソロモンでさえ、この花の一つほどにもよそおうことができなかった」という言葉である。

だからこの言葉には、ユダヤ教徒の社会を支配する特権勢力、そしてそのうえにあぐらをかいているローマ帝国の支配者たちを、串ざしにする鋭さがこめられていた。祭司や律法学者がけっして口にしない、イエスの倫理的教えの中核は、まさしくここにあった。

イエスの言葉として伝えられているもので、ローマ帝国の支配を批判したものはわずかしかない。

イエスの批判活動は、社会のすみずみにまでおよんで、その社会を内がわから支えているユダヤ教と、イェルサレムの神殿支配体制にむけられていた。

イエスは、イェルサレム神殿にいったとき——マルコはイエスが逮捕される数日まえとし、ヨハネは活動の初期のころとしている——境内で商売している両替屋や牛・羊・はとなどを売る人びとを、鞭で追っぱらい、屋台をひっくりかえした、と伝えている。

神殿にささげる金は、流通しているローマやギリシアの貨幣でなく、むかしからのシケルというフェニキア貨幣に両替しなければならなかった。また、清めのしるしとしてお供えする鳥獣や油・塩などの商売人が、神殿公認で店をだしていたわけである。

イエスがこの大胆不敵な行為をほんとうにやったのか、あるいは、なぜ用心棒や管理人にやっつけられずにできたのかなど、この伝承(「宮清め」といわれる)には疑問がわく。

だが、だいじなことは、こういう伝承がうまれるぐらい神殿支配のありかたにたいするイエスの批判が強かった、ということである。ユダヤの最高法院は、自分たちの支配を根本からぐらつかせようとしているイエスを、このままほおっておくわけにはいかない、と決断した。

イエスの死(殺害)が、こうして計画されていく。

イエスの処刑までの経過を、歴史的事実として正確にたどっていくことは、聖書学者によれば、ほとんど不可能であるという。マルコ以下の福音書に書かれてある「受難物語」をすべて信じることは、もちろんできない。ただ、確実なことは、ローマやユダヤがわの史料によっても、つぎの事実は裏づけられているということである。

――イエスは、時のユダヤ総督ポンテオ＝ピラトにより、ローマ皇帝にたいする反逆罪の判決を受けて、ローマ法にしたがって十字架の刑に処せられた――。

イエルサレムにはいったイエスを逮捕したのは、最高法院と総督が派遣した兵士たちである。イエスはまず大祭司のもとにおくられて、神殿をぼうとくしたかどで瀆神罪の判定を受け、つぎに総督のもとにおくられて反逆罪の判決をくだされた。この間、イエスは大祭司の尋問にも、ピラトの尋問にも、いっさい答えなかったと推定されている。イエスは、いちども自分がメシア(ギリシア語でキリスト)であると主張しなかった。また、ローマの支配をたおして新しい神殿支配体制をつくりだす――熱心党の民族主義者が考えていたのがそれであるが――つもりも、まったくなかった。

しかし、国家が差別をつくりだしている以上、その差別を根底からつきくずそうとする願いをもって行動してきたイエスが、今の国家秩序を認めない政治犯として抹殺されるのは、支配するもののがわの論理からすれば「正当」であった。イエスもそのことを知り、沈黙したまま死をえらんだのではなかったろうか。彼はただ、大地をはうようにして生きている、貧しい、飢えた、泣きつづける人びとが、人間らしく、ともに生きられるような世の中がくることをのぞんだだけであったのに。

ペテロをはじめ、イエスとともにあった人びとは、イエスの逮捕・処刑とともに、いちどはみなにげた。ガリラヤ人イエスは、たったひとりの男として死んでいった。

いちどはにげた人びとも、やがて、イエスが神の子キリストとして復活したと信じ、イエスの教えをまもり、また、それをひろげだした。とくにパウロはキリスト教徒を迫害しながらもその後回心し、異邦人の使徒として各地への伝道に従事した。彼の信徒への手紙(「ローマ人への手紙」など)は新約聖書に採用され、後世に大きな影響をあたえた。キリスト教という新しい宗教がはじまるのは、それからのことである。

6

国破れて山河あり
唐の動揺

唐の動揺をしめす安史の乱のなかで
詩聖杜甫はどのように生きたのだろうか

日本や朝鮮などの周辺国家を冊封体制に組みこみつつ
文化的には漢字や律令などをとおして
共通性のある一つの文化圏を形成した唐

その繁栄した唐も
七世紀末、高宗(こうそう)の皇后則天武后(そくてんぶこう)の政権奪取で一時動揺、
玄宗(げんそう)の尽力で繁栄を回復したが、
楊貴妃(ようきひ)を寵愛して国政がゆるみ、
安史の乱をまねいた。

杜甫(とほ)はこの時期の詩人で、
生きることが難しい環境にあったが
後世にのこる名作をのこした。

玄宗と楊貴妃

七四〇年の晩秋、唐の皇帝玄宗は、長安の東一五キロにある驪山にあった。温泉のわきでるこの地にたてた離宮で冬をすごし、春、長安の都へ帰るのが玄宗のならわしであった。

二八歳で即位してからすでに二八年、かつてはみずからてきぱきと政務をとってきた玄宗も、このごろは、気持が、なげやりになっていた。三年まえに最愛の武恵妃が死んでから、それがいよいよはげしくなった。

宮中には、三〇〇〇人という数字がうそではないほど多数の女官がいたが、武恵妃にかわる女性はいなかった。側近の臣が花鳥使という使者を全国に派遣して、皇帝の気にいりそうな美女をさがさせたが、むだであった。

ところが、じつは、その美女が皇帝にもっともちかいところにいたのである。武恵妃とのあいだに生まれた皇太子寿王の妃楊玉環がすばらしい美人だと申しでたものがあった。そこで玄宗は、この年、楊玉環を驪山の離宮によびよせた。そして、一目見るなり日ごろの鬱々とした気分がうそのように消え、そのあでやかな美しさに、すっかり心をうばわれてしまった。

このとき楊玉環は二二歳。楊氏の家系はもともと名門で、玉環は父の任地の蜀(四川省)で生まれた。父の死後、洛陽の叔父の家にひきとられ、そこで少女時代をおくった。

玉環は、色白でふっくらとした、唐の時代の典型的な美人であっただけでなく、頭がよくて、歌と踊りが上手であった。この美貌と聡明さが、寿王の目にかなって玉の輿にのれる幸運をつかんだのだが、いまや五六歳の父帝の心をもとらえてしまったのである。

さて、わが子の妻を横どりするために玄宗がとった手段は、つぎのような手のこんだやり方であった。まず、彼女の意志で出家したということにして、寿王と離縁させ、名を大真とあらためて道教(唐の王室がとくに保護をあたえた宗教)の寺院にはいらせた。それをわずか一年たらずで還俗させて、後宮の女官とした。さらに、女官では最高の貴妃という位をさずけ、自分の側近において皇后と同じあつかいをすることにしたのである。

こうして、楊玉環は、玄宗に見そめられてから五年後、皇帝の寵愛を一身に集める楊貴妃となった。七四五年八月のことであった。

この年、范陽(今の北京)の節度使(軍司令官)になったのが、安禄山という男である。安禄山は七〇五年の生まれといい、父がイラン系のソグド人、母がトルコ系民族の突厥の女性であった。安という姓は、ソグド人が中国にきたとき名のる姓で、禄山とは、ソグド語で「光」という意味の「ロクサーン」を漢字にしたものである。

彼が二番めの父にともなわれて営州(今の中国東北部朝陽県)にきたのは、まだ少年のころであった。ここは、万里の長城の北がわにあり、そのころ、唐の前進基地で、他国人もおおぜい住んでいる町であった。安禄山は、やがて数カ国語をあやつれる腕ききの仲買商人になった。

それが、いつのころか范陽節度使張守珪の部下になり、軍人としての手腕もみせて、張の副官に出世した。そして、七四〇年、三五歳のとき、平盧兵馬使という肩書きをもらい、二年後、その軍隊三万七〇〇〇が独立の軍団になったのを機会に、平盧節度使に任命された。

翌年正月、安禄山は長安にのぼって玄宗にはじめて拝謁した。玄宗は、色白で目が青く、七福神の布袋のような太鼓腹の安禄山に興味をもった。話をしてみると、その応答が機智にとんでいるので、おおいに気にいった。

安禄山は、その後も宮中に参上するたびごとに、めずらしい品物をたくさん献上し、玄宗のご機嫌をとった。拝謁のさいは、まず楊貴妃にさきに拝礼した。玄宗がそのわけをたずねると、

「わたしめは蕃人でございます。母をさきにし、父をあとにするのがわたしども蕃人のしきたりでございますので……。」

と答えた。玄宗は、これを聞いておおいによろこんだという。

玄宗に気にいられた安禄山はたちまち昇進し、范陽節度使に任命されたのち、七五〇年には、臣下としては最高の東平郡王という爵位をあたえられた。これは武将としてはじめてのことであったが、翌年には河東節度使もかねることになり、彼の指揮下にはいる兵力は一八万余に達した。

そのころ、長安で役人になるためつてをもとめて奔走していたのが、詩人杜甫であった。

杜甫の半生

杜甫は、玄宗が即位した七一二年、洛陽の東九〇キロの小都市鞏(きょう)県に生まれた。家は代々官吏となった地主で、父は陝西(せんせい)省の県知事で終わったが、祖父の杜審言(としんげん)は朝廷につかえ、みごとな文章と詩作で知られた人であった。

杜甫も七歳のときから詩作をはじめ、一四、五歳から文人の仲間いりをするぐらいで、はやくから非凡の才能をあらわしていた。「生まれつき豪快で酒をこのみ、悪を憎み、剛(つよ)い心をいだく」とは、杜甫が自分を語った言葉である。

杜甫が大人になっていく時代は、玄宗が政治をひきしめ、唐の勢いが、いちじの動揺ののち、ふたたび活気をおびだした時代にあたっていた。玄宗がもちいた「元(げん)」という年号にちなんで、そのころ時世を「開元の治」という。

　おもえばむかし、勢いさかんな開元のころ、
　小さな町でも家々に宝があり、
　米倉(こめぐら)は、公私をとわずゆたかにいっぱいつまっていた。

と、杜甫は後年、よき時代を思いだして歌っている。

二〇代の杜甫は、江南や山東への旅にあけくれた。史蹟をさぐり、風景を楽しみ、多くの詩人とま

じわった。この間、二四歳のとき、官吏になるための資格試験(科挙という)を受けたが、失敗した。

楊玉環が貴妃となった七四五年、三四歳の杜甫は郷里をあとに長安にむかった。官吏としても、また詩人としても功名をあげたかったからである。その二年後、玄宗の特別のはからいで科挙がおこなわれた。杜甫がよろこびいさんでこの試験におうじたのはいうまでもない。

しかし、結果はまたしても落第だった。いや、杜甫ばかりでなく、受験者全部がおとされた。理くつにたけた科挙出身者をこのまない宰相の李林甫が、有能な人物はひとりもいないと玄宗に上申し、全員を不合格としたのである。

李林甫はカミソリのようにきれる実務派政治家であった。玄宗は、楊貴妃との歓楽の生活におぼれるようになってからは、政治のことはこの李林甫にまかせっきりになった。安禄山が東平郡王、つづいて河東節度使と、漢人でもないのにつぎつぎと高級の地位を獲得できたのは、彼が、宰相の李林甫にはことのほか気をくばり、礼をあつくしたからでもある。

すぐれた文章を書いたにもかかわらず落第させられた杜甫の心はしずみ、政治をとるものへのいい知れぬ怒りがこみあげてきた。まもなく書いた『兵車行』(「戦車の歌」という意味)という詩に、それがよくあらわれている。

当時、政府が国境でおこなった戦争がみな失敗し、兵士に徴発された多数の農民がその犠牲になるという事態がおこった。杜甫は、農民を苦しめるだけの戦争を、この詩のなかで痛烈に批判した。戦場にかりだされる兵士のうらみをこうのべる。

今年の冬など、西の方にかりだされた。
この地の兵士がまだ帰してもらえないのに、
役人はやっきとなって租税をとりたてる。
そんな租税を、いったいどこからだせると
いうのですか。
ええ、よくわかりましたよ、
男なんて生むものじゃない、
生むなら女のほうがまだましだと。
女ならまだしも近所となりに嫁にやることもできるが
男を生めば雑草ともども、
地に朽(く)ちはててしまうだけだもの。

つづけて、杜甫自身の怒りもこめたつぎの句をたたきつけるようにして、この詩は終わる。

君見ずや、青海のほとり
古来　白骨　人の収(おさ)むるなく
新鬼(しんき)は煩寃(はんえん)し　旧鬼(きゅうき)は哭(な)き

天陰(くも)り　雨湿(しめ)やかに　声啾啾(しゅうしゅう)
君よ聞け雨しめやかな戦場に　迷う霊魂(みたま)がもだゆる叫びを
君よ見よ砂漠のほとり青海に　拾う人なく散らばるされこうべ
（高木建夫氏訳による）

この詩が書かれた七五一年の正月、玄宗は天地・祖先をまつる儀式を朝廷で盛大におこなった。杜甫は、その祭りを祝う詩をつくり、自分の不遇をうったえる手紙をそえて玄宗にさしだした。もちろん、宮廷内の文官の骨おりがあってのことである。その詩に目をとめた玄宗は、官吏に召しあげる機会をあたえるから待機せよ、と杜甫に命じた。ようやく光明が見えてきたようであった。

しかし、三年たっても、杜甫はよびだされなかった。そのあいだに、宮廷のなかでは、玄宗を破局にむかわせるドラマが進行していたのである。その仕かけ人は、楊貴妃のまたいとこの楊釗(ようしょう)であった。

楊貴妃に玄宗の寵愛がそそがれると、楊氏一族が引き立てられた。楊釗は蜀（四川省）の県警備隊長をつとめていたが、おしだしがよく、口も達者だったから、長安にでて玄宗に拝謁すると、たちまち宮廷護衛軍の長官に任じられた。玄宗は、釗に国忠(こくちゅう)というりっぱな名さえあたえた。

図にのった楊国忠は、李林甫に攻勢をかけ、かれの腹心の部下たちを、策略をろうしてつぎつぎに失脚させた。政争に敗れた李は、七五二年病死する。みずから宰相となった楊は、李の生前の官爵をすべてうばい、財産を没収した。死者に鞭打ったのである。

蜀の警備隊にはいるまえはやくざであったような楊国忠が、玄宗をうしろ盾に権力をふるう時世となった。杜甫は、『兵車行』のような政治批判の詩をよむいっぽうで、楊国忠の息がかかった長安の都知事に詩をおくって救いをもとめた。妻子をかかえ定職もない四〇男の、恥をしのんでの就職運動であったのだろうか。

楊国忠は、まえから安禄山の昇進ぶりが気にいらなかった。宰相になった今、その地位を利用して、かれが朝廷への謀反にでるよう、さかんに挑発した。

安禄山のほうは、前宰相にくらべると話にもならないほど無能なこの成りあがりものをけいべつしながらも、うっかり挑発にのらないように動いた。七五四年を最後に、宮中に参上することもやめた。

翌七五五年秋、ドラマはいっきに急転回した。

安史の乱

七五五年の晩秋十一月、杜甫は、長安の東北一六〇キロの奉先県(ほうせんけん)にきた。

前年、長雨のため物価があがり、長安ではくらせなくなった杜甫は、とりあえず家族をこの奉先県の知事の好意で、県庁舎に疎開させていた。そして、この年十一月初旬、杜甫はやっと念願かなって、皇太子付き警護軍の兵員課長(右衛率府兵曹参軍事(うえいそつぶへいそう))に任命された。さっそくこのよろこびを妻子に知らせるため、馬車で夜半、長安をたった。

数時間後、驪山をとおりすぎた。夜明けというのに、玄宗や楊貴妃が百官たちと温泉宮で楽しんでいるざわめきを、目で見、耳で聞いた。杜甫の心はいらだった。

『京より奉先県に赴く詠懐五百字』という詩のなかに、こういう糾弾がしるされている。

宴席にはべる高官たちよ、あなたらは、帝が分けてくれる絹の反物が、貧しい娘が織ったもので、それを役人が鞭打ちながら取りたて、都に貢がせたものだ、ということを知っているのか。

と。この詩のなかには、楊国忠一派にぶつける杜甫の憤懣は聞こえても、玄宗を責める言葉は聞かれない。だが、つぎのように書くことを杜甫は忘れなかった。

奉先県についてみれば、妻はワッと泣きすがり、幼い子が栄養不良で死んでしまったとのこと。父親としてはなんたる不覚!

だが、官吏の自分はまだいい、兵役と納税の義務は免除されているのだから。税をとられ兵隊にされるだけの一般人民の苦しみはどんなであろう。

その杜甫の耳にはいったのは、安禄山が反乱に立ちあがり、総勢一五万をひきいて范陽(北京)を出発したという知らせである。この知らせを受けた驪山では、百官はうろたえ、玄宗はいぶかり、楊国忠はほくそえんで、「そむいたのは禄山ひとり。それがしが、きゃつめの首を帝に献上いたします。」と、自信満々いいはなった。

だが、一カ月後に、はやくも洛陽が反乱軍の手にわたった。翌年六月八日、長安をまもる要害の地潼関の守備隊二〇万が、八〇〇〇をのこすのみの惨敗をこうむり、反乱軍が長安に突入するのは時間の問題となった。

長安の人びとは、さきを争って北へ北へとにげだした。その群れにまじって、奉先県の住居にも不安をおぼえ、北へむかう杜甫一家のすがたがあった。雷雨とぬかるみのなかを、一家がようやくにしてたどりついたのは、鄜州の町であった。

潼関陥落の知らせに、長安の宮殿にもどっていた玄宗はがくぜんとした。楊国忠は、蜀の成都に避難することをすすめた。六月十三日の夜あけちかく、西の門から、玄宗は楊貴妃とその姉妹、楊国忠・皇太子李亨らと側近の宦官・女官、それに護衛軍二〇〇〇をつれてぬけだした。

夜があけて、皇帝がいなくなったことがわかると、長安の都はたちまち修羅場と化した。暴徒はそこかしこで略奪・放火をしほうだいにおこなった。

玄宗の一行は、二日後、渭水の北岸の馬嵬駅についた。兵士たちは飢えと疲れで殺気だち、楊国忠を殺せの声をあげた。ついに、楊国忠の首がはねられ、せきをきったように、その子、楊貴妃の姉、秘書官長がつぎつぎに殺された。兵士はさらに、玄宗が休んでいる駅舎をとりかこみ、楊貴妃も殺せ！と、口々にさけんだ。

杖にすがって門までできた玄宗は、兵士をなだめたが、兵士らは引きさがろうとしなかった。玄宗がもっとも信頼をおく宦官の高力士さえも、「こうなってはいたしかたありませぬ。」と、玄宗に決断をうながした。

ややあって、楊貴妃はちかくの仏堂の前の梨の木かげにつれていかれ、高力士の手でくびり殺された。三八年の生涯のあえない最期であった。七一歳の老皇帝のほおを、涙がひとすじ伝わった。

翌日、玄宗は成都におちのびたが、李亨は父とわかれ、朔方節度使郭子儀の根拠地である霊武にむかった。霊武は万里の長城にちかい北辺防御の地であるが、ようやくたどりついた李亨は、ここで新帝粛宗として即位した。

鄜州から霊武へは三百数十キロほど西北へ進むのだが、杜甫も鄜州に家族をのこして、七月、この霊武にむかった。粛宗をもりたてて赤ひげの安禄山を打倒しようという熱情が、道々、杜甫のからだのなかでたぎった。

ところが、行路のなかばで、杜甫は敵軍につかまり、長安に捕虜としておくられるはめになった。その長安は安禄山の部将孫孝哲の占領下にあり、にげおくれて身をかくしている王族や楊国忠一派の高官を、さがしだしては目をそむけるほどの残虐な殺し方で迫害していた。下級役人であったとはいえ、杜甫の身のうえにも何がおこるかわからなかった。軟禁状態におかれた杜甫は、なすすべもないまま、不安と憂いにおしひしがれるようなかっこうで、すきな酒も飲めずに七五七年をむかえた。

その正月五日の夜、眼病をわずらい失明どうぜんの安禄山は、寝室で三人の刺客におそわれ、あえなく死んだ。刺客のひとりは息子の安慶緒（あんけいしょ）であった。だが、おろかな安慶緒に、反乱軍を統率する力はなかった。反乱軍に分裂のきざしがあらわれ、そのすきに長安を脱出し霊武にむかうものがふえだした。

杜甫も同じ考えをいだいたが、実行の機会が見つからぬままに、長安に春がおとずれた。このとき、万感の思いをこめてつくった詩が『春の望（なが）め』である。

國破山河在　國破れて山河あり
城春草木深　城春にして草木深し
感時花濺涙　時に感じては花にも涙を濺（そそ）ぎ
恨別鳥驚心　別れを恨みては鳥にも心を驚かす
烽火連三月　烽火　三月に連（つら）なり
家書抵萬金　家書　万金に抵（あた）る
白頭掻更短　白頭　掻（か）けば更に短かく
渾欲不勝簪　渾（す）べて簪（しん）に勝（た）えざらんと欲す

国都長安はめちゃめちゃに荒れはて、今は山河の自然だけがのこるだけだ。春がきて花が咲き、小鳥がさえずりだしても、花を見、鳥のさえずりを聞いては涙がこみあげ、わかれた家族にもしやと胸さわぎがするのだ。陽春三月の好時節だというのに、今もいまわしいのろしの火があがり、一万金にも価する思いで待ちわびる家族からのたよりもない。ああ、白髪のあたまはかけばかくほど毛が抜ける。

沈痛な思いをみごとな叙情詩へとうたいあげた五言律詩（ごごんりつし）の名作である。

反乱はその後なお六年もつづいた。

杜甫は、この詩を書いた翌月長安を脱出し、粛宗につかえて門下省（もんかしょう）の役人に起用された。しかし、一年後、同僚との衝突を粛宗に責められて地方官に格下げされた。またさらに一年後、杜甫はその職もすて、以後五九歳で死ぬまで、放浪と貧苦の生涯をおくった。

そのあいだにつづったかずかずの絶唱は、後世の人びとが容易にこえることのできない、漢詩の最高峰となり、不滅の光を今にはなっている。

7

コーランの世界
イスラーム帝国の成立

バグダードとはどんな都市だろうか
イスラーム教にはどんな特徴があるだろうか

七世紀はじめ東西貿易で栄える
アラビア半島のメッカで、
ムハンマドが唯一神アッラーの前に
みな平等であるとするイスラーム教をとなえた。
これを迫害する大商人階級を
信徒とともに破り、半島をイスラーム教で統合、
一世紀後には後継者(カリフ)により、
中央アジアからイベリア半島におよぶ
イスラーム帝国が建設され、
首都バグダードがにぎわった。

平安の都バグダード

唐の詩人杜甫が『兵車行』という詩を書き、政府の戦争政策を、農民にかわって痛烈に批判したのは、七五一年のことであった。この年七月、唐の軍隊は、都の長安からはるか西方の、タラス川(現キルギス)のほとりで、アラブの軍隊と戦っていた。

北宋の政治家、司馬光が著した『資治通鑑』によると、両軍は五日間にらみあったすえ、はげしい戦闘となり、唐軍ははさみうちにあって「あますところ数千人なり」という大敗をこうむったという。総司令官の高仙芝は山ににげこみ、かろうじてたすかったとしるされている。

いっぽう、アラブ人イブン＝アル＝アシールの史書『全史』では、アラブ軍は唐兵約五万人を殺し、約二万人を捕えたと、大勝利を誇らしげに伝えている。

いずれにせよ、このタラス河畔の戦いで、唐はアラブの勢力におおいに打ち負かされた。

この戦いで捕虜になった多数の中国人は、西方の各地で抑留生活をおくることになった。サマルカンドにつれていかれたもののなかに、紙すき工がいた。この職人がサマルカンドに製紙工場をたてたのが、西アジア、さらにヨーロッパへと製紙法がひろがるはじまりになったという話は、信じてよいようである。

また、捕虜のひとり杜環という人は、今のイラクのクーファにつれていかれた。彼はさいわいにも、七六二年に海路で唐に帰ることができ、抑留体験記(『経行記(けいこうき)』)をのちに著わした。

その他にもたくさんいた中国人捕虜たちは、結局、歴史の波間に消えていき、その後の消息を知ることはほとんどできない。

とはいえ、これらの中国人は、おそらく、八世紀のなかばすぎの西アジアに、故国の唐よりも活気のあふれたイスラーム教の国が栄えていることを目のあたりに見て、大きなおどろきをもったことだろう。

このころ、アラビア半島を軸にして、西は北アフリカからイベリア半島(今のスペイン、ポルトガル)まで、東はイランの全域を支配する、イスラーム教徒のアラブ人の大帝国が建設されていた。

この大帝国では、タラス河畔の戦いがおこる前年の七五〇年、革命がおこり、王朝はウマイヤ朝からアッバース朝にかわった。ウマイヤ朝の一族はイベリア半島にのがれ、帝国は分裂したが、アラブ人の支配力はおとろえなかった。

東のアッバース朝の首都となったのは、当時の世界で、唐の長安とともに、大きさと華やかさでならぶものがなかったバグダードである。バグダードは、タラス河畔の戦いから一一年後の七六二年から、ティグリス川の中流域に建設されだした。その南には、かのバビロンの遺跡が埋もれていた。

ここは、ユーフラテス川の水がなん本かの運河によってティグリス川に流れこんでくる地点のすぐ北にあたり、まわりはひろびろと耕地がひろがっていた。四方には道がひらけており、ティグリス川をくだってペルシア湾の良港バスラに直結できるという、交通や通商にたいへん便利な場所であった。

カリフであるマンスールは、一〇万人の人夫とたくさんの工費をつぎこんで、四年後にこの首都を完成させた。捕虜になった中国人のうちで、このバグダード建設の工事にかりだされたり、あるいは、完成後のこの大都市に住みつくことになったものがいなかっただろうか。

バグダードは、世界でもあまり例をみないまんまるい都市であった。正式の名はアル＝マディーナ＝アッ＝サラーム——「平安の都」といい、バグダードとは「神が建設した町」という意味のペルシア語である。

このまるい城市の直径は、工事に立ちあった技師の記録にある一八四八メートルという数字が、いちばん正確らしい。幅二〇メートルの濠がぐるりととりまき、東南・西南・東北・西北の四カ所にかかっている橋をどれでもよいからわたると、日ぼしレンガでつくられた三重の城壁の、第一城壁(外城)にぶつかる。その厚さは九メートル。門をくぐると、約五七メートルのあき地があって、第二の城壁をかこんでいる。防御のためもあって、このあき地には建物はまったくたてられていない。

第二の城壁は主城であり、高さは三四メートル、厚さはじつに、下部が五〇メートル、最上部で一四メートルもある。四つの門には高い塔をもうけ、ここから遠方を眺めることができるようにしてあった。

この主城の門をくぐると、さきほどのあき地の三倍もある幅約一七一メートルのあき地がまたある。

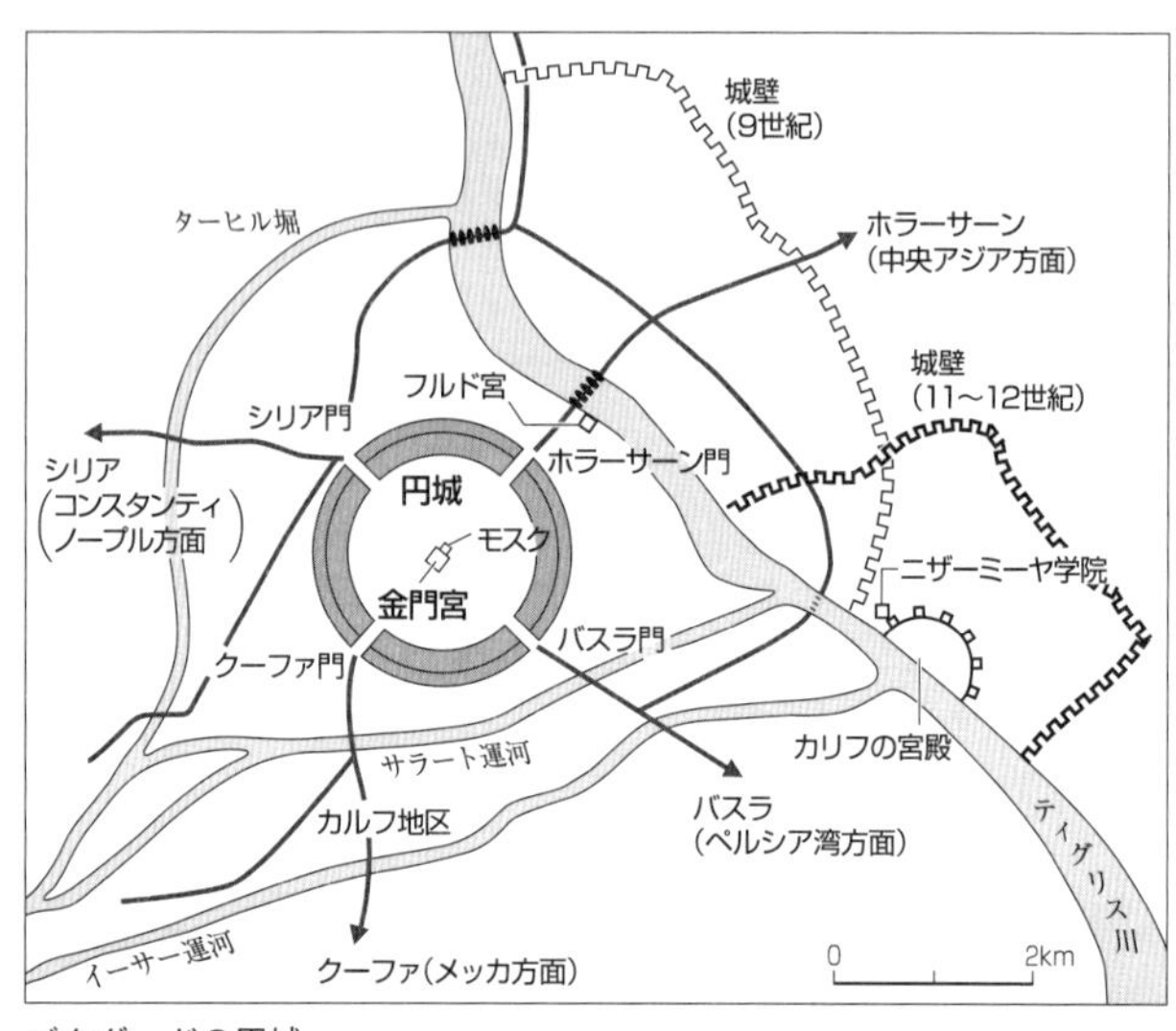

バクダードの円城

ここには役人や王の従者たちの住宅がある。このあき地をつっきって円城の中心にむかっている四本の道を進めば、また城壁にぶつかる。これが第三の城壁（内城）で、簡素なつくりであった。

第三の城壁の門をくぐれば、前方には、金色（こんじき）に輝く大門と、高さ五〇メートルという堂々とした緑色のタイルぶきのドーム（円蓋（えんがい））がそびえている。これが宮殿である。ちょうど円の中心点にあたる一八二メートル平方の敷地のうえに、この宮殿がたっている。

この宮殿は、金色の門をもつので「金門宮」、またはドームの緑色にちなんで「緑のドーム」などとよばれた。金門および本殿は、西南の門（クーファ門）とむきあっている。この門をとおる道路は、クーファ（唐の捕虜杜環の抑留地だった)をへて、はるかかなたのイスラーム教の聖地メッカに達するはずである。

ところで、一般の住民は、この円城のなかに住めたわけではない。内城の内がわには、官庁や王子たちの宮殿、礼拝堂などはあったが、バグダードの市民が住むところは、外城の四つの門の外がわであった。それらの市街は、いくつかの地区に分けられ、地区ごとに特色ある商店街や工場街がうまれた。各地区とも城壁でかこまれ、夜間は城門がかたくとじられた。

市街地はやがてティグリス川の東岸にもひろがり、城内五四平方キロ、城外三〇平方キロという大都市になった。もっとも栄えた九世紀には、人口二〇〇万に達する勢いであった。

預言者ムハンマド

さて、このようなイスラーム教の世界がうまれたのは、ひとりの偉大なアラブ人があらわれたからである。その名をムハンマドという。ムハンマドは、わが国で聖徳太子が生まれる四年まえの五七〇年ごろ、アラビア半島の西がわにあるメッカという町に生まれた。

メッカは、イエメンとシリアをむすぶ通商路のほぼ中間にある、禿げ山にかこまれた谷底の町である。この町に住みついた、もとは遊牧民のクライシュ部族の人びとは、メッカが古くからの宿場町であったという地の利をいかして、六世紀からイラク、シリア、アビシニア(エチオピア)など、遠隔の地との通商活動にさかんにのりだした。

ムハンマドは、このクライシュ部族のうちのハーシム家に生まれたのだが、彼が生まれたとき、父はすでに病気でなくなっており、家は貧しかった。六歳のころ母も死んだ。孤児になったムハンマドは、祖父、ついで父がたの叔父にそだてられて大きくなる。一二歳のとき、この叔父の隊商につれられてシリアまでいったという。隊商はつねに武装の護衛をつけ、遊牧民の襲撃にそなえた。

メッカの商人がらくだの背にのせてシリアに運ぶ商品の種類は多かった。なめし皮や皮革製品、アビシニア(エチオピア)から入手したアフリカ産の金・砂金・象牙・奴隷など。そのほかに、イエメンで買いつけたインド・東南アジアの香辛料などがおもな品物であった。

シリアでは、麻・絹・木綿・武器・穀物・オリーブ油・ぶどう酒などを買いつけた。途中で略奪されなければ、利益率は一〇〇％になったという。クライシュ部族の大商人は、自分でこのような隊商を組んだり、金をだして隊商をつくらせたり、あるいは高利貸しをおこなったりして、雪だるまのように富をふやした。

貧乏だったムハンマドも、二五歳のとき、年上の富裕な未亡人ハディージャが出資した隊商をまかされてシリアにいき、利益を二分した。このときハディージャは、ムハンマドのまじめな人柄にひかれて結婚を申しこみ、夫婦となった。

ムハンマドのその後の一五年間の生活については、何もわかっていない。ただ、年とともにかれは、アラブ人の宗教やメッカの市民生活の現状にたいする不満をつのらせたらしい。

アラビアでは、運命や美と愛、太陽や友情などさまざまの男神・女神が信仰され、そのご神体として、聖木だとか、石・岩などがまつられていた。メッカには、砂漠の民には貴重な水のわきでる「ザムザムの井戸」があり、そのそばに、人の背丈ぐらいの小さなカーバ神殿がたてられていた。ここに数十の神々がまつられ、神殿の東の角には黒石がはめこまれていた。メッカは商業でにぎわうこともあって、毎年アラビアの各地から、多くの人びとがこの霊泉と霊場の地に巡礼にきていた。

ムハンマドも、このような宗教的雰囲気のなかで大きくなった。しかし、この伝統的な宗教が、アラビアの社会に存在する貧富の差や部族どうしの流血の争い、あわれな孤児や未亡人・病人などの問題を、何一つ解決できないことに、彼は不満をもつようになったのである。

ムハンマドは、四〇歳になった六一〇年のラマダーンの月(九月)に、メッカから五キロほど東北にある、荒涼としたヒラー山の洞穴にこもった。彼は、毎年このようにひと月ほど山ごもりをし、瞑想にふけり、それがすむとカーバ神殿にいき、そのまわりを七回まわってから家にはいることにしていた。

六一〇年の山ごもりのとき、とつぜんムハンマドの前に天使ガブリエルがあらわれ、「おまえは立ちあがって人びとを警告せよ、おまえの主アッラーをたたえよ。」という神の言葉(啓示(けいじ))を伝えた。ムハンマドはおそろしさにふるえた。自分はけっしてそのような人物ではない、と——。

しかし、その後もムハンマドにはなんども神の啓示があった。

——アッラー以外の神を信じるな、神の最後の審判を受ける日がきっとやってくる。地獄の苦しみにさいなまれないようにするには、それにふさわしい心で生活をしなければならない——。

これらの神の言葉は、ムハンマドの口をつうじてのべられた預言の言葉だとされ、のちに『コーラン』という聖典にまとめられた。

ムハンマドがとく教えの最初の信者になったのは、妻のハディージャである。ムハンマドは、はじめは特定の人に、やがてだれかれの区別なく、メッカの人びとに教えをひろめだした。この教えがイスラーム教である。ムハンマドがどのように教えたかを、いとこのジャーファルがつぎのように語っている。

かれはわたくしどもに、神が唯一であることを認めて神を崇拝することと、祖先いらいあがめつづけてきた石と偶像とを放棄するようによびかけました。かれはわたくしどもに、真実を語って約束をまもり、血縁のきずなを重んじ隣人に親切にすること、罪と流血とを避けることを命じました。かれはわたくしどもに、いまわしいことをおこない嘘をつき、孤児の財産をむさぼり、貞淑な婦人をののしることを禁じました。かれはわたくしどもに神のみを崇拝し、他の何物をも神と同列にならべてはならないと命じ、礼拝・喜捨・断食をおこなうことを命じました。

（嶋田襄平『ムハンマド』より）

ムハンマドの教えはわかりやすく、何よりも道徳と社会的正義を強調していた。それが、クライシュ部族の名門の子弟たちの心をとらえ、メッカの支配勢力の家庭のなかに、親と子の対立・断絶をひきおこすことになった。ムハンマドと同じ年輩の大商人たちは、若い世代がムハンマドの教えるイスラーム教に心酔するのをおそれ(イスラームとは、神に絶対的にしたがうという意味である)、ムハンマドをはげしく迫害しだした。

ハーシム家の家長アブー＝ダーリブはムハンマドを保護し、妻ハディージャは夫を信じつづけた。そのふたりも、六一九年あいついで世をさった。新しく家長となったアブー＝ダーリブの弟、アブー＝ラリブは、大商人と手をにぎって、ムハンマドにたいする保護を取り消した。

いまやムハンマドの生命は、風前のともしびとなった。

メディナとメッカ

メッカの北方四八〇キロほどのところに、ヤスリブという町があった。メッカとちがって緑の木と農園の多い町である。ムハンマドは、このヤスリブからきた巡礼者の有志を、イスラーム教の信徒にした。彼らは、ヤスリブの町でムハンマドたちの身をまもることを約束した。

そこで、ムハンマドは六二二年九月、約七〇人の男女のイスラーム教信徒を、数人ずつのグループに分けて、ヤスリブに移住させた。弟子たちの安全を見とどけたあとで、彼は親友のアブー＝バクルとともに、夜ひそかにメッカを抜けだし、彼の生命をねらうものたちの目をあざむいて、無事ヤスリブについた。このヤスリブへの移住をアラビア語でヒジュラといい、イスラーム教の暦では、この年が紀元元年とされて現在にいたっている。

イスラーム教徒のあいだには、このヤスリブを拠点にして、ムハンマドを神の代理人とするイスラーム教の教団国家を、アラビアに建設しようという決意が強まった。町の名も、やがて「預言者の町」という意味の「メディィナ」とよばれるようになった。メディィナの住民は、このころ、数のうえではユダヤ教徒のほうが多かったらしく、農業や商工業など経済の実権はかれらがにぎっていた。

ムハンマドは、青年のころから隊商にくわわってシリア方面にいっているから、この地方で信仰されているユダヤ教やキリスト教のことは知っていた。両教徒のちがいがどこにあるのかは区別できなかったようであるが、自分にくだされた神の啓示は、モーセやイエスにくだされたものと同じであると信じていた。だから、イスラーム教では、ユダヤ教徒もキリスト教徒も「啓典の民」として、それぞれの信仰はゆるされた。メディィナに移ったムハンマドは、ユダヤ教徒に寛大であり、彼らと親善関係をたもとうとした。ユダヤ教の制度のいくつかをイスラーム教にとりいれた。たとえば、断食をしたり、イェルサレムにむかって礼拝をおこなうようにしたのがそれである。

しかし、ユダヤ教徒は、ムハンマドに要求された喜捨（ザカート）の支払いを拒絶し、『旧約聖書』とアッラーの教えはちがうといいはり、ムハンマドをにせ預言者だと非難した。そのためムハンマドの態度はかわり、礼拝はイェルサレムからメッカのカーバ神殿に向きを変更し、反抗するユダヤ教徒をおさえこむ方針をとりだした。

いっぽう、メディナのアラブ人たちは、なが年の部族どうしの争いにつかれていたところだった。そこで、ムハンマドの調停により対立をやめ、イスラーム教を受けいれてムハンマドの指導にすっかりしたがうようになった。

こうして、メディナの指導者になったムハンマドは、メッカのクライシュ部族や、それとむすぶ東方の遊牧部族と何回も戦い、しだいに優勢になった。このあいだに、メッカのカーバ神殿をアッラーの神だけのやかたとみなして、ここに巡礼することをイスラーム教徒の義務とした（現在も十二月は巡礼月となっている）。

六三〇年一月、ついにムハンマドはメッカを無血占領した。らくだにまたがったムハンマドは、カーバ神殿に進み、左へ左へと七まわりしたあと、神殿のとびらをあけてなかにはいり、立ちならぶ神々の偶像をすべて打ちこわした。こののちカーバ神殿にまつられるのは、唯一神アッラーだけになった。

ムハンマドは、最初の妻ハディージャが死んだあと、一三年のあいだに、つごう一一人の妻をむかえた。そのうち一番めの妻をアーイシャといい、婚約したのが六歳、ムハンマドの花嫁になったのはまだ九歳の子どもであった。最後の結婚はメッカ占領の一年まえで、相手は、一世紀あまりのちアッバース朝をたてることになる、叔父アッバースの妹である。ムハンマドは、出陣のたびごとに、一一人の妻を順番につれていったという。

六三二年三月、メッカへの巡礼の指揮をみずからとったムハンマドは、谷底の町に集まった大衆を前に、らくだの上から語った。

「すべてのムスリム（イスラーム信徒）はみな兄弟だ。みな平等なのだ。」

しかし、このときの巡礼がメッカへの最後のわかれとなった。五月末、彼ははげしい頭痛におそわれ、アーイシャの部屋にかつぎこまれた。他の妻たちは、この一九歳のアーイシャがムハンマドを看護することに同意した。

六月八日、太陽も高くなるころ、ムハンマドの容態は急に悪化し、アーイシャに半身をもたれかけたまま、ムハンマドは息を引きとった。彼の子どもは、ハディージャとのあいだに男女七人生まれたが、ムハンマドの死後まで生きのこったのは、アリーと結婚した娘ファーティマだけであった。

ムハンマドの死後、親友のアブー＝バクルが後継者（カリフ）になった。アラビア半島のほとんどの部族は、ムハンマドが死んだときには、イスラーム教徒になっていた。そのあとの三〇年間、エジプトからペルシアまでがアラブの騎兵隊に征服され、カリフの支配下にはいった。『コーラン』がイスラーム教の聖典としてつくられたのもこの時代である。

六六一年、ウマイヤ家がカリフの地位をうばい、都をメディナからシリアのダマスクスに移した（ウマイヤ朝）。アラブの勢力はヨーロッパにひろがり、イベリア半島はすっかりイスラーム教徒に支配されるようになった。東方では、中央アジアにまでその勢力がおよび、ここまで進出してきた唐とぶつかりあう情勢がうまれた。

ウマイヤ朝は九〇年つづいたあと、ムハンマドの叔父になるアッバース家の一族にたおされた（アッバース朝）。その翌年の七五一年に、最初にのべたタラス河畔の戦いがおこったのであった。

西アジアには、その後いくつもの王朝や国家がおこったりほろんだりしたが、イスラーム教はこの地にしっかりと根をおろした。

アッラーへの祈りは、今日も約一六億人の全世界のイスラーム教徒によって、一日もかかすことなくつづけられている。

8

血ぬられた十字架
十字軍の遠征

11世紀末からはじまった十字軍とは
いったいどのような運動だったのだろうか

西ヨーロッパでは、
ヴァイキングの侵入が終了したあと
封建社会が確立した。
十一世紀以降、安定と成長の時代にはいり
内外への拡大運動がはじまったが、
このなかでもっとも大規模なものが十字軍であった。
ローマ教皇は一〇九五年
聖地イェルサレムの奪回をめざす遠征をよびかけ、
これに賛同した諸侯・騎士・民衆らが
十字軍をおこした。
いったんはイェルサレム占領に成功したが
その後イスラーム勢力の反撃にあって
十三世紀までつづいた十字軍は、結局失敗した。

十字軍の演出

一〇九五年の晩秋、パリの南々東三八八キロの地にあるクレルモンの町は、いつもの年には見られないざわめきにつつまれていた。ふだんは一〇〇〇人内外の住民が静かにくらしているこの高原の町が、にわかにその一〇倍ぐらいにふくれあがっていた。

そのわけは、十一月十八日から、ローマ教皇ウルバヌス二世の臨席のもとに、フランスの司教・修道院長ら三〇〇余人を集めて、キリスト教会と聖職者の生活刷新をはかる宗教会議がひらかれていたからである。クレルモンには、この正式の代表者のほかにも、その従者や司祭・修道士・諸侯や騎士などが多数きていた。巡礼者や旅芸人・商人などもうわさを聞いて、どこからともなく集まっていた。

会議は、聖職売買の根絶や聖職者の独身制の励行(れいこう)、死闘の抑止などについてつぎつぎと問題を処理し、王妃を離婚するなど身持ちの悪い時のフランス国王フィリップ一世に、破門宣告文をくだすことなどをきめて、二十七日、予定された議事を終わらせた。

翌二十八日の水曜日。クレルモン市東城門の外に特設された野外集会場に、数千人の人びとが集まった。教皇ウルバヌス二世の演説を聞くためである。教皇からの特別のよびかけがあるらしい、といううわさが、すでに町に集まった人びととのあいだに伝わっていた。

ウルバヌスがあらわれた。上背(うわぜい)のあるどっしりとした体躯、りっぱなひげをはやした威厳ある顔つき、神秘的な青い目。何日もこの日を待っていた群衆は、フランス出身のこの教皇のすがたを見ると、もうそれだけで興奮につつまれた。ウルバヌスは、この群衆をまえに、草稿ももたず、よくとおる声で語りだした。五〇歳をいくつかすぎてはいたが、その声にははりがあり、また雄弁であった。

その演説だと信じられるものは、復元されて貴重な史料となっている。それによれば、ウルバヌスは、この即興のながい演説のなかで、つぎのような言葉をはいていた。

「イェルサレムとコンスタンティノープルの兄弟から、しきりに訴えがとどいています。ペルシアからきた侵入者トルコ人が、武力でキリスト教徒を追放し、略奪をはたらき、町を焼きはらっているのです。神の教会はほろぼされ、信仰はふみにじられています。……このような悪をただし、かの地を回復することは、みなさんの義務であります。」（橋口倫介氏訳による。以下同じ）

イスラーム教徒のトルコ人にうばわれ、迫害を受けているイェルサレムを、キリスト教徒のわれわれの手でうばいかえそう、というのである。もとより群衆は、パレスチナやイェルサレムの事情を正確に知ろうはずがない。

だが、そんなことは問題ではない。教皇の語る「事実」こそ「真実」だ、と彼らは信じたのである。

「ふだんキリスト教徒どうしの死闘をおこなう習慣のあるものは、これを、まもなくはじまる異教徒との戦いにみちびくがよいのです。ながらく盗賊であったものも、今日からキリストの兵士となるのです。……イェルサレムの〝乳と蜜の流れる国〟は、神がみなさんにあたえたもうた土地であります。」

ヨーロッパ人どうしの喧嘩はやめて、イスラーム教徒をやっつけるのにその精力をふりむけよ、盗賊もまたしかりだ、と教皇はすすめるわけだ。そして、おしまいごろ、つぎのようにはっきりと、十字軍の遠征について語った。

「この遠征で、海路・陸路の途中、または戦闘中に落命した人びとには、神がわたしに託された権能によって、罪のゆるしがあたえられることを、しっかりとお約束します。

祝福を受けて出発するものは、額か胸に、主の十字の印をおつけなさい。のぞみをとげて帰るものは、背の中央に十字をつけなさい。福音書に〝おのが十字架をとりてわれにしたがわざる人は、われにこたえざるなり〟とあります。

出発する人びとをさまたげるものは、何もありません。職務がきまり、費用が集まったら、冬をこして春を待ち、かれらを神のみちびきのもとに情熱の旅へと出発させましょう。」

「イェルサレムこそ世界の中心にして、天の栄光の王国です。その聖なる都にどうしていかずにすませられましょうか。」と、教皇がひときわ高くさけんだとき、聞きいる人びとのなかから、大勢の声で「神のみこころだ。」というさけびがあがった。

ウルバヌスは、しばしのあいだ目を天にむけて神に感謝の祈りをささげたあと、群衆のざわめきをおさえつつ「わたしの名によって二、三人が集まるところには、わたしもまたそこにいる。」

というマタイ伝の言葉をとなえ、「今こそ、あなた方のあいだにも主がましますのです。今、あなた方があげたさけび声は、主のあたえたもうたみ言葉です。これを遠征の合言葉にしましょう。」と答えた。

とその場にいたロベール修道院長は書きのこしている。

ウルバヌスの胸に、十字軍というアイディアが浮かんだのは、この年の春さきのことらしい。ビザンツ帝国の皇帝から教皇のもとに使節がおくられてきて、コンスタンティノープルにせまるセルジューク＝トルコ人の撃退のために、力をかしてほしいとうったえられた。

ウルバヌスは、これをイェルサレム占領計画にふくらました。そして、北イタリア、南フランスの諸侯をまわり、この計画の実現のための根まわし工作をおこなった。そのうえでクレルモン宗教会議にのぞみ、司教、修道院長ばかりでなく、直接に大衆にも十字軍を語りかけ、この遠征を「神のみわざ」として進めようという神秘的興奮を、たくみな演出によってつくりだしたのである。

ウルバヌスは、クレルモン宗教会議が終わったあとも、フランス各地をまわって十字軍をよびかけ、みずから地方の領主に手紙を書き、または代理の特使を派遣するなど精力的に動いた。

教皇が予定している出陣の日は、一〇九六年八月十五日の聖母被昇天祭の日となっていた。しかし、費用がととのった諸侯は、それよりはやく出発した。北フランスの諸侯や騎士を中心に、その総勢三万とも、六万とも伝えられる軍隊が、まず、コンスタンティノープルにむかった。これが、十三世紀のすえまで七回（一説では八回）もくりかえされた十字軍のはじまりであった。

打算と狂信の遠征

教皇は、十字軍をおこす理由を、異教徒（イスラーム教徒）のセルジューク＝トルコ人が、イェルサレム参りの巡礼者たちを迫害しているからだ、といった。だが、事実はどうであったのか。もと北アジアにいたトルコ人の一部が、九世紀なかごろ中央アジアに移住した。そのなかから、十一世紀なかごろ、セルジューク部族がイランに進出した。

バグダードにいたイスラーム帝国のカリフ（ムハンマドの後継者の意味）は、セルジューク部族の長トゥグリル＝ベクに「スルタン」（支配者の意）という称号をあたえた。これ以後、十二世紀のなかごろまで、中央アジア、イラン、小アジア、シリア、パレスチナ、そしてアラビアの一部は、セルジューク朝におさめられることになった。

セルジューク朝には、ニザーム＝アルムルクのようなすぐれた政治家があらわれ、学問・文化もさかんになった。隊商路や巡礼路はよく整備された。第二代スルタンのマリク＝シャーの時代には、隊商たちは、危険なく全国土を旅行できた、と伝えられている。

一〇九二年、このスルタンが死んだあと、王位の継承をめぐって王族が争い、国内はいちじ動揺したが、キリスト教徒にたいする組織的な迫害など、実際にはおこらなかった。

もともと、イスラーム教の国では、キリスト教の信仰も、ユダヤ教の信仰もゆるされており、異教徒であるという理由だけで迫害を受けるようなことはなかった。ヨーロッパをあげてパレスチナに攻めこまなければならないほどの巡礼迫害は、おこってはいなかったというのが事実である。

にもかかわらず、セルジューク朝の政治的・軍事的圧力にさらされて動揺するビザンツ帝国が、ローマ教会に援助をもとめてきたとき、ローマ教皇は、一〇五四年に決定的に分裂した東西両教会——ギリシア正教会とローマ＝カトリック教会——を、ローマ教会の指導のもとに再合一させる絶好の機会だと考えた。

こうして、「神のみわざ」の名において、西ヨーロッパの王侯たちによるアジアへの軍に遠征が開始されることになった。

それにしても、この十字軍は、多くの民衆を巻きこんだ。第一回十字軍のさいにも多くの民衆が付き従っていたし、十三世紀はじめには、悲劇的な結末に終わった少年十字軍のように、子どもたちまでのりだした。いったい、どこにそのような力がはたらいていたのだろうか。

キリスト教徒のあいだでは、四世紀ごろから、パレスチナをはじめキリスト教にゆかりのある土地に巡礼する慣習がうまれていた。その土地には、キリストの受難にまつわるものをはじめ、使徒(しと)や聖者に遺物があり、それらにふれたり、またはそれらを手にいれてくる巡礼は、罪のつぐないにもなると信じられていた。

十世紀から十一世紀にかけて、この聖地巡礼はとくにさかんになった。紀元一〇〇〇年がこの世の終わりで、最後の審判が神によってくだされる、という終末観が十世紀のあいだにとくに強まったためである。クリュニー修道院を中心とする熱心な聖職者の生活の刷新運動や、さかんな修道院・聖堂づくりに、このような時代の空気が反映されていた。

十世紀が無事にすぎ十一世紀にはいったが、人びとは修道院をめぐり歩く巡礼をさかんにおこないだした。ヨーロッパでは、イベリア半島の西北部の隅にあるサンティアゴ゠デ゠コンポステラへの巡礼がとくにさかんになった。イェルサレムは、すでに四〇〇年もまえに、イスラーム教徒が支配する領域にふくめられていたが、金のある諸侯や商人は、このイェルサレムへの巡礼もいとわなかった。

もちろん、この時代に、旅人や巡礼をおそう追いはぎ・強盗にであわないという保証はない。帰国した巡礼者の口をつうじて、尾ひれのついた迫害のニュースがひろがることもあったはずだ。見知らぬ遠い土地でのできごとだけに、その種のニュースは、身分の上下、貧富の区別なく、人びとを共通の恐怖と怒りにかきたたせたことだろう。

ウルバヌス二世は、まさにこのようなキリスト教徒大衆の不安の心理をつかみ、怒りの情念を組織することに成功した。

クレルモン宗教会議のあと、諸侯や騎士たちが第一回の十字軍をおこすまえに、褐色の目がギラギラ光る、やせたはだしの隠者ピエールにひきいられて東方にむかった貧者の一団があった。彼らは、打ちつづく天災・飢饉・疫病に苦しむライン川沿岸や北フランスの貧しい民衆であり、とぼしい家財道具を二束三文で売りはらい、「天の栄光の王国」イェルサレムをめざしたのである。

数カ月後、どうにかコンスタンティノープルにたどりついて、巡礼団としてむかえられたが、その先は惨憺たるありさまとなった。

べつのドイツ人の一団は、出発のさい、ユダヤ教徒をおそって虐殺し、道みち略奪をはたらいたりした。このため、ビザンツ帝国にもいきつけず、ハンガリーの軍隊に全滅させられた。

これらは、十字軍の小さな前奏曲ではあるが、ヨーロッパの不安な社会生活におびえる民衆が、やり場のない不満のはけ口をイスラーム教徒やユダヤ教徒への攻撃に見いだそうとした、不幸な狂信であった。

聖地をめぐる攻防

一〇九六年の夏ヨーロッパを出発した十字軍は、三〇〇〇キロ以上の道のりを進んで、三年後の一〇九九年六月はじめ、ようやくイェルサレムのふもとに達した。イェルサレムは、海抜八〇〇メートルほどのモリアー山とシナイ山の上にあり、ふかい谷とあつい城壁にかこまれていた。

十字軍の将兵は、約一カ月の包囲のあと、七月十三日夜半から総攻撃を開始した。このときイェルサレム城をまもっていたのは、トルコ人ではなく、エジプトのアラブ人であったが、彼らは城壁から矢や岩塊を雨あられとふらせ、科学兵器の「ギリシアの火」（一三八頁参照）を吹きつけた。

七月十五日朝、ロレーヌ公ゴドフロア軍が車輪つきの櫓を使って城壁にとりつき、昼ごろ、北門からイェルサレム城内に突入した。そのあとすぐ、将兵による見さかいなしの虐殺がはじまった。にげまどう市民をかたっぱしから斬り殺した。かつてソロモン王が、ついでヘロデ王がたてたイェルサレムの神殿跡には、イスラーム寺院がたっていたが、そこへのがれた市民七万人以上が殺され、境内は血の海となった。

殺されたのはイスラーム教徒ばかりではなかった。七月十六日の朝、十字軍の将兵は、市内にいるユダヤ教徒を会堂（シナゴーグ）に集めたあと、外から密閉し、火をかけて全員焼き殺した。ヨーロッパをたつとき、景気づけにユダヤ人をおそったやり方を、ここでも彼らは実行したにすぎなかったのだろう。

略奪もまたすさまじかった。神殿の金銀の燭台や灯明はもちろんのこと、民家におしいって家財をうばい、屍体からも金品をかき集めた。当時のあるキリスト教徒の記録は、さらにこうも伝えている。

サラセン人（イスラーム教徒）が生きているあいだに、そのいやらしいのどのなかに呑みこんだ金貨を、腸（はらわた）から取りだそうと、屍（しかばね）の腹を裂いてはしらべまわり、……同じ目的で屍を山とつみあげ、これに火をつけて灰になるまで焼き、もっとかんたんに金貨を見つけようとした。

こうした蛮行ののち、ロレーヌ公ゴドフロアを初代の統治者とするイェルサレム王国がつくられた。ウルバヌス二世は、虐殺された人びとの無念の思いにのろわれたのか、七月二十九日にローマで息をひきとった。

それから八八年後——

イェルサレム王国は、サラディン、正しくはエジプト王サラーフ＝アッディーンによって、イスラーム教徒のがわにうばいかえされた。

むかし、イエスが住んだナザレ村の真北一五キロのところに、ヒッティーンという丘がある。一一八七年七月、このガリラヤ地方の小さな丘が、三万余のエジプト王サラディンの軍勢と、一万数千のキリスト教徒軍の激闘の場所となった。

すでにシリアのダマスクスをおさえたサラディンは、本拠地のエジプトから攻めのぼる軍団とでイェルサレムをはさみ、キリスト教徒どもを海中へたたきおとそうとしたのだ。そのための戦略的な拠点となるガリラヤ湖岸のティベリアスにほこ先をのばした。

ヒッティーンの西南一五キロのサッフーリーヤ城にいたイェルサレム王ギーは、サラディン軍のでかたを待つというはじめの作戦をかえて、七月三日の朝、ティベリアス救援のため、全軍に出撃を命じた。翌朝、イェルサレム王国の軍勢は、ヒッティーンの二つの丘のあいだの、岩肌ばかりの山道をくだり、ガリラヤ湖に進もうとして、長蛇の隊列を東斜面にならべた。

すでにこの動きを探知し、この瞬間を待ってひそんでいたサラディン軍が、いっせいにおそいかかった。一列縦隊の十字軍部隊は、みるみるうちにアラブ騎兵軍にたちきられた。圧倒的なサラディン軍の攻撃のまえに、十字軍の将兵はなすすべを知らず、おりかさなってたおれた。おりからのぼりつつある夏の太陽の光が、血の海ににぶく反射した。イェルサレム王ギーや王弟をはじめ、王国の指導者たちはみな捕虜となった。十字軍将兵の約半数はこの戦いで死んだ。

その後二カ月のあいだに、イェルサレム王国が支配していたアッコン、ヤッファ（テルアビブ）、ベイルートなどの海岸都市が、つぎつぎにサラディン軍に占領された。そして、九月二十日、イェルサレム城もついに降伏した。

サラディンは、まもりの手薄なイェルサレム城の守備隊長が町に火をかけるつもりであることを知り、身代金とひきかえに、城内のキリスト教徒をすべてゆるし、イェルサレムを焦土寸前で救った。イスラーム寺院の上にあげられていた十字架が地上におとされたほかは、何一つ打ちこわされなかった。

十字架が地上に落下したとき、そこにいたすべてのものは大声をはりあげてさけんだ。モハメット教徒は〝アラブの神は大いなるかな！〟とさけび、フランク人は悲しみの声を発した。このどよめきのために大地はゆり動いたかのようであった。

と、イスラーム教徒の『年代記』はその日のイェルサレムの光景をえがいている。

それから三年後、イギリス王リチャード一世(獅子心王)がひきいた十字軍が、イェルサレムの再占領をめざしてやってきた。しかし、サラディンとの激闘は勝負がつかず、リチャードはむなしくイギリスに帰った。

十字軍は、つぎの世紀にもあきらめずにつづけられたが、すべて失敗に終わった。

9

マルコ＝ポーロの旅 13世紀の東西交流

東西交流に貢献し、「黄金の国」として日本を紹介した
マルコ＝ポーロの人生をたどってみよう

ユーラシアの十三世紀は
激動の世紀であった。アジアの大半と南ロシアは
モンゴル帝国に支配され、
中国にはモンゴル人が支配する元朝が成立した。
十字軍をつづける西ヨーロッパから
モンゴル皇帝のもとに
多くの使節がおくられ、
東西交流が活発になった。
ヴェネツィア、ジェノヴァは東方貿易に熱中し、
ヴェネツィアのマルコ＝ポーロが
元をおとずれた。

マルコの獄中談

十三世紀のイタリアでは、ヴェネツィアとジェノヴァの二つの都市共和国が地中海の商業権をめぐってはげしく争いあっていた。

三世紀も終わろうとする一二九七年、ジェノヴァの地下牢に、ひとりのヴェネツィア人がとじこめられていた。

その男は、四〇歳をこした年配で、前年、ジェノヴァとの海戦に打ち負かされたヴェネツィア艦隊の乗組員のひとりであった。

うす暗くつめたいこの地下牢には、彼の仲間のほかにも、ジェノヴァに敗れて捕虜になった大勢の外国人が、足に鉄ぐさりをつけられて、みじめさと退屈さに身をもてあましていた。彼らは、自分の体験談やら人から聞いた話などを、でたらめもまじえて話しあい、めいる気分をまぎらわした。だが、そんな話も毎日しているうちには、種切れになってしまうのだった。

ところが、このヴェネツィアの男だけは、まるで泉のように、つぎからつぎへとめずらしい話をしゃべるので、すっかり囚人仲間の人気者になった。その話が牢番から長官へ、さらにジェノヴァの市民や貴族へと伝わり、話を聞きに牢獄をおとずれるものがぞくぞくあらわれた。

このヴェネツィアの男は、その名をマルコ＝ポーロといい、マルコのうわさはジェノヴァじゅうに知れわたった。

そのうち、マルコが思いたったのか、だれかがすすめたのかはわからないが、マルコの話を一冊の本にまとめよう、ということになった。牢獄の長官は、マルコの希望を聞きいれて、物語の材料がいっぱい書きこまれたノートを、ヴェネツィアのマルコの家から取りよせさせた。

何人かのジェノヴァの紳士が聞き役となり、マルコの話を書きとるのは、マルコと同じように、数年まえのジェノヴァとの海戦で捕虜になったピサの作家ルスティケロがひき受けた。ルスティケロは、マルコの話をそのまま筆記するのではなく、あちらこちらに飛ぶ話を、順序よくならべかえたり、章に分けて、一つ一つの話にそれぞれ適当な題をつけたりした。こうしてできあがった書物が『東方見聞録』、正しくは『世界の記述』である。

最初の書き出しはこういうふうにはじまった。

諸国の皇帝陛下・国王殿下・公侯伯爵閣下・騎士および市民各位よりはじめ、およそ人類の諸種族や世界各地域の事情を知りたいとのぞまれる方々ならどなたでも、まあこの書物を読まれるがよい。この書物には、広汎な東方諸地域——大アルメニア・ペルシア・タルタリー・インド、そのほか、数多い諸国の最大の驚異や、とてもめずらしい事柄をおさめているが、それらはすべて賢明にして尊敬すべきベネチアの市民、〝ミリオーネ〟と称せられたマルコ＝ポーロ氏が親しくみずから目睹したところを、かれの語るがままに記述したものである。もっとも、なかにはかれの目撃しなかった若干の事項もふくまれていようが、それらとても、信用のできる人びとから、かれが直接伝聞したものであることだけはたしかである。（以下略）（愛宕松男氏訳による）

マルコ＝ポーロはヴェネツィアの市民から「ミリオーネ」（一〇〇万）というあだ名をつけられていた。マルコが東方の国ぐにの富について話すとき、いつでも何百万という数字であらわしたからだといい、あるいは、マルコがもち帰った宝石などで「百万長者」になったからだともいう。いずれにせよ、ジェノヴァの牢獄にまで「百万のマルコ」の名が伝わっていたので、ルスティケロも、序章のはじめの部分の文章のなかで、彼を「ミリオーネ」と紹介したのである。

マルコ＝ポーロはルスティケロらに、自分が東方への旅にでるまでのいきさつをつぎのように話してやった。

マルコがまだ母の腹のなかにあった一二五三年、宝石商人の父ニコロ＝ポーロは、弟、つまりマルコの叔父マフェオ＝ポーロとともに、商売のためコンスタンティノープルにむかった。ここに六年間もいたが、もっともうけようと思い、黒海につきでたクリミア半島に港町ソルダイヤにいき、さらに北東に足をのばした。その地方は、モンゴル人がたてたキプチャク＝ハン国の領土で、チンギス＝ハン（ハンとは国王の意味）の孫にあたるベルケ＝ハンがおさめていた。

ポーロ兄弟はベルケ＝ハンにあって宝石をおくり、二倍のねうちの品物を受けとった。一年ほど滞在しヴェネツィアへ帰ろうとしたが、そのまぎわになってベルケ＝ハンは、イランにあったモンゴル人が支配するイル＝ハン国と戦争をおこし、交通路は南も西も危険になった。そこでふたりは東へまわり道をしようときめ、中央アジアのブハラまできた。

だが、ここでも戦争がおこっていてさきに進めず、三年も足ぶみすることになった。たまたま、元の皇帝フビライ＝ハンの使節の一行がイル＝ハン国から帰国の途中、このブハラにより、ポーロ兄弟にあって、元の宮廷に同行するようにすすめた。好奇心の強いふたりは、使節のすすめにのり、思いもかけず元の都までいってしまった。

フビライ＝ハンは、ポーロ兄弟が話すヨーロッパのようすにおおいに興味をもった。そしてローマ教皇あての親書を書いてふたりにわたし、学芸につうじるキリスト教の学者一〇〇人と、イェルサレムの、キリストの聖墓にともされているランプの聖油とを持参してもどるよう命じた。

こうして、ふたりはフビライ＝ハンの正式の使者となり、モンゴル帝国を安全に旅行できる金の割符(金牌)をもらってアジア大陸を西にむかい、アルメニアのライアス港まできた。そこからパレスチナのアッコンまできたが、ここで、ローマ教皇はすでに亡くなり、新教皇はまだきまっていないことを知った。

ふたりは、フビライ＝ハンから命じられた用件をアッコンにいる教皇特使にとりつぎ、新教皇がえらばれるまで待機するため故郷のヴェネツィアにもどった。わが家でニコロ＝ポーロが見たものは、自分の出発後に生まれ、今は一五歳になった息子のマルコだけである。妻は帰らぬ夫を待ちわびて、すでに世をさっていた。

アジア横断の旅

ここまでは、少年マルコが父から聞いた土産話である。父と叔父から聞かされる東方の国の話は、どれひとつとしてマルコの空想をかきたてぬものはなかった。

ところで、ニコロとマフェオのポーロ二兄弟は、ヴェネツィアにもどってから約二年すぎても新しい教皇がきまらないので、もう待てないと判断した。そこで一二七一年、一七歳になったマルコをつれて、元の都にむけ出発することにした。

三人をのせたゴンドラが、ヴェネツィアの運河をすべるようにして波止場にむかった。彼らは波止場で帆船にのりかえた。船は紺碧のアドリア海を南に針路をとって進んだ。

やがてサン゠マルコ寺院の高い塔が三人の視界からまったく消えた。彼らがふたたびヴェネツィアにもどるのは、それから二四年後のことになるのである。

三人はまずイェルサレムにいき、聖墓のランプの聖油を少々もらい受けた。せめてこれだけでもフビライ゠ハンにとどけようと思ったからである。ついで、アルメニアのライアスまでいったところで、アッコン駐在の教皇特使テオバルトが教皇にえらばれた。

グレゴリオ十世と名のった新教皇は、フビライ＝ハンあての親書をつくり、ハンの希望する一〇〇人のキリスト教学者などとうていむりなので、わずかにたったふたりのドミニコ会修道士を同行させた。

そのふたりの修道士も、ライアスからいよいよ陸路で元にむかうという段になっておじけづき、シリアにむかう騎士団に便乗してひきかえしてしまった。こうして三人だけが東方へむかうのだが、マルコの『東方見聞録』におけるアジアの旅は、アルメニアの話からはじまる。

ポーロら三人は、アルメニアからイラクにはいり、バグダードをへてペルシア湾北端のバスラへいった。バグダードは一二三年まえモンゴル軍に侵入されてかなり破壊された。マルコの話は、かつてはイスラーム帝国随一の大都市であったこの町については、意外にあっさりしている。あるいは足をふみいれなかったのかもしれない。

バグダードにかわって、イル＝ハン国の首都となり商業で栄えたタブリーズについてはくわしい。もっとも、「住民はつまらぬ人間ばかりで」とか、「城内のイスラーム教徒というのは、とても人が悪くて信用できない。」などと、敵意に満ちたいいかたをしている。

つづいて彼らは、ペルシア湾入口のホルムズにつき、ここから海路をとろうとした。しかし、港で見た船があまりにもみすぼらしいので、陸路をとることに変更し、北東にむかった。

それから三年半におよぶペルシア、中央アジア横断の旅は、まことにたいへんなものであった。ヒンドゥークシュ山脈の西北斜面にあるバダクシャンでは、マルコは病気のため一年ちかくも静養しなければならなかった。

五〇〇〇メートル級の山々にかこまれた「世界の屋根」パミール高原をこえたときの印象は強烈であったらしい。

> この地では火を燃やしてもあかあかとは燃えないし、よそでのような火色をも呈しない。食物の煮炊きにしても、できあがりがうまくない。

と、酸素の欠乏や気圧の低下で生じる現象をよく観察している。

パミール高原をこえてカシュガルにで、そこから、タクラマカン砂漠の南にむかしからひらかれていた隊商路——後世シルク＝ロード（絹の道）といわれた交易路を東へ進んだ。この道路に点在するいくつものオアシス都市を通過したが、マルコの目は、住民の宗教・風俗・生活などを的確にとらえている。

やがてロプ市（楼蘭）につき、約一カ月かかってロプ砂漠をこえた。六〇〇年以上もまえ、唐の僧玄奘がインドへいったときもこの砂漠をとおったが、そのときと同じように、飛ぶ鳥も、はしる獣もない、荒涼たる砂の海であった。

三人はようやく沙州（敦煌）についた。ここはもうすっかり中国風の町である。マルコはここで仏教徒の葬式の話をくわしくのべている。よほど風変りに見えたのだろう。

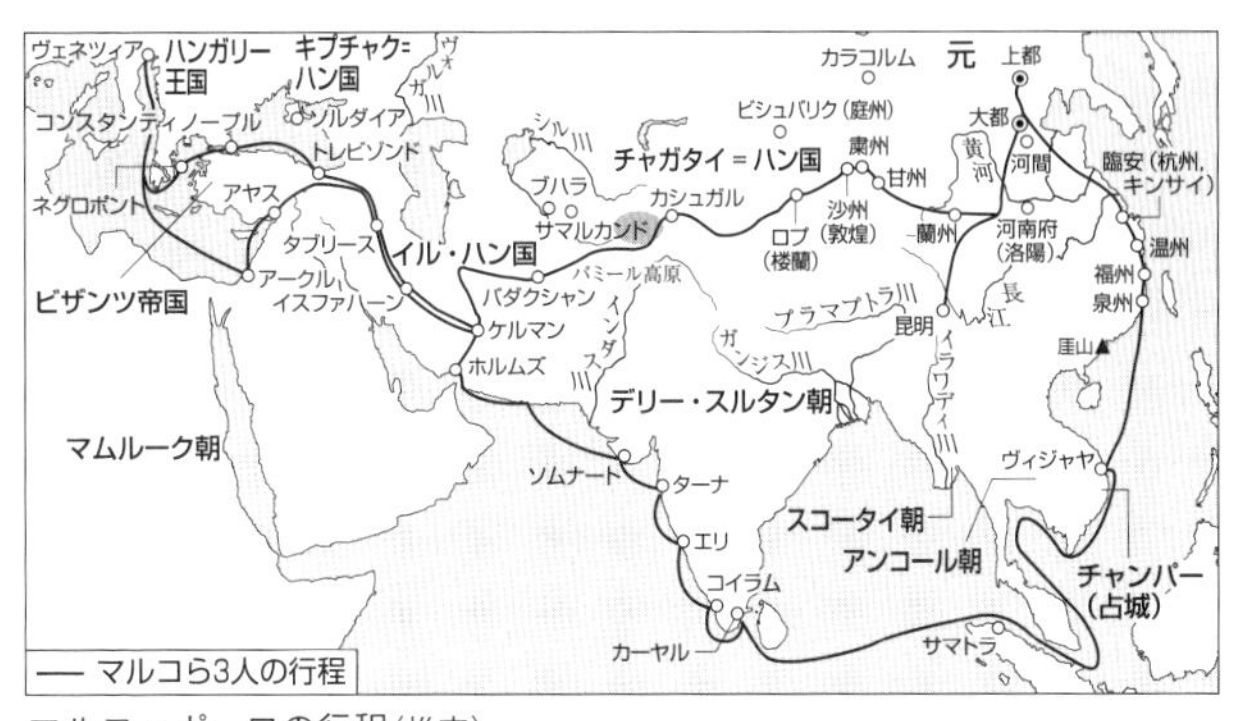

マルコ＝ポーロの行程（推定）

その沙州をたって、粛州(しゅくしゅう)・甘州(かんしゅう)・涼州(りょうしゅう)・寧夏(ねいか)と東へ進み、そこから北上して内モンゴルにはいった。知らせを聞いたフビライ＝ハンは、でむかえの一隊を三人のもとに派遣した。三年半の旅は、いよいよ終わりにちかづいた。

一二七四年夏、三人は、フビライ＝ハンが六・七・八月の三カ月、避暑地としてすごす上都(シャンドゥ)に、ついにたどりついた。その遺跡は、内モンゴルの灤河(らんが)上流左岸の地に発掘されているが、当時はそこに石造りの宮殿と広大な庭園があった。庭園の中央にみごとな森があり、そこに、全部が竹でつくられたもう一つの宮殿があった。フビライ＝ハンは、夏のうちはこの竹の宮殿ですごした。

フビライは、親書をあずけたポーロ兄弟がもどるのを待ちあぐんでいたのだが、約束どおり彼らがもどってきたのを見て、ことのほかよろこんだ。一〇〇人のキリスト教学者はこなかったが、教皇の新書と聖油をふたりが持参したので、ひとまず満足した。

フビライは、ふたりのそばに立っている青年に目をとめ、何ものであるかをたずねた。そして、ニコロの息子であると知って興味をもち、側近としてつかえることを命じた。

フビライの家臣としてのマルコ＝ポーロの、一七年にわたる中国生活が、こうしてはじまった。

元のマルコ、ヴェネツィアのマルコ

フビライはチンギス＝ハンの末子トゥルイの第二子で、一二六〇年モンゴル帝国の第五代皇帝となった。一二七一年、ちょうどポーロ一行がアルメニアをたった年、彼は国号を中国風に元とあらためた。

このときの元の領土は、モンゴリアと中国北部で、ほかに朝鮮・チベット・雲南を服属させた。しかし、淮河(わいが)より南には漢民族の王朝南宋がなお健在であり、モンゴリアの西部では、伯父の家系にあたるオゴタイ・チャガタイ家が同盟してフビライに反抗していた。

元では、モンゴル人と、色目人(しきもくじん)という名で一括される西域より西のトルコ人・イラン人・アラブ人などが、上級の官職を独占し、下級の漢人官吏の行政を指揮・監督した。マルコ＝ポーロも、この色目人のひとりとしてフビライにつかえたわけである。

マルコ＝ポーロは『東方見聞録』のなかで、

フビライに謁見するマルコ＝ポーロ

大汗のもとにたっぷり一七年間もとどまり、そのあいだ中、使節の仕事をやめたことがなかった。それというのも、大汗はマルコ氏があらゆる土地から、おびただしい情報をもたらし、しかもじつにみごとに使命をはたして帰るので、すべての重要な使節や、遠隔地への使節には、かならず彼を起用したからだった。

とのべている。

ところが、中国の史書『元史』や『新元史』には、マルコ＝ポーロの名がどこにもでてこない。そんな大役をはたした人物が、なぜ中国の史書に登場しないのか。マルコのほうも、いつ、どんな用件でどこへいき、どんな重要情報をフビライ＝ハンに提供したのか、という点になると、牢獄ではなにも口述しなかった。

これらはすべて、永遠のなぞである。

作家の陳舜臣(ちんしゅんしん)氏は、『小説マルコ＝ポーロ』のなかで、このなぞを推理して、マルコ＝ポーロはフビライによって江戸幕府の公儀隠密にあたる密使の役目を命じられたのではなかったか、といっている。こういう仕事は、もともと記録にのこされる性質のものではないからだという。さすが歴史小説家らしい着眼である。

マルコの最初の仕事は雲南地方の視察であった。二〇歳のマルコは、上都以上に大きい元のもう一つの都カンバリク(大都、今の北京)をあとに、西に一〇キロ進んだところで大きな川に達した。この川を盧溝河(ろこうが)といい、そこに、一〇個のアーチをもった堂々たる石の橋がかかっていた。できてから八〇年ばかりたっていたが、マルコはこの橋の美しさにみとれ、『見聞録』第四章「雲南への使節行」の冒頭に書きのこした。

この橋は盧溝橋と中国ではいうが、後世のヨーロッパ人は「マルコ＝ポーロ橋」と名づけた。この橋の付近で一九三七年日本と中国の軍隊が衝突し、八年余の日中戦争となる。

雲南から帰ったマルコの報告を聞いて、フビライはこの青年にたいしていっそう信頼をふかめたようだ。記憶力がずばぬけてすぐれ、観察がゆきとどき、正確であることを知ったからである。

マルコは、モンゴル語・トルコ語・ペルシア語をこのころには自由にこなすようになっていた。元では、宮廷の公用語はモンゴル語、国際的な文書はペルシア語を用いたから、才能を認められたマルコは、のちに語ったとおり、遠隔地への重要な使節として、その後もなんどとなく起用された。中国語は、仕事のうえでどうしても必要というわけではなかったためか、ほとんど身につけなかったようである。

一七年のあいだに、マルコはフビライがおこしたかずかずの大事件を見聞きした。

一二七六年、元軍は南宋の都臨安(りんあん)を占領し、皇帝を捕えた。その三年後、なお抵抗する残存勢力を広州ちかくの厓山(がいざん)の戦いで破り、南宋を完全にほろぼした。つづいて一二八一年、フビライは二回めの日本遠征を強行した(日本では「元寇」または「蒙古襲来」とよんでいる)。しかし、一二七四年の第一回遠征につづき、このときも失敗した。

中国では、日本のことをジーペン＝グオとよんだ。マルコはこれをジパングとなまり、ジェノヴァの牢獄でおおよそつぎのように語った。

ジパングは東の方、大陸から二四〇〇キロの海中にある島である。ばく大な量の黄金があり、大陸からは商人もこの島へこないので、黄金を国外にもちだすものがいない。この島の君主は、すべて純金でおおわれたひじょうに大きな宮殿をもち、屋根を全部純金でふいている。たくさんある部屋はこれまた床を指二本の厚みのある純金で敷きつめている……。

マルコ＝ポーロは、日本が黄金の国だという話を、モンゴル人から聞いたのだと思われるが、それをほんとうに信じていたかどうかはあやしい。元軍の日本遠征の失敗についても語っているが、これも不正確なまた聞きである。しかし、黄金の国ジパングのまぼろしは、マルコ＝ポーロが死んだあと、ヨーロッパの航海者たちをひきつけてやまないものとなった。

――フビライは年老いていった。マルコの父ニコロ、叔父マフェオとて同じであった。マルコ、ニコロ、マフェオの三人の胸のうちには、日ごとに望郷の思いがつのり、大ハンが元気なうちに帰国させてもらおうと、フビライに願いでた。しかし、フビライはがんとして帰国をゆるさなかった。

ところが、フビライの弟フラグがたてたイル＝ハン国から使者がきて、アルグン＝ハン(フラグの孫)の妃が死んだので、元朝から新しい妃をむかえたい、とフビライに申しでた。フビライはこれを聞きいれ、一七歳のコカチン姫をえらんだ。使者はこれに感謝し、インド旅行の使命を終えて海路で都にもどったばかりのマルコ＝ポーロを、コカチン姫と自分たちの護衛として同行させてほしいと願った。

フビライは不機嫌になったが、イル＝ハン国への姫の輿入れは国事でもあり、しかたなくこれを承諾した。そして、マルコたち三人には、大役をはたしてヴェネツィアへ帰国したのち、しばらくしてもどるようにと命じた。海路をとるこの重大な国事のために、四本マストの大帆船一四隻が用意された。

一二九〇年のすえ、ついにマルコ＝ポーロらの帰国の日がきた。堂々たる船団がともづなをとき、ザイトン(泉州)の港をしずかにはなれた。二六カ月後、三人が二一年まえに船のみすぼらしさを見て海路をあきらめた、イランのあのホルムズ港についた。この船旅の苦しさも、途中見聞したことどもとあわせて、マルコは冷静に語っている。

コカチン姫の嫁ぐべき相手は、一行がつくまえに死んでしまっていた。マルコらは、首都タブリーズで、アルグン＝ハンの子カサンが姫と結婚することになったのを見とどけてから、ヴェネツィアにむかった。帰国のコースは、黒海にでて南岸を西に進み、ダーダネルス海峡をとおりエーゲ海にでた。陽光のたわむれるエーゲ海を横切ってアドリア海にはいった。ザイトンをはなれて五年目である。

一七歳のときに別れをつげたサン＝マルコ寺院の塔が、むかしにかわらぬすがたでマルコ＝ポーロの視界のなかにはいってきた。ついに、ながい旅は終わった。

フビライ＝ハンがその前年、七九歳の生涯を終わったこと、そして、歴史の女神が、アジアへのとびらをとじ、再度のマルコのアジア旅行を永久にゆるさなくなることを、四一歳のマルコは知るよしもなかった。

帰国後のマルコの行動はほとんどわからない。だが、翌年のジェノヴァ艦隊との戦いにヴェネツィア市民のマルコがくわわり、たしかに牢獄の人となった。マルコの脳裏にきざまれ、マルコの死とともに消えるはずであった十三世紀後半のアジアのすがたが、獄中の口述筆記のおかげで地上にのこされた。

五年の牢獄生活ののち、マルコは釈放されてヴェネツィアにもどった。結婚をし、三人の娘をもち、熱心に商売をした。だが、家庭は幸福でなく、マルコの話を信じない市民から、「うそつきマルコ」などと嘲笑されたりして、社会からもつめたくされた。

一三二四年冬、マルコは死んだ。ヴェネツィアではなんの注意もひかれなかったのか、年代記にも他の記録にも、彼の死は一言もしるされていない。ただ、死んだらヴェネツィアのサン゠ロレンツォ寺院にねむる父ニコロの遺骸のそばに埋めてほしい、という願いがかなえられたことだけが、マルコにとってのせめてもの救いであった。

10

「第二のローマ」盛衰記
ビザンツとトルコ

ローマ帝国の伝統を受けつぐビザンツ帝国、この国家の歴史的意義を考えてみよう

三三〇年
ローマ皇帝コンスタンティヌス一世は
ビザンティウムに遷都し、
コンスタンティノープルと改称。
この都は、帝国が東西に分裂後も、
東半部のビザンツ帝国の首都として、
その座を一〇〇〇年以上たもった。
ビザンツ帝国は六世紀の
ユスティニアヌス帝時代に栄えたが、
イスラーム勢力の攻撃にあい
勢力が縮小、十字軍にも攻撃され、
一四五三年オスマン帝国にほろぼされた。

「第二のローマ」誕生

黒海から流れでた水は、ボスフォラス海峡をとおっていったんマルマラ海にはいり、また細長いダーダネルス海峡を流れてエーゲ海の水といっしょになる。

この二つの海峡と一つの海が、アジアとヨーロッパを分ける境界線であった。これらの海峡と海の東がわ、かつては小アジア、今はアナトリアといわれてトルコ共和国の領土である大半島は、古代のフェニキア人やギリシア人が、アッシリア語の「日の出」（アス）という言葉を使って「アシア」とよんだ。

だから、アジアの元祖は、最初の文明の誕生地メソポタミアからバルカン半島のほうにつきだされた、でっかいにぎりこぶしのようなこの大半島なのである。

ヨーロッパの突端は、ボスフォラス海峡とマルマラ海が接する位置に細くのびた小半島である。ここには、トルコ第二の大都市イスタンブルがある。だが、この名は、この町にとって三度めのよび名である。

二度めの名はコンスタンティノープル。

三三〇年五月十一日のこと、時のローマ皇帝コンスタンティヌス一世（大帝）は、みずから主宰して盛大な開都式をあげた。世界の帝国として永遠の繁栄を願うこの皇帝は、ヨーロッパとアジアの接点であるこの地に、首都を移したのである。

都の名はコンスタンティノープル、すなわち「コンスタンティヌスの都」と名づけられた。すでにローマ帝国の挽歌がかすかに聞えだしていた。

しかし、この皇帝は、あるいはその音を勝利の讃歌と錯覚したのかもしれない。かつてのこの町の最初のよび名であるビザンティオン（ギリシア語表記、ラテン語表記ではビザンティウム）を抹消して、ここに自分の名をとって「第二のローマ」をきずいたのであった。

ここは、前七世紀ごろ、ギリシアのポリス（都市国家）の一つメガラが、植民市としたところであった。メガラ人の指導者ビュザスとアンテスの名をとってビザンティオンとよばれることになり、その位置ゆえにさかんに商業活動がおこなわれて栄えた町であった。

ビザンティオン（ビザンティウム）から名称をかえたコンスタンティノープルは、それから一〇〇〇年以上もつづいた。西ローマ帝国が五世紀後半にほろびてしまっても、コンスタンティノープルは中世のローマ帝国の首都として、十五世紀のなかば、一四五三年にオスマン軍に攻略されるまでつづいた。

勝利者のオスマン帝国の時代になってからこの町は三つめの名をもつにいたった。その名がイスタンブルであり、ローマ時代の遺跡がそこかしこにのこっている。

その一つに大競技場跡がある。今は公園であるが、かつてはここで、徒競走・競馬・模擬戦・武芸競技、そして市民にもっとも人気があった戦車競技がおこなわれた。

戦車競技というのは、二頭ないし四頭立ての馬にひかせた戦車をはしらせ、競技場を七周してはやさをきそう試合である。戦車と御者は、青・緑・赤・白の色を目じるしにした四つの競技団体(それぞれ青党・緑党・赤党・白党とよばれた)からだされる。

御者は、自分の団体の色のヘルメットをかぶって馬をはしらせる。スタンドを埋めた観衆は、それぞれ自分がひいきする党を応援し、勝負をめぐって選手・ファンがいりみだれての乱闘を、しばしばくりひろげた。

五三二年一月、真冬のコンスタンティノープルの競技場で、戦車競技が終わったあと、とつぜん大事件が巻きおこった。青党と緑党がいっしょになって「ニカ(やっつけろ)!」「ニカ!」と怒号し、群衆も巻きこんで皇帝にたいする反乱に立ちあがったのである。時に皇帝ユスティニアヌスの専制政治と重税政策にたいする、民衆の日ごろの不満が爆発したのであった。

群衆は競技場をでると、市内のあちこちで放火・打ちこわしなど、手がつけられないほどあばれまわった。船に避難した皇帝は、怒りたける群衆の暴行になすすべを知らず、小アジアかイタリアへにげのびようと決心した。鎮圧軍さえ群衆に追いかえされるしまつで、なみいる将軍たちも声がなかった。

このとき、皇后テオドラの気丈な声がひびいた。

「にげかくれして生きるのは、皇帝の恥です。わたしはここで帝国と運命をともにします。」

このひと言が、皇帝や将軍をわれにかえらせた。ベリサリウス将軍らは鎮圧作戦をねりなおし、強硬方針で反乱と対決することにした。数日後、「ニカの反乱」は、三万人の犠牲者をだして鎮圧された。

皇后テオドラは、「熊の親方」の名でとおる、キプロス島出身の競技場動物飼育係を父とする、美貌の女性であった。小さいころから舞台で道化役を演じたパントマイムの名手で、二三歳のとき、ユスティニアヌスに見そめられて妃の座を手にいれたという、幸運な女性であった。そのテオドラが、ユスティニアヌスの即位五年後におこったニカの反乱ではたした役割は、まことに大きかったといってよいだろう。

反乱で官庁や教会が焼けおちたのを機会に、ユスティニアヌスは、首都の大々的な改造にのりだした。なかでも壮大な建築事業となったのが、ハギア＝ソフィア聖堂の再建であった。

当時の第一級の建築家であるミレトスのイシドロスと、トラレスのアンテミオスとの設計にもとづき、高さ五五メートル、直径三一メートルの巨大なドームをもつ聖堂の建築が、反乱鎮圧後まもなく着工された。まわりの民家は立ちのかされ、大理石など大量の石材が、アテネやローマ、さらにアジア、アフリカから集められた。建築工事のためにぼう大な数の労働者がかき集められた。

工事は五年と一〇カ月をついやしてほぼ完成した。五三七年十二月二十七日、皇帝みずからが主宰する献堂式がおこなわれた。

サン＝ヴィターレ聖堂のモザイクに描かれたユスティニアヌス帝（中央）

聖堂には、勾配のゆるやかならせん型の回廊がついていて、ここをのぼると二階のギャラリーにでる。階下の広間と聖堂の内陣がいちばんよく見える場所には、美しい角型の大理石が床にはめこまれてある。

ドームの天井には、赤と黒と金を基調としたフレスコ画がかかれた主イエス・聖母・聖者・聖書物語などが、天空にある神に御座の象徴として、堂内を荘厳と神秘でつつんだ。冬の弱い日ざしが、ドームの明り窓から堂内にこぼれていた。

ユスティニアヌスは、階下の広間をぎっしり埋めた聖職者や元老院議員たちのあいだを、ゆっくりと進み、内陣にはいった。わが身をつつむ栄光に感きわまったユスティニアヌスは、

「余をかかる事業の完成者にふさわしいものたらしめた神に栄光あれ！　ソロモンよ、

「われはなんじに勝てり！」

とさけんだという。

ユスティニアヌス帝にとって、コンスタンティノープルは、六世紀の世界では、ほかにくらべるものがない、世界の都となった。

このころから、帝国では公用語としてギリシア語が使われることが多くなり、すべての面でギリシア風になってきた。この帝国を、首都の最初のよび名、ビザンティオンにあやかってビザンツ帝国というのは、そのためである。

十一世紀までのビザンツ帝国

ハギア＝ソフィア聖堂の献堂式から五〇〇年後のコンスタンティノープルは、どうなっていただろうか。

五〇〇年後といえば十一世紀の前半になるわけで、日本では、「この世をばわが世とぞ思ふ」とうたった藤原道長が世をさってまもないころにあたる。そのころのビザンツ帝国の領土は、東はティグリス・ユーフラテス川から、西はアドリア海にまたがっており、北のブルガリア王国も属州としていた。

コンスタンティノープルの大宮殿の豪華さは、ヨーロッパのどの国もおよばなかった。なにしろ、玉座が自動的にもちあがるしかけになっていて、外国人の使節がひれふした頭をあげてみると、皇帝はずっと上のほうにのぼっていた、というのである。

コンスタンティノープルの人口は、約四〇万。十一世紀の世界では、おそらく世界一であったろう（バグダードはこの世紀にはおとろえていた）。商工業はおおいににぎわっていた。

宝石商や絹織物業者など各種の業者が、二〇以上もの組合に分かれ、皇帝に任命された総督によって品質・価格・生産量などを統制されながら、活動をつづけていた。

ほかに、国立の工場があり、高級な絹織物を製造して国家の専売品とした。世界の各地から商人がやってきたが、ビザンツ帝国では、コンスタンティノープルをはじめ帝国内の重要な港にはいる外国船からは、積荷の価格の四パーセントから一〇パーセントを関税として徴収した。

国の財政は、これらの専売品や関税収入によってゆたかであったが、外国の商人が首都で自由に取引することをゆるさず、金や各種の原料、市民の重要な食品である塩魚などをもちだすことを禁じた。

ところで、ユスティニアヌス帝の時代から十一世紀なかばまでの五世紀は、ビザンツ帝国の歴史にとって、まことに波瀾にとんだものであった。

七世紀の後半、イスラーム教徒のアラブ軍に攻めこまれ、コンスタンティノープルは陸と海から完全に包囲された。さいわい、この首都のまもりは鉄壁であった。海上を封鎖したアラブ艦隊は、カリニコスが発明した火焔（かえん）放射器（「ギリシアの火」という）によって火攻めにあい、撤退するほかなかった。

八世紀にはいった七一七年から七一八年にかけて、またもアラブ艦隊がせまったが、ふたたび「ギリシアの火」によって撃退した。このときの皇帝レオン三世は、それからまもなく、キリスト教会を東西に分裂させる大事件をおこした。

キリスト教では、それまで、ビザンツ帝国でも、また、ローマ教会が布教をすすめる西ヨーロッパのゲルマンの国ぐにでも、キリストや聖母マリア、聖者などの聖像を崇拝してきた。聖像崇拝はキリスト教の教義でも認められていた。ところがレオン三世は、七二六年、この聖像崇拝を禁止したのである。イスラーム教徒が聖像崇拝を否定していることに影響されたとも、大土地所有者となり勢力をのばした教会や修道院をおさえるためだともいわれる。いずれにせよ、キリスト教会に大きな混乱がひきおこされた。

帝国の中心部では聖像破壊運動がしきりにおこり、聖像画(イコン)などがたくさんこわされた。それまでローマ教皇は、ビザンツ皇帝の下にあって、その権威にしたがってきたが、この命令にはしたがうわけにはいかなかった。ゲルマン人を改宗させるには、聖像崇拝はかかせなかったからである。

そこでローマ教皇は、アルプスの北で勢力をもちだしたゲルマン人のフランク王国にちかづいていった。フランク王国には、八世紀後半にカール王があらわれ、イベリア半島、イングランドをのぞく西ヨーロッパをほぼ統合した。ローマ教皇は、四七六年に滅亡していた西ローマ帝国を、このゲルマン人の国王の手で再興させることにした。八〇〇年、カールをローマによびよせ、戴冠式をおこなって、彼をローマ皇帝とした。キリスト教世界にふたたびふたりのローマ皇帝が存在することになった。その後もローマとコンスタンティノープルの教会はたがいに争い、東はギリシア正教、西はローマ＝カトリックというように、キリスト教会も二つに分裂した。教会が組織のうえでもはっきりと分かれたのは、十一世紀のなかば（一〇五四年）である。

ビザンツ帝国は、北から侵入するスラブ人によってもしばしば苦しめられた。八世紀までにバルカン半島はほとんどスラブ化された。また九世紀はじめには、アジア系騎馬民族のブルガール人がドナウ川下流域にブルガリア王国をたて、コンスタンティノープルにせまって、一時はこの首都をとりかこんだ。

ビザンツ帝国はこれをおしかえすとともに、スラブ人のキリスト教化にも力をいれた。メトディオス（哲学者）、キリル（修道院長）の兄弟が、布教のためモラビア（今のチェコスロバキア）、ブルガリアに派遣された。

とくにキリルはスラブ語のアルファベットをつくり、福音書（ふくいんしょ）をスラブ語に訳して布教に役立てた。この文字をもとにして、のちに弟子たちがつくったキリル文字が、バルカン半島ではながく使われた。

モラビアの布教は成功しなかったが、ブルガリアはギリシア正教を受けいれた。つぎの十世紀末には、キエフを都としたロシアも、ギリシア正教に改宗した。ブルガリアやロシアの商人は、穀物・毛皮・奴隷などをコンスタンティノープルに運び、そこで、はなやかなビザンツ文化にふれた。

こうして、バルカンやブルガリア・ロシアにも、ハギア＝ソフィア聖堂にならったギリシア正教の聖堂や、聖像破壊運動がやんだあと復活した美しい聖像画(イコン)などの、すぐれた文化財がのこされるようになった。

ビザンツ帝国の勢いは、ハギア＝ソフィア聖堂の献堂式から五〇〇年めあたりを頂点にして、下り坂となった。とくに一〇七〇年代からは、ジブラルタル海峡を迂回して地中海に進出してきたノルマンと、小アジアに侵入してきたセルジューク朝に、同時に圧迫されだした。

このセルジューク朝の攻撃に対抗するため、アレクシオス一世は、ローマ教皇に救援をたのんだ。ところが、これがきっかけで、ビザンツがわが予想もしていなかったことがおきる。ヨーロッパの十字軍遠征が開始された一〇九六年を皮切りに、その後なんどもコンスタンティノープルは、イェルサレム侵入をはかる無頼なヨーロッパの諸侯・騎士たちの通過地点となったのだ。そして、十三世紀はじめの第四回十字軍は、なんと、コンスタンティノープルに攻撃をかけてきた。

コンスタンティノープルの落日

フランスの諸侯・騎士・歩兵で編成されたこの第四回十字軍（一二〇二〜〇四年）は、予定では三万三〇〇〇余のはずの兵員が、その三分の一しか集まらず、輸送をたのんだヴェネツィア人にはらう船賃も全額を用意できなかった。ヴェネツィアの総督ダンドロは、対岸のダルマツィアのザラ港をハンガリー王からうばいかえしてくれれば、不足分の支払いは待つと約束した。

ザラを占領した十字軍のもとへ、ビザンツ宮廷の内紛で亡命した皇帝の皇子がきて、父を帝位にもどすため力をかしてほしいという。謝礼金ほしさにこの申し出にとびついた十字軍の戦士は、コンスタンティノープルを包囲した。一二〇三年六月のことである。

しかし、ことは思いどおりには運ばなかった。皇帝は復位したが、こんどは民衆の反乱にあって追いだされ、べつの皇帝が位についた。

そこで、十字軍はヴェネツィア総督と協定し、ビザンツ帝国を両者で分割することをきめ、コンスタンティノープルに総攻撃をかけたのである。

コンスタンティヌス大帝の建都いらい、いくたびか外敵に包囲されながらも落城の運命をまぬがれてきたコンスタンティノープルも、キリスト教徒将兵の猛攻にあって、一二〇四年四月ついに陥落した。ビザンツ帝国の首都は、狼のような十字軍兵士の略奪・暴行の巷(ちまた)と化した。

いったんは滅亡したビザンツ帝国にかわり、フランドル伯ボードワンを皇帝とするラテン帝国がたてられた。ヴェネツィアは、コンスタンティノープルの一角と沿岸の島々、およびそこでの通商権を手にいれた。今もヴェネツィアのサン＝マルコ聖堂の正面テラスをかざる四頭立ての青銅馬像は、この第四回十字軍のとき、ニカの反乱がおこったあのコンスタンティノープルの競技場からもちさったものなのである。

ビザンツ帝国の残存勢力は、小アジアにニケーア帝国をたててラテン帝国に対抗した。亡国の悲運に見まわれたビザンツの民衆もふるいたち、一二六一年には、ヴェネツィアの商敵ジェノヴァの協力もえて、ラテン帝国を打ちたおした。

ただし、再建後のビザンツ帝国が支配できる地域は、コンスタンティノープルと小アジアの北西部、トラキア・マケドニアなどにかぎられた。そのうえ、居住と自由な通商活動をゆるしたヴェネツィア人・ジェノヴァ人に、関税収入の大半を吸いあげられ、皇帝も帝国もすっかり貧乏になった。十字軍に破壊された首都の建物の多くは、放置されたままになった。元(中国)からヴェネツィアに帰国するマルコ＝ポーロや、ティムールへの使節となったカスティリャ国のクラビホが見たコンスタンティノープルは、かつての栄光を失った首都であった。

十三世紀後半からのビザンツ帝国をとりまく国際環境は、以前よりもはるかにきびしくなった。モンゴルのキプチャク＝ハン国(南ロシア)、イル＝ハン国(イラン)、それにマムルーク朝エジプトがくりひろげる抗争と外交かけひきの渦に巻きこまれ、ビザンツは進路を見失った。さらに十四世紀にはいると、前世紀のすえに小アジア北西部におこったオスマン帝国がめざましく発展し、バルカンの各地を征服してコンスタンティノープルを東西からしめつける態勢をととのえた。

一四〇二年、ちょうど第四回十字軍から二〇〇年めの春、オスマン帝国の皇帝(スルタン)バヤジット一世は、意気のまったくあがらないビザンツ帝国に最後のとどめを刺すばかりになっていた。しかし、はやてのように突進してきたティムールの軍勢にアンカラで敗れたため、コンスタンティノープル攻撃は半世紀おくれる結果になった。

一四五一年、オスマン帝国の皇帝にメフメト二世が即位する。彼の念願は、もちろんコンスタンティノープルの征服にある。まず、翌年秋、ボスフォラス海峡の西岸に堅固なルメリ＝ヒサル城をきずいて砲台をすえ、海峡を通過する船ににらみをきかせた。つぎに、陸軍を小アジア、バルカンからコンスタンティノープル攻撃に動員した。その数約一五万。海軍はガレー船・帆船・輸送船など計一二一隻(オスマン帝国がわの史料による)を配置した。

これにたいして、ビザンツがわで武器をとれるのは、ギリシア人とジェノヴァの傭兵軍をあわせて約九〇〇〇。金角湾岸のイタリア商人は、オスマン皇帝から貿易上の特権を認められたので中立をまもり、ヨーロッパ諸国からの応援はなかった。

一四五三年四月、「怪物(モンスター)」と名づけられた数十トンの巨砲が、コンスタンティノープルへの砲撃を開始した。しかし、首都の城壁は砲撃でくずれてもすぐ修復され、オスマン軍は城内につっこめない。また、ビザンツがわが金角湾の入口に鉄の鎖をはったため、オスマン艦隊は湾内に侵入できない。

こうしてオスマン帝国が攻めあぐんでいた四月二十二日、メフメト二世は奇想天外な作戦を立てた。

その夜、金角湾の北がわのガラタ地区の丘に、兵士には目的も知らせずながい板の道をつくらせ、そのうえに樹脂をぬらせた。工事が深夜完了すると、海峡の船七二隻をこの丘の木道にひきあげ、前ひき後押しですべらせ、金角湾内に移動させた。一夜あければ、オスマン艦隊が湾内に悠然と浮かんでいた。

コンスタンティノープルの防衛軍は、オスマン帝国がわのこのような奇襲にもめげず、さらに一カ月以上ももちこたえた。しかし、ついに五月二十九日の夜明け、市の北端の城門がオスマン軍に破られた。なだれこんだオスマン軍とビザンツ軍との市街戦がつづき、ビザンツ皇帝コンスタンティノス十一世もそのなかで戦死した。

まもなく勝敗が決し、城の塔に「月と星」のオスマン帝国の旗があがった。一〇〇〇年をこえるキリスト教徒の都コンスタンティノープルの歴史は、最後の幕をとじた。メフメト二世が入城し、ハギア＝ソフィア聖堂でアッラーへの祈りがささげられた。

メフメト二世はただちにオスマン帝国の新しい首都づくりにかかった。首都の名はこれ以後イスタンブルという呼称が一般化し、ハギア＝ソフィア聖堂の数多くの聖像画はしっくいでぬりつぶされた。ただし、オスマン帝国の支配者はキリスト教徒やビザンツの学芸には寛大であったから、イタリア＝ルネサンスの文化人たちは、しきりにイスタンブルをおとずれた。

コンスタンティノープルが抹消されたあと、ギリシア正教の本山の地として、「第三のローマ」の名を語ろうとするのはモスクワであった。

11

聖書にかえれ ドイツ宗教改革

ルターは何をめざして改革を進めようとしたのか そして改革後のドイツはどうなったのだろうか

中世の西ヨーロッパは、
教皇権の動揺はありながらも
ローマ＝カトリックを信奉する単一の
キリスト教世界であった。
古典研究を重んじるルネサンスがひろがるなかで、
十六世紀はじめ、ドイツのルターは、
聖書にのみもとづく信仰をとき、
教皇・皇帝と対決して、
宗教改革をおこした。
この結果、キリスト教会は分裂し、
ドイツの国家分裂もふかまった。

フッガー財閥

南ドイツのアウクスブルクは、初代ローマ皇帝アウグストゥスがもうけた軍団の基地からおこった、ドイツの古い都市である。アウクスブルクは、十三世紀ごろからイタリアへむかう商人の往来がさかんになって、急速に発達しだした。

十四世紀の終わりごろ、ハンス＝フッガーという青年が、ちかくのグラーベン村からこのアウクスブルクへやってきた。村にいたころのハンスは仕事熱心で、農業のかたわら、商人の注文を受けて織物をおり、染色業にも手をひろげていた。それだけでは満足できず、一旗あげようという若者らしい野心をいだいて、アウクスブルクへやってきたのである。

やがてハンスは、織布工（しょくふこう）の組合（ツンフト）に加入し、仲間の信望もえて、市の運営にも参加するほどの有力者になった。

ハンスも、その息子のヤコプも、織布業のほかに、織物をヴェネツィアに運び、ヴェネツィアが東方から輸入した香料・絹織物などの物産を買いいれ、ドイツで販売する商業もいとなんで、財産をふやしていった。

アウクスブルクのフッガー家は、十五世紀の後半、ハンスの孫のヤコプ（父と同名）のとき、鉱山業にのりだしたのがきっかけで、ドイツ第一の富豪にのしあがった。

銀や銅は、東方の物産を買いいれるヨーロッパの見返り品として、また、武器の原料として、十三世紀ごろからおおいに需要が高まった。山地の多いドイツは、当時、ヨーロッパ第一の銀と銅の産地で、十五世紀後半には、採掘技術の進歩と新しい鉱脈の発見によって、生産量が急激にふえた。

あちらこちらに鉱山町ができ、農民のなかには、農村をさって鉱山町に移り、採鉱夫や溶鉱夫になるものが多くなった。中部ドイツのザクセンにあるマンスフェルトもそのような鉱山町の一つであった。

一四八四年、ちかくのメエラ村生まれのハンス＝ルターという農民が、このマンスフェルトに移り住んで鉱夫となった。その子のマルティン＝ルターが、それから三三年後に、宗教改革とよばれる大事件の引金をひく人物になる。

ところで、鉱山というのは、当時のドイツでは、その土地を所有する領主のものであって、鉱夫は、きめられた貢租をおさめるかわり、採掘する権利をあたえられて鉱業をいとなむしくみになっていた。また、領主はいくらでも金がほしいので、大商人に御用金をださせるかわりに、鉱山に手をのばす権利を認めることもした。

南ドイツのチロルは、ドイツでも指おりの銀山があるところだが、ヤコプ＝フッガーは、チロルの領主ジクムント大公に大金を貸し、銀の買占め権をあたえられた。フッガー家が鉱夫に支払う銀の価格と、じっさいに販売する価格とのあいだにはかなりの差額があり、その分がフッガー家の収入となった。

一四九〇年、チロル地方は、オーストリアの王家の領土に移った。この王家はハプスブルク家といい、時のドイツ皇帝（神聖ローマ帝国）は、ハプスブルク家のフリードリヒ三世であった。チロルの銀の買占め権をもつフッガー家が、ドイツ皇帝と密接な関係をもつようになるのは、とうぜんであった。

フッガー家は、ひきつづきチロルの銀の取引で利益をあげ、ハンガリーの銅の採掘・精錬・販売にものりだすなど、鉱山業にたいする支配権をますます強めた。ハンガリー産の銅のうちで、フッガー家の手をへて売られたものは、一四九五年から一五二六年までのあいだで、販売総額の七〇〜九二パーセント、平均では八三パーセントを占めたという。

これらの銅が、東はロシアから西はイベリア半島まで、全ヨーロッパに販売された。そのうえフッガー家は、銅の価格引下げなどもおこなって、規模の小さい独立の鉱夫を圧迫したりした。

ハンス＝ルターのような貧しい鉱夫たちは、フッガー家の独占的な鉱山業経営に、強く反発していた。

ヤコプ＝フッガーは、鉱山業ばかりでなく金融業にものりだした。一五一四年、ドイツのマインツ大司教に任命されたアルブレヒトが、ローマ教皇に支払う袈裟料（僧衣と帯の代金）一万グルデンの大部分を立てかえてやった。そして、この貸付金を回収し、それ以上の利益をあげるために、マインツ大司教がドイツの各地で贖宥状（しょくゆうじょう）を売ることを教皇に許可させた。

教皇レオ十世は、そのころ、ローマのサン＝ピエトロ大聖堂の新築のため巨額の金が必要であった。だから、贖宥状販売金の一部が教皇庁に納入されることはありがたかった。

贖宥状とは、教会に特別の功績があったものにたいし、彼が現世でおかした罪をゆるすという証書である。免罪符(めんざいふ)ともいい、十字軍のころから教皇がしばしば発行し、これを信徒に買わせて、教皇庁の収入にあてていた。

マインツ大司教は、八カ年という期限でさっそく販売を開始した。販売とは、贖宥状を金銭の寄進とひきかえにわたすことである。寄進額の標準は身分によってだいたいきまっており、国王・王妃・諸侯など最高位の人は二四グルデン、手工業者・商人などは一グルデンであった。

実際の販売は、大司教が委嘱したドミニコ会修道士のテッツェルがおこなったが、フッガー家の代理人がつねに同行した。

金が箱いっぱいになると、フッガー家の支配人が立ちあってあけられ、その金を代理人があずかって、フッガー家の手で教皇に一部分をおくり、他を貸付金と利子分としてフッガー家が受けとるというしくみであった。

このテッツェル一行がザクセンのヴィッテンベルクのちかくにやってきたのが、一五一七年十月であった。ヴィッテンベルク大学の神学教授になっていた鉱夫ハンス＝ルターの息子マルティン＝ルターが、抗議の声をあげたのはそのときである。

ルターの抗議

マルティン＝ルターは、このときまでどのような歩みをたどってきたのだろうか。

父のハンス＝ルターは一生懸命はたらいた。領主から溶鉱炉を二台かり受けて粗銅（そどう）をつくる工場経営は、順調にいった。おかげでマルティン＝ルターは、少年時代いくつかの学校でラテン語の教育を受けることができ、一五〇一年春、当時ドイツ第一の大学といわれたザクセンのエルフルト大学に入学した。

一五〇五年、ルターは一七人中二番の好成績で修士（マギスター）となり、両親の希望どおり法学部に進んだ。

新学期がはじまって一カ月後の六月、いったん故郷に帰省した。そしてエルフルトへもどる途中、はげしい雷雨にあい、彼のすぐちかくに落雷した。このときルターは、恐怖のあまり「聖アンナさま。おたすけください。わたしは修道僧になります！」と誓ってしまったのである。あとで後悔しなかったわけではないが、友人たちがひきとめるのもふりきって、七月なかば、市内のアウグスチン派の修道院にはいってしまった。

ルターが修道僧になったことを知った父は、狂ったように怒った。ルターの手紙への返事で、修士になってからは「あなた」とよびかけていたのに「おまえ」とよび、けっしてゆるさない、と期待を裏切った息子をののしった。しかし、ルターは決意をかえず、修道院のきびしい規律をまもって、祈禱・断食・耐寒などの修行につとめた。

ルターがとつぜん修道院にはいった理由は、落雷の恐怖だけではなかった。そのまえに親友の急死に衝撃を受けていた。人間の罪と神の裁きについての確信をまだもてない不安にとらわれていた矢先の落雷であった。

こんな心の状態のままでは死ねない、という気持が、一瞬のうちに、修道僧になりますという誓いを立てさせたのであろう。

では、二年間のきびしい修行生活によって心の平安がえられたのか、というとそうではなかった。

一五〇七年、ルターは司祭になり、はじめてのミサをおこなった。翌年、人口約二五〇〇というちっぽけなヴィッテンベルクにザクセン侯が新設した大学の講師となり、哲学の講義を受けもった。

大学構内のアウグスチン派修道院にもぞくし、修道院の塔のなかの一室を住居として、聖書や神学の研究をつづけた。ルターにたいする学生の信望はあつかったが、彼の魂はなお悩みつづけた。

一五一〇年、ルターはローマをおとずれた。一カ月ほど滞在したが、現世の享楽を追うルネサンスの都ローマに、彼は嫌悪の情をもよおさずにはいられなかった。聖職者の生活ぶりも、彼の目にはあさましい堕落としかうつらなかった。「よく人がいうように、もし地獄というものがあるなら、ローマはその上にたてられているにちがいない。」とルターはのべている。

そのローマでは、この年メディチ家出身のレオ十世が新教皇となり、ミケランジェロやブラマンテを起用して、サン＝ピエトロ大聖堂の大がかりな新築がはじまりだしていた。

一五一二年、ルターは神学博士の学位をさずけられて、大学の聖書講座を担当する教授となり、同時に、ヴィッテンベルク教会の説教師として、市民の前にも立つようになった。

それからしばらくして、ルターは重大な発見をした。その発見とは、『聖書』の「ローマ人への手紙（ローマの信徒への手紙）」（作者は使徒パウロ）のなかの言葉、「義人は信仰によって生きる」の解釈についてであった。ルターは、それまでは、神とは、人間を裁き罰をあたえるものだとしか考えなかった。だからこそ、神に罰せられないようにと日夜身をつつしみ、行いを正しくしようとしてきた。

しかし、この「ローマ人への手紙」の言葉は、「われわれは信仰だけによって義とされる」といっているではないか。つまり、外形にあらわされる善行とか、かざった儀式（教会がそれをおこなっている）が人を救うのではなく、神の愛を信じることだけが、その人の心の苦しみをのぞき、愛となぐさめ、つまり救いを受けるための条件なのだ、ということではないのか。ルターの解釈とはそういうことであった。

ルターの心はひろびろとした。今までは、あまりにも自分の弱さ、醜さを克服することばかりにきゅうきゅうとし、心の不安が消えなかったが、これらからは、自分をむなしくして、全能の神の愛を信じさえすればよいのだ、そうすれば、自分の平常のつつましい努力のなかに、神のはたらきがあらわれるのだ、というふうに考えるようになったからである。

それからは、ルターの日常生活は、生き生きとしてきた。聖書のなかにだけ、キリストをつうじて人びとにしめされる正しい神の言葉があるのだ、という確信が、ルターのなかにはっきりとうまれた。ルターにこのような自覚があらわれたころ、ドイツで贖宥状の販売がはじまりだした。販売人テッツェルは、「箱のなかにお金を投げこめば、そのチャリンという音とともに、死んでいる罪人の魂が天国にとびあがる」などと宣伝して売り歩いているというではないか。

贖宥状で霊魂が救われるなどというのは、ルターの考えでは、ぜったいにありえないし、またゆるせないことであった。まして、この教皇公認の集金旅行に、高利貸のフッガーがついている。フッガー家の鉱山業独占に苦しんでいた小生産者の子であるルターにとって、この贖宥状販売は二重の意味でゆるせなかった。

一五一七年十月三十一日、ヴィッテンベルクの教会のとびらに、ラテン語で書いたルターの『九十五カ条の論題』がはりだされたと伝えられている。その第三十六条には「真に悔いあらためているならば、キリスト信者は、完全に罪と罰から救われており、それは贖宥状なしにかれにあたえられる。」とある。

この『論題』は、贖宥状の効力に関して教会内部で公開論争するのが目的で発表されたものであったが、原文はただちにドイツ語に訳され、発明されて間もない活版印刷機で印刷された。ただ当時のドイツの識字率は数パーセント程度であり、王侯・貴族・知識人(人文主義者)や一部の市民を除き、『論題』が直接読める人は限定的であった。民衆（特に農民層）は文字を読むことはほとんどできなかったが、それにもかかわらず、北部を中心にドイツ民衆にルターの反教皇・反教会の行動が知れわたったのは、粗末な紙に印刷された数多くの木版画ビラが出回ったことによる。視覚メディアをルター派は使ったのである。それにはローマ教皇や教会を批判したイラスト（風刺画）が挿入され、その木版画を眺め、誰かが読むその文章を聞くことによって、内容が理解できるように工夫されていた。農民層をふくむドイツの大衆が宗教改革運動に参加できたのはこの木版画ビラの存在が大きかった。多くの人びとが喝采し、その後の贖宥状販売は大きな打撃を受けた。ルター自身はその後の二年間、むしろ波紋の大きさになやみ、事態がおだやかに解決されることを願った。

しかし、渦を巻いて流れだした歴史の激流は、ルターを、ドイツを、そしてキリスト教会全体を、思いもかけぬ方向へおし流していくのである。

われ、ここに立つ

一五一九年、神聖ローマ帝国の帝位は、マクシミリアン一世から孫のカールに受けつがれた。カールの母は、マクシミリアンの皇太子フィリップに嫁いだスペインの王女であった。一五一六年、カールはカルロス一世としてスペイン王にむかえられていた。その三年後、こんどはカール五世として神聖ローマ皇帝にもなったのである。カールの皇帝即位には、つぎのようないきさつがあった。

神聖ローマ帝国の皇帝は選挙でえらばれることになっていた。大司教三人（そのうちひとりがマインツ大司教）、有力君主四人が選帝侯とさだめられており、この七人で皇帝を決定するというしくみであった。マクシミリアンが亡くなったあとの新皇帝選挙には、カールのほかにフランス王フランソワ一世、ザクセンのフリードリヒ選帝侯なども候補にあがっていた。

自分の亡きあと孫のカールに帝位をつがせたかった（皇太子フィリップは一五一一年死去）マクシミリアンは、生前さかんに選帝侯の買収工作をすすめた。そのためのぼう大な費用を、フッガー家に工面してもらった。八五万グルデンあまりの選挙費用のうち、フッガー家からかりた額は五四万、あるいは六〇万グルデンにのぼるといわれている。フッガー家の全面的な援助のおかげで、カールは皇帝になれたのであった。

さて、カールが皇帝にえらばれた日、一五一九年六月二十八日、ライプチヒでは、教皇がわを代表する神学者ヨハン゠エック（インゴールシュタット大学教授）とルターとのあいだで、神学上の公開討論がおこなわれていた。大きな体のエックは、ふとい声でルターを攻撃した。三六歳のルターは、心労でやせていたが、高く澄んだ声でエックの攻撃をきりかえした。

討論のおもな論点は、ローマ教皇の至上権と、ベーメン（今のチェコ）の異端者フス――一〇〇年まえに教会を批判して火あぶりの刑を受けた――の説とをどう考えるか、ということであった。

ルターは、エックの攻撃を反ばくしながら、教皇も誤りをおかすことがあるし、フスの説にも真のキリスト教の要素がふくまれている、とのべる結果になってしまった。

エックは鬼の首でもとったようによろこんだ。異端に味方したルターにのこされた道は、破門と火刑だけだからである。

追いつめられたルターは覚悟をきめ、猛然と反撃を開始した。ヴィッテンベルクにもどったルターは、翌一五二〇年にかけて、矢つぎばやにパンフレットや著作を書いた。それらにある言葉もはげしいものであった。たとえば、

「もし教皇がわの気ちがい沙汰がこのうえもつのるなら、皇帝・王・諸侯たちは武器をとってこのペストを攻め、言葉ではなしに剣をもって事を片づける以外に手だてはない、とわたしは思う。」

といったぐあいである。

ルターは、ローマ＝カトリック教会だけでなく、フッガー家など富豪の独占事業にたいしても攻撃をくわえた。贖宥状販売でもわかるように、ドイツは「ローマの牝牛」などといわれて、教会の搾取がほかのどの国よりもはげしくおこなわれていただけに、ルターの言動は、貴族から農民まで各階層の共鳴をえた。

一五二〇年、教皇レオ十世は、六〇日以内にルターが自説を撤回しなければ破門する、という威嚇

状(『教皇告書』)を発表した。ルターに共鳴していたもののなかに動揺がおこったが、ルターも、ヴィッテンベルクの人びとも、いっこうにおそれなかった。

この年も暮れようとする十二月十日の朝、教授・学生・市民たちがヴィッテンベルク市東門の外がわに集まると、薪に火をつけて、教会法規集やエックの著書などをつぎつぎに火のなかに投げこんだ。最後にルターが、ガウンの下から『教皇告書』の写しをとりだして、焼きすてた。

この焚書集会は、通告された撤回期日の最後の日におこなわれた、ルターとその同調者たちの、公然たる反教皇のデモンストレーションであった。

この事件のニュースはすばやく各地に伝わり、全ドイツが反ローマ熱でわき立った。

カール五世は、皇帝になったばかりでこの騒然たる情勢に出会ったことに狼狽した。大小三〇〇あまりの国がばらばらなドイツを支配していくためには、ローマ教皇としっかり手をむすばなければならない。そう判断したカールは、一五二一年四月、ライン川ぞいの古都ヴォルムスでひらいた帝国議会に、ルターをよびだし、主張を撤回させようとした。

ルターは受けて立った。友人たちは、ルターの身のうえにおこる危険を予想してヴォルムスにいかせまいとしたが、ルターは、たとえ屋根がわらの数ほどの悪魔がいようと、それでもわたしはいく、と勇気をふるい立たせてヴォルムスにむかった。

司教邸宅でひらかれた議会で、ルターは二五冊以上もあるかれの著作をつきつけられ、審問官に、ここに書いたことを取り消すかどうか、とせまられた。

回答を一日延ばしてもらったルターは、四月十八日、議場全体にひびく確信に満ちた声で、取り消す必要がないことをのべ、最後にこういった。

「わたしの良心は神の言葉によってとらわれています。良心にさからって行動することは、安全でもなく正しくもありませんから、わたしは何も取り消すことはできないし、取り消そうとも思いません。ここにわたしは立ちます。このほかのことは何もできません。神よ、わたしをおたすけください、アーメン。」

その場にいた教皇特使アレアンダーさえ、わが敵ルターの堂々たる態度を、このように書きとどめないわけにはいかなかった。

ルターは、四月二十六日、帰路についた。四日後、皇帝はルターを帝国から追放すると言明した。五月三日、ルターの馬車がチューリンゲンの森にさしかかったとき、五人の覆面の騎士におそわれ、ルターのからだは森のなかに消えた。「ルターは殺された」といううわさがひろまった。

だが、これはザクセン選帝侯フリードリヒがしかけたトリックであった。ルターに好意をもつザクセン侯は、ルターをひそかにワルトブルク城にかくまったのである。ルターはここで一〇カ月くらし、翌一五二二年三月、ヴィッテンベルクに帰った。この一〇カ月のうち約三カ月で、ルターは『新約聖書』をギリシア語原典からドイツ語に訳した。その聖書が九月に出版され、二カ月間で五〇〇〇部さばけたという。

歴史は、ルターの予想をはるかにこえる大きなうねりとなって前進した。「聖書にかえれ!」――民衆は、ルターがのぞみはしない社会改革にむかって突進した。一五二四年におこったドイツ農民戦争がそれである。

諸侯・領主はうろたえ、ルターの出方を注視した。ルターは、農民に同情しながらも、反乱が激化しだすと、社会秩序が破壊されるのをおそれて、領主の農民鎮圧に加勢した。この世の秩序は神のさだめたものとするルターにとって、社会改革は承服できないことだったからである。

連合軍をつくった諸侯や領主は、フッガー家の資金援助も受けて、この反乱を徹底的に鎮圧した。皇帝・教皇と対抗してもルター主義を受けいれる諸侯・都市が中部・北部ドイツにひろがったのは、それからである。かれらはのちにシュマルカルデン同盟を結成して皇帝に抵抗した。いっぽう、皇帝のほうは一五二九年のオスマン帝国によるウィーン包囲やフランスとのイタリア戦争という外圧を受けつつ、ときにはルター派諸侯と妥協しつつ、ルター派諸侯との対決をつづけた。そして両者のあいだで一五五五年アウクスブルクにおいて和議が成立し、個人の信仰の自由は認められなかったが、カトリックとルター派のいずれかの信仰の選択が諸侯や都市の支配領域単位で認められることになった。こうしてドイツは政治上の分裂にくわえて、宗教においても決定的に分裂することになった。

12

胡椒狂騒曲
大航海時代の開幕

大航海時代の先陣を飾ったポルトガルとスペイン
なぜ両国なのだろうか、その理由を考えてみよう

中世後期
イタリア商人による東方貿易最大の輸入品は、
アラブ経由の胡椒など
香辛料であった。十五世紀末
香辛料や黄金の直接入手をめざし、
ポルトガルやスペインの探検・航海が開始され、
まずコロンブスがカリブ海諸島に、
ついでヴァスコ＝ダ＝ガマがインドに到着、
以後航海・植民があいつぎ、
西欧は世界進出に狂奔した。

香辛料の道

ヨーロッパ人は、「肉食動物」といわれるほど肉を食べる。中世ヨーロッパの主食はやはりパンであったが、羊肉やぶた肉の消費量もそうとうなもので、十五世紀なかばのある年のパリ（人口約一五万）では、羊二〇万八〇〇〇頭、ぶた三万一五〇〇頭、牛一万二五〇〇頭、子牛二万六〇〇〇頭が屠殺されたという記録がある。

農家には、たいてい、自家製の塩漬肉をつくる仕込桶があった。十一月にぶたを森につれていき、かしの実（どんぐり）を腹いっぱい食べさせてふとらせ、十二月にはいると、一、二頭殺して塩漬けにした。この習慣は、今でも一部の農村ではおこなわれている。

ところで、生肉を調理するうえで、塩とともにかかせぬものとなったのが、胡椒などの香辛料（スパイス）であった。これは、肉をくさらせない効力があったし、肉料理の味つけにも重宝がられたからである。また、この香辛料の殺菌力は薬品としても利用された。そこで、ペストが流行したときなど、これを焼いて、その煙で悪疫を追いはらおうとした、という。

だが、香辛料の値段はひじょうに高かった。同じ目方の銀と同等にあつかわれ、貨幣と同じ役目をはたしたほどだ。はるばるアジアから運ばれてくる輸入品だったからである。

香辛料のうち、もっとも多く輸入されたのは胡椒である。インドのマラバール海岸やジャワ島・マライ半島など、南アジア・東南アジアの各地に産出し、サンスクリット語（古代インド語）でピパリという。胡椒を英語でペパーというのは、このピパリからきているらしい。ほかに香辛料というときは、丁字と肉荳蔲をさすといってよい。そして、この二つの原産地はかぎられている。

丁字は、その花のつぼみを乾燥したものが釘のような形をしているので、「丁の字」形の香料、つまり「丁香」「丁字」という。英語のクローブ（clove、丁字）は、フランス語のクルー（clou、釘）からきたものだ。この丁字がとれるところは、インドネシア東部のモルッカ諸島だけである。

肉荳蔲は、ナツメグという梅の実ほどの大きさの実のなかの黒い種子と、メイスという種子をつつむ薄い皮とからなる香辛料である。この肉荳蔲は、モルッカ諸島のなかでも、バンダ諸島とアンボイナ（アンボン）島にしか産出しない。だから、ヨーロッパに輸入される量は胡椒よりも少なく、それだけにいっそう貴重で高価な香辛料であった。ともあれ、モルッカ諸島は、まさしく香料諸島であった。

モルッカ諸島の住民は、いくらでもとれるこの香辛料を、島では自給できない米や綿布などの日常必需品を運んできた商人と、物々交換で売りわたした。その商人たちというのは、インド産の綿布をもちこめる点で有利な、インド西北部のグジャラートに住むイスラーム教徒であった。丁字や肉荳蔲は、マライ半島の物資集散地マラッカに運ばれただけで、五倍から一〇倍以上になった。

胡椒・丁字・肉荳蔲の三大香辛料は、マラッカ、ついでインド西海岸の集散地カリカットから、グジャラート人、イラン人、アラビア人などムスリム（イスラーム教徒）商人の手で西へ運ばれる。そして、エジプトやシリアの海港都市で、東方物産を待つヴェネツィアやジェノヴァなどイタリア商人に引きとられて、ヨーロッパにおくられた。

そのあいだに、値段は元値の三〇〜八〇倍へとはねあがり、ヨーロッパではそれをさらに上まわった。だから、当時香辛料を使うことができたのは、王侯・貴族や、市民・農民の富裕なものにかぎられていた。

ヨーロッパに運ばれた香辛料の量を正確に知ることは不可能であるが、十五世紀末ごろ毎年二万トンから四万トンの香辛料が運ばれていたという。十四世紀末からジェノヴァを破って、この東方の高価な輸入品を独占できたヴェネツィア商人の利益がいかに大きかったかは、想像できるだろう。

東方物産には香辛料のほかに、宝石・象牙・絹織物・サフラン・明礬(みょうばん)などがあった。これらの商品の見返り品としてヨーロッパからわたされる商品は、上等の毛織物や麻織物ぐらいしかなかった。そこで、銀が東方物産を買いつけるだいじな貨幣となった。

当時、ヨーロッパで最大の銀の産地は、南ドイツやチロルなどの鉱山であった。南ドイツのアウクスブルクのフッガー家が多くの銀山を所有し、十五世紀の後半に豪商としてのしあがるのも、ヴェネツィア商人をつうじての銀と香辛料の取引という、ヨーロッパとアジアの貿易のしくみがあったからである。

ヨーロッパ人にとっては、香辛料を産出するアジアは、黄金郷であった。いや、たとえ話としてでなく、そのアジアには、ジパングのように黄金に満ちている国もあると、ヴェネツィアの商人マルコ＝ポーロが『世界の記述』（『東方見聞録』）に書いているではないか。

してみれば、みすみすムスリム商人に中間利潤を吸いあげられてしまうような貿易でなく、直接、香料の島や黄金の国へいける海の道を発見するほうが、ずっと得ではないか。こう考える人びとがあらわれるのはとうぜんのことであった。

ヴェネツィアやイタリアの他の都市は、オスマン帝国の勢力が東地中海にはりだしてはいても、中継貿易でまだ十分利益があがるので、この直接ルートを開拓する熱意がなかった。

十五世紀の後半から、この海の道の開拓をめざしだしたのは、イタリア都市ではなく、大西洋に面したイベリア半島のポルトガルであった。

コロンブスの「インディアス発見」

地球がまるいということは、古代ギリシアの学者がすでに知っていた。中世にはいると、ヨーロッパではこの考えがかくれてしまったが、十五世紀になると、ピエール＝ダイーやトスカネリなどの学者がとなえたこの地球球形説がひろまりだし、関心ある人びとのあいだではべつにめずらしい考えではなくなっていた。問題は、それをだれが航海によって証明するか、であった。

すでにアジアでは、インド洋を中心とする大きな貿易圏に、まわりの地域がむすびつけられていて、東は琉球・日本・朝鮮・中国、西はアラビア・東アフリカをつなぐ海上の道を、人と物とが往来していたのである。

ヨーロッパからこの貿易圏に直接海路でやってくるには、赤道をこえて巨大なアフリカ大陸を迂回してこなければならない。それはまだだれもやったことのない、おそろしい冒険であった。西アフリカの海は太陽の熱でにえたぎっていると信じられていたのだ。

いっぽう、地球がまるいのであれば、大西洋を西方の水平線に向けて船をはしらせれば、インドや香料の島、黄金の国にもいけるはずだ、という考え方もあった。そのころつくられた世界地図には、アメリカ大陸は記載されていないし、イベリア半島からアジアまでの直線距離は、アフリカまわりよりもひじょうに短いと考えられていた。

このまちがった世界のすがたを信じて西へ進んだクリストファー＝コロンブスが、ヨーロッパ人にとっては思いもかけぬ「発見」をすることになる。

十五世紀のなかごろジェノヴァに生まれたコロンブスは、はやくから船乗りになり、青年時代、ポルトガルの海港都市リスボンにきて、ポルトガル政府がおこなう航海にくわわった。当時ジェノヴァ商人は、東方貿易で打撃をうけていたことから大西洋に注目し、イベリア半島で国土回復運動（レコンキスタ）を達成しつつあり、領土拡張とキリスト教布教の熱意が高まっていたポルトガルやスペインに接近した。両国にとっても、航海技術や知識をもっていたジェノヴァ商人たちの存在は、大西洋方面への新規の探検事業を積極的に推進するにはつごうがよかった。

ポルトガルの航海と探検の目的は、サハラ砂漠をへて北アフリカに運ばれてくる象牙や黄金などを産出する、西アフリカの海岸地方をつきとめることであった。そのほかに、北アフリカのイスラーム勢力の背後にあると伝えられるキリスト教国（「プレスター＝ジョンの国」）を発見し、この国とむすんでイスラーム勢力を打倒するという夢もあった。

このような目的のもとに、十五世紀のなかごろ王室みずから航海・探検事業にのりだした。研究所や航海学校がたてられ、学者や技術者がまねかれ、事業に必要な天文学・地理学などの研究、地図や航海用器具などの製作がさかんにおこなわれた。

コロンブスは、リスボンにきて、さらに航海の経験をつみ、ピエール＝ダイーの『世界(イマゴ)のすがた(ムンディ)』をはじめ多くの書物を読み、地図や海図をにらみながら、大西洋を西に進みインドに到達するという夢を、しだいにふくらませていったわけである。

コロンブスがリスボンにきた一四七七年には、ポルトガルの西アフリカ探検はかなり進み、今のコートジボアール共和国やガーナ共和国の海岸から南にくだって、赤道をこえていた。にえたぎる海はどこにもなかった。ギニアへでかけた探検家や商人は、西アフリカで、砂金や象牙のほかに、黒人を奴隷として買い集めることもはじめた。

当時のアフリカには、ニジェール川の上流域にソンガイ王国、下流域にベニン王国、チャド湖付近にカネム＝ボルヌ王国など、いくつもの黒人王国が栄えていた。ポルトガルのジョアン二世は、ギニア湾のエル＝ミナ（「金鉱」の意味）に大きな要塞をきずいた（一四八二年）。若い船長のコロンブスも、この工事に参加した。

一四八四年にはじめてジョアン二世に拝謁することができたコロンブスは、熱弁をふるってインド探検の計画をのべ、援助を願った。王は側近の専門家の意見をもとに、コロンブスを大ぼら吹きの空想家と断定し、とりあってくれなかった。それに、王は、アフリカの南端をまわる航路の発見に熱中していたから、コロンブスの意見など眼中になかった。

そのアフリカ南端の発見は、一四八七年リスボン港を二隻の船で出帆したバルトロメウ＝ディアスの一行によって、翌八八年一月ついに成功した。ディアスは、アフリカ大陸の最南端にある岬を「嵐の岬」と名づけて帰国した。宮廷は熱狂的にディアスらを歓迎した。ジョアン二世は「嵐の岬」という名を「喜望峰（ボアエスペランサ）」とあらためた。歓迎の席上にいたコロンブスもすなおに感激した。

しかし、その後の一〇年間は、ポルトガル王は国内の政治不安になやまされ、アフリカまわりのインド洋航海に「ゴー！（行け）」のサインをだすことができなかった。コロンブスはポルトガルに絶望し、隣国のスペイン王に自分の計画を採用してほしいとうったえた。しかし、受けいれられず、数年がすぎた。

一四九二年にはいって、スペインの女王イサベルの心が動いた。長年つづけてきたイベリア半島の最後のイスラーム教国グラナダ王国への攻撃が、同年一月ついに勝利のうちに終わったからである。その解放感が、コロンブスの計画を援助してみてもいい気分に女王をさせた。そしてアジアへの進出でポルトガルにおくれをとっていたこともあり、宮廷にはかなりの反対があったが、女王の強い希望に負けて、夫の国王フェルナンドも同意した。

自信に満ちたコロンブスは、計画の成功を信じてうたがわず、「大洋の提督」の称号、および島や大陸を発見したらその副王の地位と、そこで入手できる金・銀・香辛料などの物資の一〇分の一とを女王に要求したほどである。

ともかく、王室からのそれほど多くはない下賜金(かしきん)と、パロス港の有力船主の援助をえて準備をととのえ、一四九二年八月三日未明、パロス港を出帆した。船はサンタ゠マリア号ほか二隻。乗組員約九〇人の多くは未熟練者で、航海後の釈放をあてに参加した囚人もかなりいた。

船旅は順調だったが、十月の十日になっても陸地が見えないため、いらだった乗組員が反乱をおこしかけた。しかし、幸運にも二日後ついに島についた。住民がグアナハニとよぶ島を、上陸したコロンブスはサンサルバドル(聖なる救世主)と名づけた。

つづいてキューバを見つけ、ジパングだと信じてふたりの使節をむけた。だが、黄金の宮殿はどこにも見あたらなかった。それでもコロンブスは、ここがアジア大陸の前面に浮かぶ島々だと信じて(地図ではそうなっていた）、この一帯をインディアス、住民をインディオとよんだ。

世界地図に引く分割線

一四九三年三月十五日、コロンブスは、約四〇人にへった乗組員――ほぼ同数のものがハイチ島に植民者として残留、あとのものはピンソンにひきいられて別行動をとった――とともに、スペインのパロス港に帰還した。小さな港町の市民が総出でむかえた。四月末、バルセロナの王宮でフェルナンド王とイサベル女王に、航海の成功を報告した。大喜びのふたりは、コロンブスに、本人の希望どおり「大洋の提督」と「インド副王」の称号をあたえた。

ところがじつは、パロス港につく九日まえに、コロンブスはポルトガルに寄り、さきにジョアン二世に「インド発見」の模様を語っているのだ。スペイン国王のためにおこなったこの航海の成功を、なぜライバルのポルトガル国王にまっさきに報告したのか。そのなぞはわからない。たしかなことは、まだアフリカまわりのインド航路を発見していないポルトガルがあせりだした、ということだ。

他方、スペイン国王は、ポルトガルにだしぬかれるのをおそれ、半年後にはコロンブスに第二次航海をおこなわせた。こんどは、一七隻、乗組員は一五〇〇人、聖職者・官吏・技術者・職人・植民者などが船員以外にくわわった。あきらかに、スペイン人の植民と住民のキリスト教への改宗、という事業を考えた航海であった。

さらに、スペインが発見するすべての地域はスペインのものであることを、教皇に認めてもらおうとした。ポルトガルはすでにアフリカ西岸一帯でその特権を教皇に認められているからである。時の教皇アレクサンデル六世は、スペインの出身であった。教皇はヴェルデ岬諸島から西へ約六〇〇キロの地点で南北に線をひき、その西がわの発見地を自国の領土とする、というスペインの主張を承認した。

ポルトガル王はこの決定にただちに抗議した。一四九四年、両国代表が協議した結果、境界線はもっと西の、西経四六度三七分の線に移された。いずれにせよ、じつに身勝手な世界分割である(トルデシリャス条約)。

一四九五年、ジョアン二世が死んで、いとこのマヌエル一世がポルトガル国王となった。功名をいそぐこの二六歳の青年王は、アフリカまわりのインド探検隊を編成し、その総司令官には、サンディエゴ修道会のヴァスコ＝ダ＝ガマをえらんだ。

旗艦サン＝ガブリエル号ほか三隻の船に分乗した一七〇人のベテラン船員ばかりの一行が、一四九七年七月八日、リスボン港を出帆した。喜望峰をまわり、アフリカ東岸を北上して、翌一四九八年三月イスラーム寺院がたつ港町モザンビークに入港した。

ガマは、「プレスター＝ジョンの国」がここからそう遠くない奥地にあるというニュースを、この町で知った。このアフリカのキリスト教国というのは、じつはエチオピアだった。

さらに北上し、マリンディで航海術にすぐれたアラビア人を水先案内人としてやとい、このベテランにみちびかれて、季節風にのりインド洋を横断した。約一カ月の航海ののち、五月二十日、マラッカとならぶ中継市場の町、インド西海岸のカリカットに到着した。

ガマの到着は、ムスリム商人たちの貿易圏のなかに、時おり紅海経由でやってくるヴェネツィアやジェノヴァの商人たちとはちがう、船団を組んだ新顔国家の代表が割りこんできたことを意味する。ムスリム商人たちが警戒の念を強めたのはとうぜんであった。

カリカットの王は、ガマが持参した帯・頭巾・砂糖・油などの贈物を、みすぼらしいと軽べつした。ポルトガル商品の売れゆきも悪かった。

ガマたちは、三カ月後、本国への商品見本として胡椒・丁字・肉荳蔲・宝石などを買いいれて帰国の途についた。往路につづいて復路でも壊血病にたおれるものが続出した。出発いらい二年と二日ののち、一四九九年七月十日ポルトガルについたときには、船員の数は四四人にへってしまっていた。

ガマがインドから持ち帰った商品は、航海の全費用の六〇倍の利益になったといわれている。ポルトガルは自国の航海についてはなんでも秘密にした国なので、この数字が正確かどうかはわからない。

しかし、原産地で買った香辛料の元値は、中継貿易でつりあげられた値段とは比較にならないほど安かったはずであるから、ポルトガル人がそうとうの利益をあげたことはまちがいない。

マヌエル一世は、つづいて一五〇〇年三月、貴族カブラルに、一三隻、一二〇〇人の船団をひきいてインドへ航海させた。一行はヴェルデ岬から針路を南々西にとったところ、南アメリカのブラジルについた。ブラジルはスペイン、ポルトガル両国が引いた世界分割線を根拠に、ポルトガル領とされた。

カブラルはこのあと喜望峰沖にむかい、八月のすえインドについた。翌年帰国したカブラルの船団は、ガマのときよりはるかに大量の胡椒を運んだから、ヨーロッパにあたえた衝撃はたいへんなものであった。

ドイツ、イタリアの豪商たちが、金・銀をもってリスボンにあらわれ、ポルトガル王室の許可をえてインド貿易に参加しだした。

ながいあいだ東方貿易の王座にあったヴェネツィアが、これによってただちに没落するわけではないが、新旧交代の時代がやってきたことだけはまちがいなかった。

ポルトガルが、ムスリム貿易圏に割りこんでたちまち東洋の富をにぎったのにたいして、スペインのほうはぱっとしなかった。コロンブスやその他の航海者が発見した場所は、結局インドでもジパングでもないことがわかったからだ。カリブ海の島々には、期待されたほど胡椒も黄金もないことがわかった。

そこでスペインは、中継貿易中心のポルトガルとちがい、インディオとよぶ住民を酷使する植民地経営を開始した。これが、インディオの生命をつぎつぎにうばっていくのである。

スペインの征服者たちは住民の話からメキシコのアステカ王国やペルーのインカ帝国の存在をつきとめた。十六世紀前半、この両国を残忍な手口でほろぼしたコルテスやピサロらは、この両国から金・銀などぼう大な富をうばった。さらに、スペインは十六世紀のなかごろから、中南米銀山開発に血まなこになった。

ポルトガルに先をこされはしたが、スペイン王国は、十六世紀後半、流れこむ砂糖・銀など「新大陸」の富によって、香料貿易によるポルトガルの富を圧倒し、ヨーロッパで最強の国となった。

こうして、ユーラシア大陸の西すみのヨーロッパは、東南部をオスマン帝国におびやかされながらも、スペイン、ポルトガルを先頭にして、海上から、アフリカ、アメリカ、アジアの世界の植民地化に狂奔する時代に突入していった。

13

ヴァージニアの大地で アメリカの独立

「近代」の到来をつげるアメリカ独立戦争
その背後で交錯する利害や思惑とは何だろうか

北米大陸は農耕と狩猟で生きる
先住民(インディアン)の土地であった。十七世紀はじめ
イギリス人がヴァージニアに植民を開始し、
十八世紀前半までに、
大西洋岸に一三の植民地を建設、
南部では黒人奴隷制が成立した。
本国の圧迫に反抗した植民地人は、
一七七五年独立戦争をおこし、
独立宣言を公布、ワシントン司令官の沈着な指導で
独立を達成した。

植民地ヴァージニアの建設

一六〇七年五月のある日、今はアメリカ合衆国ヴァージニア州の、ジェームズ川河口左岸の小さな島に、三隻の帆船がついた。船からおりた一〇五人の男たちはイギリス人で、ロンドン株式会社がおくりこんだ植民者であった。

この地方は、これより二〇数年まえ、同じイギリスのウォーター゠ローリーが、植民地をつくろうとして失敗したところである。失敗はしたが、時の独身の女王エリザベス一世の名にちなんで、ここをイギリス人はヴァージニアとよんだ。このヴァージニアをゆたかな土地と信じ、利益をあてこんだ資産家たちが、共同で出資してロンドン株式会社なるものをつくり、国王から特許状をもらって植民事業をはじめた。その国王は、エリザベス女王のあとをついだジェームズ一世であった。

一〇五人の男たちは、うっそうと樹木のしげったこの島を、王の名にちなんでジェームズタウンと名づけた。だが、ジェームズタウンでのくらしは、惨たんたるものとなった。イギリスとは異なる土と水、それに食糧の欠乏などから病気にかかってバタバタたおれ、一年後には、三八人しか生きのこっていないというありさまになった。

ところで、この大陸には遠いむかしから住んでいた住民がいた。十五世紀末にやってきたコロンブスに、まちがって「インディオ」(インド人)とよばれ、いらい現在まで、その名をおしつけられている人びとである。彼らは、南北アメリカ大陸に約一五〇〇万人はいたという。

そのうち、北アメリカには一〇〇万ないし三〇〇万人が住み、東部の森林、西部の大平原、南西部の荒地、ロッキー山脈西部の大盆地、太平洋岸といったぐあいに分かれて、約五〇〇部族(言語は五〇以上)が、だいたいは平和な生活をおくってきた。

地域により農業と狩猟のどちらに重きをおくかのちがいはあったが、とうもろこし・豆・かぼちゃを作物として栽培し、魚をとり、森林では鹿を、平原では野牛(バッファロー)を、弓矢やわなをかけてとるくらしをしていた。魚でも鹿でも野牛でも、かれらは必要以上にはとらなかった。

ヴァージニアとかジェームズタウンとか名づけて、かってにはいりこんできた白人が、小屋をたて、土地や食料をぬすむのに、インディアン(先住民)は憤慨した。だから、ときには襲撃もしたが、だいたいは白人に好意的であった。植民者たちは、本国からもってきた食糧が尽きても、インディアンから分けてもらったとうもろこしを栽培して、命をつなぐことができた。

最初の年の冬、植民者の指導者のひとりジョン゠スミスは、川をのぼって探検中インディアンに捕えられ、首長の前で処刑されかかった。このとき、首長ポーハタンの娘ポカホンタスは、身をよこたえたスミスの頭にからだを投げだして父に命ごいをし、スミスを救ってやった。

三年後に、新しい植民者がジェームズタウンにやってきた。そのなかのひとりジョン゠ロルフと、二〇歳をこえたばかりの美しいポカホンタスは愛しあうようになった。ポカホンタスは教会で洗礼を受け、レベッカという洗礼名をあたえられたあと、ロルフと結婚した。

インディアンは、その祝福として、彼らにとっても貴重品であったタバコを、植民者にプレゼントした。ロルフはこれをきっかけにタバコの栽培をはじめ、本国におくるようになった。当時、イギリスではスペイン領西インド産のタバコが流行しだしていたから、ロンドン株式会社は、ヴァージニアに会社直属のタバコ畑をつくらせ、植民者たちにもタバコの栽培を奨励した。

タバコの葉の乾燥法や品質などの改良もなされ、ヴァージニア＝タバコは、スペインやオランダに対抗するイギリスのおもな貿易品にのしあがっていった。タバコぎらいのジェームズ一世も、ヴァージニアがタバコ栽培の植民地になるのは黙認した。

植民者たちにとって最初の数年はなにもうるところのなかったヴァージニアが、黄金にかわるタバコの富をイギリスに約束するようになったのも、もとはといえばインディアンのおかげであった。

イギリスのヴァージニア植民地が、ジェームズタウンを足がかりにして、どうやら格好をつけだした一六一九年の八月末、一隻のオランダ船がやってきた。この船は、その名を「リュベックのキリスト号」といったが、船中に二〇人のアフリカ黒人がおしこめられていた。黒人たちは、ジェームズタウンにおろされると、タバコ栽培の労働力として農園主たちに売りとばされた。タバコの栽培には特別の熟練労働はいらない、というわけで、農園主たちは、白人奉公人より安くつく黒人奴隷を、これ以後さかんに買い入れるようになった。

十七世紀のなかごろまでは、ヴァージニアにつれてこられた黒人奴隷は、まだ、あわせて三〇〇人そこそこであった（一人当りの価格は一六五〇年で二〇ポンド）。しかし、一六七二年に、奴隷貿易を独占する王立アフリカ会社が本国につくられてからは、大量の黒人奴隷がヴァージニアにおくりこまれるようになった。

ヴァージニア州の議会は、一六六一年に黒人奴隷制度を法律でさだめ、黒人奴隷の使用は正当なことであるとした。一六九〇年には、五万三〇〇〇人の人口のうち、黒人奴隷は九〇〇〇人に達し、つぎの十八世紀には、その数がさらにふえていった。

一八七〇年生まれの、北米インディアンのスー族の首長レッド＝フォードは、一〇〇年におよぶかれのながい生涯を回想して、つぎのように語った。

かれら（白人）は、この大陸に小さなすわり場所をほしがった。われわれはかれらをあわれに思い、かれらの願いを認めてやった。かれらは、われわれのあいだにすわった。われわれはかれらに、とうもろこしや肉をあたえた。かれらは、そのお返しに、われわれに毒をくれたのだ。

（秋山一夫訳による）

アメリカ合衆国の、植民地時代をふくめた四〇〇年ちかい歴史は、先住民のインディアンを毒をもって征服していく歴史であった。と同時に、アフリカの住民である黒人とその子孫を、彼らの意思に反して合衆国のなかにおしこめ、奉仕させていく歴史でもあった。

大地主ジョージ＝ワシントン

ヴァージニア植民地は、本国からきた総督によっておさめられた。植民地がひろがるにつれ、いくつもの郡に分かれるようになったが、黒人奴隷がはじめてついた一六一九年、二二人の各郡の代表がジェームズタウンに集まった。

彼らは、住民がえらぶ各郡二人ずつの代議員による議会(代議院)（ハウス オブ バージェス）をつくり、これを、ヴァージニア植民地の法律をさだめる立法府とすることにした。イギリス本国では年収二ポンド以上の土地・財産をもつものにかぎられている選挙権が、ヴァージニアでは、一六歳以上の男子住民ならだれにもあたえられることになった。

この代議院を下院とすれば、上院にあたるのが参議会で、はじめはロンドン株式会社の、のちには国王の任命するもの六人で構成された。参議会は総督を補佐する機関で、また、最高裁判所でもあった。

代議員にえらばれるのは、じっさいには大農園主がほとんどであった。ただ、植民地の自治がはじまったという点では、その後のアメリカ史の発展において重要な意味をもつできごとであった。皮肉なことに、それが黒人奴隷の輸入と同時であった。

さて、十七世紀のなかごろ、このヴァージニアに、ジョン＝ワシントンという上級船員がイギリスからやってきた。この男の父は、ピューリタン革命で追放された国教会の聖職者であった。

ヴァージニアへの移住者はもともと国教徒が多かったのだが、ヴァージニア議会は、ジョンの父が追放された年と同じ一六四三年、イギリス国教をヴァージニアの宗教とすることを決議した。本国でチャールズ一世の首がはねられても、ヴァージニアは王室に忠誠を誓ったから、本国の王党派の人びとが多数ヴァージニアに移住してきた。ジョン＝ワシントンもそういう人びとのひとりであった。

彼は、ある農園主の娘と結婚し、郡の治安判事や代議員になるなど、はやくもヴァージニアの有力者になった。

ワシントン家の三代めオーガスティンは、鉄工業にも手をのばすほど企業心がさかんであったが、彼が後妻とのあいだにもうけた五人の子どものひとりが、のちに合衆国建国の父といわれるジョージ＝ワシントンであった。

一七三二年ワシントンが生まれたころ、ワシントン家は一万エーカー（一エーカーは約四〇四七平方メートル）以上の土地と約五〇人の奴隷をもつ、かなりの資産家であった。ジョージ＝ワシントン（以下ワシントンとしるす）は、ちゃんとした教育は受けなかったが、腹ちがいの兄ローレンスから、数学・三角法・測量技術などの手ほどきを受けた。

一一歳のとき父が死に、財産の大部分はローレンスに相続された。ローレンスは、ヴァージニアでも指おりの農園主フェアファックス家の娘と結婚して、家名と財産にいっそうはくをつけた。ワシントンは、一六歳のころこのフェアファックス家の測量技師にやとわれ、北ヴァージニアの土地測量を仕事とするようになった。

　アメリカの土地は、もともと先住のインディアンのものであったことを思いだしてほしい。だからヴァージニアにかぎらず、イギリス人が大西洋岸ぞいにつくった一三の植民地は、多くのばあい、先住のインディアンと条約をむすんで土地をひろげた。ヴァージニアは、一七四四年イロクォイ族と条約をむすび、西の境界線をアレガニー山脈とした。

　この結果、その手前のシェナンドー渓谷までがヴァージニア人に解放され、そこへ移住者や土地でもうけようとする投機家たちが群れ集まった。このさい、土地測量はかかせぬ仕事となる。また所有権をめぐる争いもよくおこった。

　ワシントンは、このような時代の流れにのって抜け目なく活動し、成年に達したころには、郡の測量技師としての年俸（五〇ポンド）のほか、シェナンドーの土地二〇〇〇エーカーと、父と兄からゆずられた出生の地ノーザン＝ネック内の土地四〇〇〇エーカーをもつ大地主となっていた。そのうえ、ワシントンは兄のあとをついで民兵軍の指揮官にもなった。

　このころまでにフランス人は、セント＝ローレンス川河口にたてたケベック市を足場にして、オハイオ川流域からミシシッピ川流域に要所要所に要塞をきずいていた。一七五四年、ヴァージニア人がオハイオ川まで進出して、ここにとりでをきずこうとした。が、くりだしてきたフランス軍に打ち負かされ、武装をとかれるという屈辱を受けた。

このときの若いヴァージニア軍指揮官がワシントンであった。後年彼はつぎのように書いた。

「私は弾丸のうなりを聞いた。たしかにそのひびきのなかには、私の心をとらえるなにものかがあった。」

オハイオでの衝突から、その後九年もつづくフレンチ＝インディアン戦争がはじまった。イギリスは大軍をおくりこみ、植民地の民兵軍と共同して戦ったが、フランスにはインディアンがつき、山岳や森林でなんどもイギリス軍を窮地に追いこんだ。アメリカ大陸に不案内の本国軍よりも、植民地軍のほうがよく戦った。

ワシントンは、この戦争に青年指揮官として六年も従軍し、貴重な経験をつんだ。そのあいだに、議会の代議員にもなり、金持の未亡人と結婚し、治安判事もつとめ、そのうえ本業のタバコ農園の経営にもこまかに気をくばるなど、めまぐるしい活動ぶりをしめした。

もっとも、ワシントンは無欲で戦争に従軍していたわけではない。従軍報奨地として、アレガニー山脈以西の土地二万四〇〇〇エーカー（約一万町歩(ちょうぶ)）を自由にできる権利を認めるよう、本国政府に請求した。アメリカ独立戦争が終わったとき（一七八三年）、ワシントンがアレガニー山脈以西にもっていた土地は、じつに五万八〇〇〇エーカー（二万六〇〇〇町歩）に達するのである。

ところで、タバコ生産は、土壌をいためため、運賃・輸入税・倉庫料などの経費もかさみ、奴隷価格の上昇などから、しだいに割があわなくなってきた。ワシントンは、フレンチ＝インディアン戦争の終わりごろから、タバコにたよる経営をきりかえ、小麦の生産や織物業などに手をひろげるようになった。

しかし、それ以上に利益のあがる事業として目をつけたのが、西部の土地投機である。西部の土地を広く買い占めて、開拓農民に売るか貸すかすれば、大金がふところにころがりこんでくるのはあきらかであった。ワシントンが広大な従軍報奨地を政府に請求したのも、そういう目的があったからである。

われに自由か死を

戦争は一七六三年に終わり、破れたフランスは、ミシシッピ川までの土地をイギリスにゆずった。もちろん、そういう決定は、ここに住むインディアンのことを無視してなされた。

植民地人が進出してくると、インディアンははげしく抵抗した。いっぽう、本国政府は、フランスから獲得したアパラチア山脈より西の土地を、インディアンのため保留するとして、植民地人の立入を禁じた。これは、土地投機業者を怒らせた。ワシントンもまた同じであった。

それ以上に多くの植民地人を憤激させたのは、つぎつぎに植民地人向けにだされる課税法である。

一七六五年、ジョージ三世のもとにある本国議会は、植民地を警備する本国軍の年間維持費約三六万ポンドのうち、三分の一を植民地に分担させようとして印紙法を制定した。植民地の文書は、法律上の文書、新聞・契約書などから卒業証書にいたるまで、半ペニーから二〇シリングまでの収入印紙をはらされることになったのだ。

反対運動は全植民地にひろがり、ヴァージニア議会は印紙法反対決議案を可決した。提案者のパトリック＝ヘンリは演説のなかではげしくこうさけんだ。

「シーザーにはブルータスがいた。チャールズ一世にはクロムウェルがいた。わがジョージ三世も、彼らの例にならってとうぜんではないか！」

代表をおくっていないイギリス議会によっておこなわれる課税は不当であり、植民地人の権利と自由をおかすものだ、というヴァージニア議会の決議は、他の一二州の人びとの心をゆさぶった。「代表なければ課税なし」という合言葉がひろがり、商人はイギリス商品の不買運動をおこした。各地の総督の邸宅前では暴動がおこった。

イギリス議会は翌年印紙法を廃止した。だが、本国は植民地に課税する権限はない、という植民地がわの主張は認めなかった。翌年からは紙・ガラス・茶に輸入税をかけ、不買運動にあって一七七〇年にこれを撤廃したときでも茶税だけがのこされたのは、本国は植民地人に課税する権利があるという政府の立場をしめすためであった。

植民地がわのいらだちはさらにつのった。一七七三年には、イギリス政府は茶の販売を東インド会社(とその代理店)に独占させることにした。これが火に油をそそいだ。

十二月十六日の月あかりの夜、マサチューセッツのボストン港にはいった東インド会社の茶船に、インディアンに変装した約五〇人の男たちが大さわぎをしながらなぐりこみをかけ、積荷の茶箱三〇〇個以上を海中に投げすててしまった。これを「ボストン茶会(ティーパーティ)」事件という。

これは、反対派の急進分子サミュエル＝アダムズがしくんだもので、インディアンの名誉を傷つけるような乱暴な実力行使であったが、翌一七七四年、本国政府が報復措置としてボストン港を閉鎖し、四個連隊のイギリス軍を常駐守備隊としてボストンにおくりこむにいたって、事態は最悪となった。

すでに植民地がわには、アダムズによって、急進的な活動家どうしをむすぶ通信連絡委員会という秘密組織がつくられていた。ボストンから八〇〇キロはなれたヴァージニアの首都ウィリアムズバークにも伝令の馬車がはしり、情報がすぐ伝わった。

議会はただちにイギリス政府に抗議する決議をおこなった。総督が議会の解散を命じると、八九人の代議員はちかくのローレイ酒場に集まって非合法の植民地協議会を名のり、全植民地の代表者会議を九月にフィラデルフィアでひらくことをうったえる決議をおこなった。この代議員のなかにやがて独立宣言の起草者となる、沈着で学者肌の政治家トマス＝ジェファソンがいた。

ヴァージニアの決議は通信連絡網によって各植民地に伝わり、九月五日から一カ月余、第一回の大陸会議がフィラデルフィアでひらかれた。遠すぎるため不参加のジョージアをのぞく一二植民地の代表五六人が集まった。会議は、植民地人の権利と自治をまもろうとする点ではみな一致し、急進派は、必要なら武力行使も辞さないという考えであったが、その急進派の大部分も、このときはまだ本国からの独立までは考えていなかった。

ジェファソンとともにヴァージニア代表であった雄弁家のパトリック＝ヘンリは、翌七五年三月、植民地協議会で民兵の訓練強化と防備態勢の確立案を提出した。本国との和解と平和の道をもとめる保守派に反対されたヘンリは、トランペットのような声をはりあげてさけんだ。もはや希望の余地はまったくなく、自由になるには戦わなければならないのだ、と。そしてつぎの有名な文句がはかれた。

鉄鎖と奴隷化の代価であがなわれるほど、生命は高価であり、また平和は甘美なものでしょうか。全能の神よ、かかることをやめさせてください。わたしは他の人がいかなる道をとるかは知りません。しかし、わたしに関するかぎり、わたしに自由をあたえてください、そうでなかったらわたしに死をあたえてください。Give me liberty, or death!（中屋健一氏訳による）

翌月、独立戦争の火の手がマサチューセッツであがった。四月十九日、イギリス軍ボストン守備隊は、植民地がわが武器弾薬を用意しているらしいとみて、これを押収するため、郊外のコンコードにむかった。その途中で民兵および農民ゲリラと衝突し、多くの死傷者をだした。これが、その後八年つづく独立戦争の発端となった。

各植民地から義勇兵がライフル銃を手にしてボストンに集まった。ヴァージニアではいそいで防備委員をえらんだ。ジェファソンとともに一一歳年長のワシントンもえらばれた。

六月、第二回大陸会議はワシントンを植民地統一軍総司令官に任命した。翌一七七六年七月四日、大陸会議は独立宣言を公布し、背水の陣をしいた。この決意が最後の勝利につながった。

だが、独立宣言は、黒人奴隷が戦列に参加したにもかかわらず、奴隷制度に寄生する地主や商人の主張によって、「奴隷貿易の禁止」という草案の一項は、完全に抹消された。生命・自由・幸福の追求という天賦の人権を明記しながら、インディアンの権利については何一つ考慮しなかった。

八年間の独立戦争は苦しい戦いであった。「自由か死を」の言葉どおり、多くの生命がアメリカの山野に散った。

フランス、スペインがイギリスに宣戦し、ヨーロッパ大陸の義勇兵が植民地軍をたすけた。一七八三年、敗北したイギリスは、植民地の独立を承認した。だが、いかなる独立国家になるかが問題であった。

四年の歳月が流れ、立法・行政・司法の三権分立を原理とした憲法が制定されて、「合衆国」という、白人の大統領制国家が成立するのは、一七八七年のことである。その初代大統領がジョージ＝ワシントンであった。

14

マリ＝アントワネット　フランス革命

フランス革命で命を落とした
ルイ16世とマリ＝アントワネットの実像とは？

ルイ十四世、同十五世の
豪華な宮廷政治と成果のない戦争のため、
フランスの財政は十八世紀の後半、破綻にひんした。
ハプスブルク家のマリ＝アントワネットを妃とした
ルイ十六世の治世になって
不合理な身分制度に国民の不満が爆発し、
財政改革のためひらいた
三部会が引金となり、
一七八九年革命が勃発した。

奇妙な夫婦

一七七〇年五月十四日、フランスの皇太子ルイ、未来のルイ十六世は、灰色の日記帳に小さな字で、たった五語だけしるした。

《マダム　ラ　ドフィーヌ　と　会見》

この日は、皇太子妃となるために、はるばるウィーンから二三日間かけてやってきた、オーストリアの女帝マリア゠テレジアの娘マリ゠アントワネットに、ルイがパリではじめてあった日である。マダム゠ラ゠ドフィーヌとは、皇太子妃殿下のことだ。一五歳のルイは、色白の、愛くるしい一四歳のマリ゠アントワネットに、なんの興味もわかなかったのであろうか。

二日後、ヴェルサイユ宮殿で、ふたりの盛大な結婚式がおこなわれた。

翌日になってルイの日記帳に書きこまれた五月十六日付の記事は、ただ一語、《リヤン》（何もなし）である。

その十六日の晩餐会で、この花婿どのは、つぎつぎに運ばれる料理をいそがしく口に運びどおしであった。花嫁は、あっけにとられて眺めていた。祖父のルイ十五世が、「今夜のために胃をもたれさせてはいけないよ」と孫にささやいた。花婿ルイは、びっくりしてこう答えた。

「だって、わたしはたくさん食べたほうが、よくねむれるんですよ。」

晩餐の宴も終わり、ふたりは、宮廷作法にしたがって寝室にはいった。花嫁は、ベッドに身をすべらせ、高鳴る胸の鼓動をおさえつつ、なにかを待った。

しかし、何事もおこらなかった。腹くちくなった小ぶとりの花婿は、ローソクの火を消し、「おやすみ」をいうと、まもなく軽いいびきをかいてねむりこんでしまったのである。そして、この日のことを、翌日にひとこと、《何もなし(リヤン)》と日記帳にしるしただけであった。

もともとこの結婚は、ルイ十六世とマリ＝アントワネットのふたりの意思とまったく無関係に進められたものであった。

フランスとオーストリアは、十六世紀から仲が悪く、ルイ十四世のときも、ルイ十五世の初期も、両国はたびたび戦った。しかし、十八世紀のなかごろ、オーストリアはドイツのなかの新興国プロイセンと争うようになり、フランスと同盟するほうが有利な情勢になってきた。

いっぽうのフランスは、海外の植民地でイギリスと争うことが多くなっており、ヨーロッパでは、オーストリア皇帝の家柄である名門ハプスブルク家と肩を組んで、安全を確保しておきたいと考えるようになった。

こうして、利害が共通しあうようになった両国は、そのきずなを強めるために、ブルボン家の皇太子とハプスブルク家の王女の政略結婚を実現させる運びになったのである(皇太子の父ルイは一七六五年に即位を待たず死んだ)。

マリア＝テレジアは、末娘(第一五子)のアントワネットの将来が心配であった。愛嬌があって陽気な子だが、勉強や本などは見向きもせず、遊び好きで飽きやすいという性質の子だったからである。そこで、ルイ十五世には、おおめにみてやってほしいと懇願し、娘には、こまごまとした心得書をもたせて、月の二十一日にはそれをかならず読みなさいと、手紙で注意をくりかえした。

アントワネットの相手のルイは、日記帳への記事の書き方にもあらわれているように、ふしぎな性格の持ち主であった。男性的な狩りがむやみに好きなくせに、意志と決断力が弱いのである。宮殿内の仕事場で鍵づくりをこのむ趣味があるくせに、何事によらず不器用なのである。人柄はやさしかったが、鈍感であった。

結婚後もながいこと昼は狩りに熱中し(その間アントワネットは、よく小犬と遊んでいた)、夜はつかれた体をベッドによこたえると、丸太ん棒のようにねむりこんでしまうのだった。ルイは、手術でなおすまでは、性的不能者(インポテンツ)だったのである。その結果、アントワネットは七年間も処女のままであった。はしゃぐことの好きなアントワネットが、性にめざめた心を満たされず、ふなれな異国の宮廷流儀や、貴婦人たちの、ときには冷笑をふくんだ視線に息もつまって、ばかさわぎと不機嫌をくりかえすようになったのは、やむをえないことだったのかもしれない。

アントワネットは、週に二、三度、夕暮れ時に馬車をパリへむけ、劇場・仮装舞踏会、そして賭博場にさえ出入りして、夜明けとともに帰るようになった。のちに恋人として、革命の嵐のなかで、彼女と夫の救出をくわだててくれるスウェーデンの青年貴族、アクセル＝フェルセンとはじめて会ったのも、パリの仮装舞踏会においてであった。

だが、仕事と生活につかれたパリ市民のほんとうの心、特権階級の支配する腐りきった社会への市民の怒りを素通りしたパリの夜の気晴らしが、どんなに高価な代償となってはねかえることになるかを、アントワネットは気がつかないままに歳月をおくった。

一七七四年五月十日、ルイ十五世が天然痘で死に、一九歳の皇太子が新国王ルイ十六世となった。ウィーン生まれのマリ＝アントワネットは、ついにフランスの王妃となった。一七七八年には、待望の王女を生んだ。彼女の思いのままになる時代がやってきたようだった。

アントワネットの浮ついた気晴らしはあいかわらずつづいた。新型の衣裳と髪型を技術職人につぎつぎと考えださせ、化粧にこり、ダイヤ・宝石・真珠などのアクセサリーを、金を惜しまずに集める。ルイ十六世は王妃のお手許金を二倍にしたが、それでもたりずに、彼女は宮廷でご法度のトランプ賭博を自分の部屋でおこなう。これらがヴェルサイユやパリでうわさにならないはずがない。かわら版（新聞）はある事ない事書き立てる。

娘の日夜のふるまいをウィーンで聞き、マリア＝テレジアは訓戒の手紙をおくるのだが、アントワネットはこう答えるのだった。

「母上は何をもとめているのでしょう？　わたしは退屈するのがこわいのです。」

その母上も一七八〇年、世をさってしまった。もう、彼女には何もおそれるものがなくなった。しかし、その九年後に、おそろしい革命がやってくる。

革命前夜

十八世紀の後半、フランスの経済はどんどん成長しているのに(一七八〇年代の輸出入合計は、一七一〇年代の五倍に増大)、政府の財政はいよいよ苦しくなった。赤字が毎年つづき、一七八八年三月の報告によれば、支出の二〇パーセントが赤字になっていた。

その原因のなかでもとくに大きなものは、ぜいたくな宮廷生活であった。さきの報告では収入が五億三〇〇〇万リーブル。いっぽう、ルイ十六世が年間に使う金は、約四億七〇〇〇万リーブルをくだらなかった。当時のフランスの労働者の年収が約四〇〇リーブルだというのに。

マリ＝アントワネットは、いかめしいヴェルサイユ宮殿のなかでくらすのをきらって、宮殿の一隅に、美しい木立・小川・水車など自然の田園風景をあしらった、小造りの、しゃれたトリアノン離宮をつくってもらい、たいていはそこに住んだ。外観の田舎ふうとは反対に、内部の装飾や調度品は豪華けんらんをきわめたものであった。

このトリアノン離宮のための支出だけで、年間一六五万リーブルがあてられた。そのうえ、王妃は、一つ二五万リーブルもする腕輪を惜しげもなく買い、あるいはトランプの賭けに一〇万リーブルもだす。彼女は文字どおり湯水のように金を使う「赤字夫人」であった。

財務総監(大蔵大臣)は、ルイ十六世に、しばしば王妃の浪費をつつしむよう願いでた。だが、気が弱く、王妃がよろこぶことならなんでもしてやりたい、と思っている王は、口では注意しても、マリ＝アントワネットにすねられると、ただおろおろと機嫌をとるばかりであった。

彼女は、王政の安定のために財政改革にふみきろうとするネッケルなど、有能な政治家にたいしても、浪費を批判されることに感情的に反発して、人事にまで干渉した。政治には口をだすな、といった母の戒めも忘れて……。

マリ＝アントワネットは有名な芝居好きで、自分でも役者に扮して舞台に立つ遊びを宮殿のなかでよくやった。一七八四年、ボーマルシェが『フィガロの結婚』を書くと、これを上演させたいと思った。しかし、この男(ボーマルシェ)が統治にあたって尊重すべきあらゆるものの足をひっぱる、と思っているルイ十六世は、上演をゆるさなかった。王がおそれるとおり、このドタバタ恋愛劇は、貴族を痛烈に嘲笑した劇なのである。

たとえば、第五幕第三場で、フィガロがこう独白する。

伯爵閣下、貴方は豪勢な殿様というところから、ご自分では偉い人物だと思っていらっしゃる！

貴族、財産、勲等、位階、それやこれやで鼻高々と！　だが、それほどの宝を獲られるにつけて、貴方はそもそも何をなされた？　生まれるだけの手間をかけた、ただそれだけじゃありませんか。
おまけに、人間としても、根っから平々凡々。

（辰野隆氏訳による）

民衆は「伯爵閣下」のところを「王様」とかえて、フィガロに喝采をおくるだろう。さすがに、いくらお人よしのルイ十六世でも、それぐらい気をまわすことはできたのである。だが、マリ＝アントワネットは、そういうことに、おそろしく無頓着であった。

王妃にせっつかれて、王はしぶしぶ上演を許可した。四月二十七日、パリのフランス座で初演されると、劇場は超満員となり、観客が三人ふみたおされて死ぬというさわぎとなった。八月には、トリアノン宮でも上演された。

この劇は「唄で終わるが世のならい（トゥ フィニイ パアル デ シャンソン）」という合唱で終わるのだが、革命がはじまると、観衆は「大砲で終わるが世のならい（トゥ フィニイ パアル デ カノン）」と大合唱したという。『フィガロの結婚』は、まさに革命を予知する劇だったのである。

当時、フランスの人口は約二三〇〇万で、ヨーロッパ第一であった。しかし、社会は身分制度にしばられ、三部会という身分制議会さえ、十七世紀のはじめの一六一四年にひらかれたのを最後に、以後召集されず、国民が国の政治について発言する機会は、まったく封じられていた。

第一身分の聖職者は約一二万。全国一三五人の司教（うち四〇人はパリに在住）は金持であったが、村の司祭は労働者よりちょっとましな収入しかなく、彼らは農民の苦しい生活を見ていることもあって、社会の現状に強い不満をもっていた。

第二身分の貴族は約四〇万。このなかには金で貴族の株や官職を買ったブルジョワ出身の貴族もいるが、たいていは広い土地をもつ領主で、農民から地代徴収のほかに、さまざまな封建的特権——賦役、水車・パン焼きかまど・ぶどう酒製造用圧搾機などの独占権、狩猟権など——を行使して農民を苦しめた。宮廷貴族は領地を管理人にまかせ、ヴェルサイユで日夜王と王妃のご機嫌をうかがいつつ、有閑生活をおくった。しかも彼ら貴族は、聖職者とともに、免税や年金支給などの特権をあたえられた、めぐまれた階級であった。

第三身分は、上の二つの身分の人びとをのぞいたすべてである。フランス国民そのものといってもよかった。そのうち約二二〇〇万は、商人・銀行家・企業家・弁護士・学者などおもに都市に住む大小のブルジョワで、それ以外は圧倒的に多い農民と、それよりははるかに少ない都市の労働者・貧民であった。

第三身分は、その財産や職業による程度の差はあれ、人間としての権利の平等や経済活動の自由や、そのためにも、なににもまして領主の封建的特権の撤廃をのぞんでいた。

彼らのこの要求に自信をもたせる新しい知識が、多くの進歩的な知識人によって提供された。全二十八巻の『百科全書(アンシクロペディ)』が一七五一年から二一年もかけて完成され、予約出版にもかかわらず、四一〇〇部という多数の購読者を第三身分のなかにもった。一〇〇〇部が平均の当時の出版状況を思えば、いかに新しい知識（これを啓蒙思想という）が強くもとめられていたかがわかるだろう。

総勢一八四人の執筆者には、編集を担当したディドロ、ダランベールのほか、モンテスキュー、ヴォルテール、ルソーら、そうそうたるメンバーが名をつらねていた。

ルソーは、マリ＝アントワネットがよろこびのなかで第一子を生んだ一七七八年に世をさったが、すでにその一六年もまえに、

「われわれは危機にちかづきつつある。革命の世紀にちかづきつつある。（『エミール』）」

と書いていた。

その革命が、一七八九年勃発した。

嵐のなかで

一七八九年五月四日、ヴェルサイユの空は晴れわたっていた。町は人でごったがえしている。明日は、一七五年ぶりに三部会がひらかれるのだ。今日は、その前夜祭である。

パレードがはじまった。サン＝ルイ聖堂への行進である。先頭を、質素な黒服をきた六〇〇余人の第三身分代表が進む。通りや家々の窓からいっせいに拍手がおこる。はでな衣裳の貴族、黒衣の多い聖職者の代表あわせて六〇〇余人がそのあとにつづく。この一団には拍手がやむ。見物する群衆の気

持がありありとあらわれる。最後に、白百合の紋章をつけた王と王妃の馬車が、ゆっくり進む。「国王万歳」の声があがる。だが、王妃の馬車には、氷のようなつめたい視線が投げつけられる。

マリ＝アントワネットは、きっと正面をむいたままである。美しい顔に、心なしか暗いかげりがある。彼女には、このパレードも、明日からの三部会も、どうでもよかった。母マリア＝テレジアの死の翌年に生まれた第一王子の病気（結核性カリエス）が、日ごとに重くなっていたのだ。パレードの義務が終わりしだい、はやく七歳の王子の枕元にかけつけなければ……。

しかし、彼女がどうでもよいと思っているこの三部会こそが、四年後にはルイ十六世とマリ＝アントワネットを断頭台にのせる革命の導火線となるのである。

三部会とは、中世いらいのフランスの身分制議会である。政府が財政危機を打開するため、身分の別なく新地租（金納）をとるという改革案をだすと、免税特権にたいする侵害だとして、貴族が猛反対した。

貴族の牙城である高等法院（パルルマン）は、勅令の登記を拒否する態度をしめし、三部会の開催を要求した。第三身分としても、今は高等法院に同調して政府に三部会を召集させることが、すべての第一歩だと判断した。

政府は、高等法院の要求をのんだ。こうしてひらかれた三部会であった。

一カ月がすぎた。六月二日、王子は亡くなった。三部会のほうは、代表の資格審査の方法を、三身分合同でおこなおうという第三身分と、身分別にしようという聖職者・貴族との意見が対立したままであった。特権身分の主張を認めれば、議事の審議・決定も同じ方法になり、二対一で第三身分が負けるのはあきらかである。合同審査の主張はひっこめるわけにはいかなかった。

六月十二日、第三身分は攻勢にで、単独で審査を開始した。五日後一九人の司祭がくわわった第三身分だけの集会に、「国民議会」という名称をつけることを決定した。第一身分が小差でこれに合流することをきめた。孤立した貴族は、王にすがった。

マリ＝アントワネットは、王子の死後、王室がただならぬ情勢にとりかこまれていくのを、ようやく察知した。そして、平民の要求に一つでもおうじようものなら、王一家の安穏がつぎつぎにくずれていくにちがいない、という恐怖をいだいた。優柔不断の王をはげまし、第三身分にたいして終始強硬な意志をしめすアントワネットの姿勢が、このころからはっきりとあらわれだした。

六月二十日朝、王妃や有力貴族の要求にしたがったルイ十六世は、国民議会が議場としたムニエ公会堂を閉鎖し、着剣した衛兵を配置した。代議員たちは場所をかえ、宮殿内のガランとした屋内球戯場に移り、憲法を制定するまでは議会を放棄せず、また、どんな場所にでも集まることを決議した。彼らは、国民議会は王政の真の原則をまもるためにあるのだ、と考えていた。

ところが王は、国民議会をつぶす決意をかためた。そのために外国人近衛部隊を使おうとした。その司令官は、あのスウェーデン貴族フェルセンであった。ここにも王妃の影が動いていた。

しかし、この計画はつぶれた。聖職者一五一人と貴族四七人が国民議会に合流してしまったからである。王は一転して、のこった代表も合流することをすすめた。これは、マリ＝アントワネットの最初の挫折であった。

国民議会の代議員の多くは、これでほっとした。あとはゆっくりと……。しかし、七月にはいり、情勢は急変する。前年の凶作による食糧不足と物価騰貴にいらだっていたパリの市民たちが、ヴェルサイユの動きに宮廷の陰謀をかぎつけ、激高しだした。パリの郊外には、王が召集した外国人近衛部隊がぞくぞく到着する。

七月十二日、マリ＝アントワネットがきらった財務総監ネッケルが罷免された。市民はつぎつぎに打たれる宮廷がわの攻撃を警戒して、パリの第三身分代表をえらんだ選挙人(四〇七人)を中心に、コミューン(自治組織)と市民軍の結成を進めた。しかし、市民軍には武器がない。廃兵院から武器をうばおう！

七月十四日朝、快晴。五、六千人の群衆が廃兵院をおそい、三万二〇〇〇挺(ちょう)の小銃と、二〇門の大砲をうばった。火薬はどうする？　バスティーユ要塞へいけ！

市民軍の代表は要塞司令官ドロネーと交渉したが、司令官は降伏を認めず、守備隊のほうからさきに発砲した。午後二時すこしまえからはげしい戦闘となり、午後四時、ついに守備隊は降伏した。この日、要塞をまもっていたのは三二人のスイス人傭兵と約八〇人のフランス兵で、この牢獄につながれていた囚人は七人であった。

この日も狩りにいったルイ十六世は、早寝のところをおこされ、パリの事件の報告を受けた。聞き終わった王の「じゃ、暴動(レベリオン)だな。」という言葉に、報告者のリャンクール公は答えた。

「いえ(ノン)、陛下、革命(レボルシオン)でございます。」

しかし、この日は狩りの収穫もなかったせいか、ルイ十六世の例の灰色の日記帳の、七月十四日の欄は、空白である。

これが、世界史をゆるがすフランス革命勃発の日の、ルイ十六世のすがたであった。

ただ最近ではルイ十六世の見直しがすすんでいる。彼は英語・ドイツ語・イタリア語を学んで、英字新聞を毎日読み、ギボン作『ローマ帝国衰亡史』の最初の三巻を翻訳した読書家であった。またネッケルやテュルゴーなどの開明的な学者や政治家らを登用して特権階級への課税をこころみ、本格的な体制内改革に挑んだ改革派でもあった。さらに科学や地理探検にも興味をしめして援助し、ラ゠ペルーズらの科学調査隊を太平洋方面に送りこんだ。拷問や農奴制を廃止し人権思想へ一定の理解をしめし、節約に熱心で浮いたお金を最貧民にくばるやさしさもかねそなえていた。「良き王」としての側面も無視できない。外交面ではイギリスの勢力拡大阻止をめざし、王制とは対立関係になるはずの共和政国家をめざしたアメリカ独立戦争を全面的に支援したことも忘れてはなるまい。これは彼の治世の最大の成果だが、結果として高くついた。支援によって財政難は深刻化し、体制内改革は貴族らの反対で挫折、革命をよびおこすことになったからである。

パリのニュースは全国にひろがり、農民は領主の館をおそい、都市にはコミューンと市民軍がつくられた。この全国的な騒乱に国民議会は怖気づき、八月四日、領主の封建的権利の廃止を宣言し、八月二十六日には、「人権宣言」を採択した。権利は平等であること、自由・所有権・安全・圧制への抵抗が人間の不滅の自然権であること、主権は国民にあること、などを、この宣言は高らかにうたった。

マリ＝アントワネットは、あれほど夜の気晴らしのため足しげくおとずれたパリを、憎みだす。弱気になる王をたすけ、宮廷内の反革命の星となる。その剛毅な態度が、革命をさらに徹底させ、王室を救いのない奈落の底にしずませるとも知らずに……。

15

黒人奴隷・砂糖・木綿
イギリス産業革命

産業革命はなぜ
イギリスからはじまったのだろうか

イギリスでは十七世紀の革命後
商工業がおおいに発展し、
インド、北アメリカ、西インド諸島に植民地が拡大した。
奴隷貿易もさかんになり、
西インド諸島での砂糖生産、
インド綿布の輸入・販売と連動して
巨富が蓄積された。
この国際貿易に刺激されて
木綿工業から産業革命がはじまり、
リヴァプール、マンチェスターが繁栄した。

奴隷船の町リヴァプール

ドイツの詩人ハイネは、『奴隷船』という詩のなかで、痛烈な批判をこめてつぎのように書いている。

ゴムはいいし胡椒はいい、三百袋と三百樽。
砂金もあるし、象牙もある――。
けれども黒い品物はもっといい。
おれはセネガル河畔で
六百人の黒ん坊をめちゃに安く交換した……。
おれは交換するのに
葡萄酒とガラス玉と鋼鉄製品をやった。
それで八倍の利益があがる。もしも
黒ん坊の半分が生きていれば。

（舟木重信氏訳による）

この詩が書かれたときより一〇〇年ぐらいまえの十八世紀のはじめごろ、イギリスの港町リヴァプールの奴隷船の船医ロバート＝ローは、航海日誌につぎのように書いている。

一七二四年十二月三十日。いまだ取引なし。しかし、今日、例の貿易商が船にきて、仲間が敵の四つの町を焼きはらったと語った。じっさい午前中かなり内陸のほうに大きな煙がのぼっているのが見えた。明日は奴隷がくるものと期待する。大型船がもう一隻入港した。昨日はロンドンの大型船がやってきた。（土田とも氏訳による）

奴隷貿易は、西アフリカのギニア海岸にきたポルトガル人によって、十五世紀の後半からはじまっていた。黒人を手にいれて、西インド諸島やアメリカへ奴隷として売りとばすこの貿易は、十六世紀からますますさかんになった。スペイン人につづいてオランダ人もこの奴隷貿易をはじめ、フランス人やイギリス人もおくれてくわわった。

かつてはガーナ王国・マリ王国・ソンガイ王国と、つぎつぎに栄えた西アフリカも、十七、八世紀には大きな王国が没落して、小国どうしがたえず衝突していた。ヨーロッパの奴隷商人は、戦いあう双方の国に、マスケット銃や火薬・弾薬を売って、奴隷にする捕虜を手にいれさせた。

奴隷船は、ギニア海岸につくと、現地駐在員やアフリカ人の手配師らが集めてくる黒人たちでいっぱいになるまで、ふつうは一、二カ月、ときには一年以上も停泊する。セネガルからニジェール川河口までの海岸地帯には、なん十もの商館がたち、そのなかの奴隷収容所に黒人が集められる。そのほとんどが、捕虜になって売られたものか、誘拐されたものであった。

つぎの写真を見ていただきたい。これは、リヴァプールの平均的な奴隷船とみられる、ブルックス号三二〇トンの奴隷積載図である。

男の奴隷たちは、船に乗せられるとすぐ、ふたりずつ、手かせと足かせをかけられて、右手首と右

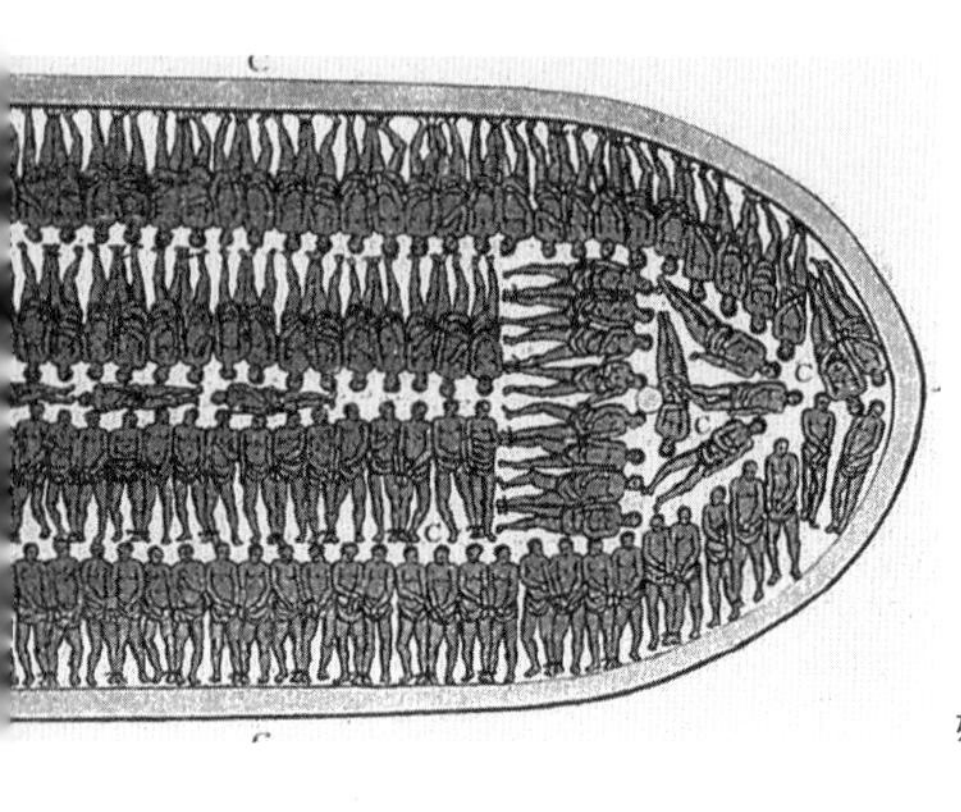
奴隷船の内部

足首がもうひとりの左手首と左足首につながれた。そして、船倉の床と、床と天井のあいだにもうけられた棚とに、まるで本棚の本かくさび釘のように、ぎゅう詰めにならべられた。

ブルックス号は、この図のとおり、中央に子ども、その左右に男奴隷と女奴隷を、合計四五一人つめこんだ。あるときなど、六〇〇人余もおしこんだ。奴隷たちは、朝の九時ごろと午後の三時ごろの二回、甲板にでて食事をあたえられた。煮た米やいも・きび・とうもろこしなど、または、アフリカ産の食物のかわりに、ヨーロッパでいちばん安いかいば(牛馬のえさ)用のそら豆をどろどろに煮たもの、それに少量の水であった。

奴隷たちは、ときには反乱をおこした。だが、自由をとりもどすのぞみはまったくなかった。発狂するものもでた。自殺をはかるものもあった。死なれては損をするというわけで、船長が、食事をこばむ奴隷の口をむりやりこじあけて、食物を流しこんだりした。

天然痘、黄熱病(おうねつ)、マラリヤ、赤痢、その他のおそろしい伝染病

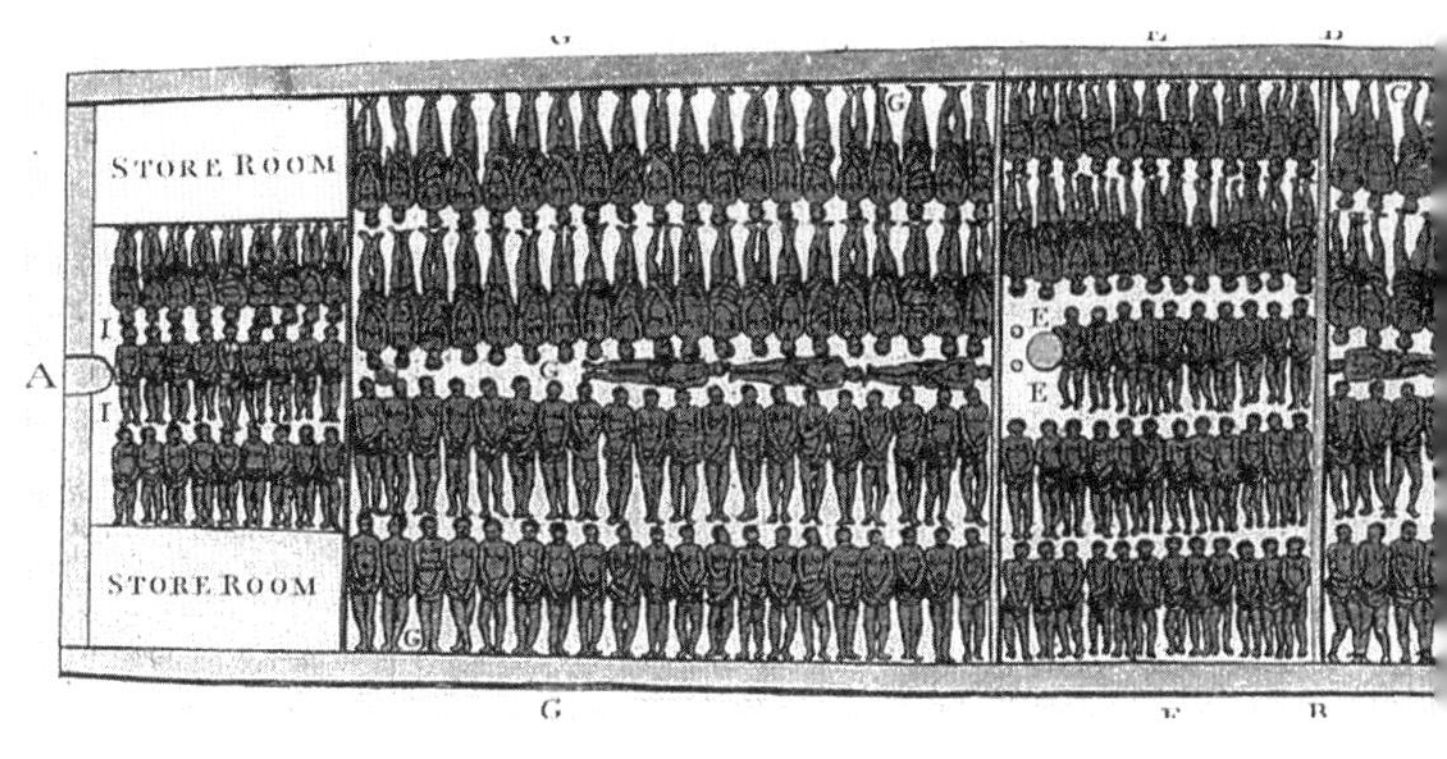

もひろがった。死んだものは海中に棄てられ、サメのえじきになった。西インド諸島につくまでの正確な平均死亡率を割りだすことは不可能であるが、一七八九年——フランス革命がはじまった年——イギリスの枢密院は一二・五パーセントと推定している。かなり低めに見積っていると考えていいだろう。

イギリスは、西インド諸島のバルバドス島などを併合すると、利益のあがる砂糖栽培の労働力として、奴隷をさかんにもとめるようになった。一六七二年、奴隷貿易を独占する王立アフリカ会社が設立された。しかし、もぐり業者があとをたたず、一六九八年からは、輸入した積荷の一〇パーセントを会社におさめれば、だれが奴隷貿易をおこなってもよいとあらためた。

この十七世紀のすえごろのリヴァプールは、小さな漁港にすぎなかった。ところが、十八世紀の前半にロンドン・ブリストルの奴隷貿易に割りこみ、後半にはこれらの都市を追いぬき、十八世紀のすえには、イギリスの奴隷貿易をほとんど独占するようになった。

奴隷の買入れに支払われたのは、ハイネも書いているように、ガラス玉・鋼鉄製品(刃物・鉄棒)や、真鍮(しんちゅう)・銅製の鍋、銃・弾薬・毛織物・リンネルなどであった。これらの製品の生産地は、マンチェスター・バーミンガム・シェフィールドであり、マーシー川河口の港町リヴァプールは、これらの都市でつくられた製品を運びやすい位置にあった。リヴァプールが奴隷貿易港としてのしあがってきた秘密は、ここにあった。

リヴァプールの最初の奴隷貿易船は、一七〇九年アフリカにむかった三〇トンの小型船である。それが、一七八三年には八五隻、合計一万二二九四トンの船をもつまでになっていた。その一七八三年から九三年までの一〇年間に、リヴァプールの奴隷貿易船が西インド諸島に売った奴隷の数は、船上での死亡者をのぞいても、三〇万三七三七人にのぼったという。

リヴァプールの商人がその奴隷売却であげた全収入は、一二二九万四一一六ポンド。この一〇年間の八七八回の航海で、一航海あたり一万四〇〇二ポンドの現金収入をえている。当時は、ひとり年収三〇ポンドもあれば快適にくらせた時代である(以上の資料は、E＝ウィリアムズ『資本主義と奴隷制』による)。

ろうそく屋・仕立屋・雑貨商などの商人は小型船に出資し、八分の一とか三二分の一とかの船主になるものもあった。リヴァプールの町のほぼ全部が、なんらかのかたちで奴隷貿易に関係していた。赤レンガ商店の飾り窓は、出航する船が使う奴隷用の手錠・足かせ・首輪・鎖などであふれていた。赤レンガ造りの税関は、黒人の頭部の像でかざられていた。

町の劇場の舞台に、酔ってあらわれた役者のクックが、観客に野次られたときにこうさけんだという。

「俺さまはナ、おめえらみてえな畜生に文句をいわれにわざわざきたんじゃねえや。この地獄みてえな町は、レンガ一枚一枚まで、アフリカ人の血でかためられてるじゃねえか！」

三角貿易と綿布

西インド諸島へむかった奴隷船は、手ぶらで帰りはしなかった。砂糖・タバコ・ラム酒・綿花などを積みこんで、リヴァプールやブリストルにもどった。

十七世紀の後半、バルバドス島はカリブ海第一の砂糖植民地であった。ブラジルで成功した砂糖きびの栽培と製糖法をオランダ人から学んだのがそのきっかけであった。本国でピューリタン革命のあとチャールズ二世の王政が復活したころ、この島は、七〇〇人あまりの大地主が、平均三〇〇エーカーはあろうというプランテーション（大農園）で砂糖の生産をおこなうようになっていた。

砂糖の生産には、綿花やとうもろこしなど他の作物よりも三倍は奴隷や家畜が必要であった。プランテーションには、砂糖きび畑のほかに、粗糖（そとう）をつくる工場があり、そこではたらくのも奴隷であった。タバコの値下がりの影響もあって、バルバドス島の砂糖生産は急ピッチですすみ、奴隷船で運ばれた黒人は、一六四五年には六〇〇〇人もいなかったのに、約二〇年後の六八年には、八万二〇二三人にもふえたという。

十八世紀になると、ジャマイカがバルバドス島をぬいて砂糖生産のトップにおどりでた。一六五五年イギリス軍がジャマイカを占領したとき、ピューリタン革命の立役者、時のイギリス共和国護国卿オリバー＝クロムウェルは、よろこびのあまりその日の仕事をうちきったというが、この島はイギリスにとってのたしかな財産となった。

一七一四年から七三年までのジャマイカから本国むけ輸出量は、同じ時期のバルバドスの輸出量の三倍であった。イギリス本国がアメリカ独立戦争前夜の一七七三年にジャマイカから輸入した量は、北アメリカのイギリス領植民地ニューイングランドからの産物の、じつに一〇倍になる。そのほとんどが砂糖であったことはいうまでもない。

奴隷の輸入もそれにおうじて飛躍的にふえた。一七〇三年には四万五〇〇〇人であったジャマイカ島の黒人奴隷は、七八年には二〇万五二六一人となっていた。しかも、プランテーションでの死亡率はおそろしく高く、輸入された奴隷の三人にひとりは最初の三年間で死んでしまった、とあるプランターがいっているほどなのである。

これらの数字をあげているのは、かつてのイギリスの植民地で、一九六二年独立したカリブ海の小島トリニダード＝トバゴの黒人首相で歴史家でもあったエリック＝ウィリアムズ博士である。ウィリアムズが十八世紀のイギリス経済の発展を批判して、「いまだかつてこれほどに高価な犠牲をはらって経済発展が買いとられた例はあるまい。」とのべたはげしい言葉は、けっしていいすぎではないだろう。

砂糖は、十七世紀なかごろのイギリスでは一世紀まえの半値にさがっていたが、それでもぜいたく品であり、おもに上流階級のジェントルマンがもちいた。それが、西インドからの供給がふえるとともに価格はさらにさがり、消費層は中産階級やその下の人びとにもひろがっていった。

そのほか、海外から輸入する砂糖やインド産の綿織物、アメリカ南部のタバコは、ヨーロッパやアフリカなどに再輸出された。一七〇〇年から七〇年代までのあいだに、国内産物の輸出と輸入はそれぞれ二倍強になったが、再輸出はそれを上まわる三倍にふくれあがった。

イギリス本国から織物・銃・金属製品・日用雑貨などを西アフリカへ運んで奴隷と交換し（第一辺）、同じ船が奴隷を西インド諸島へ運び（第二辺、中間航路（ミドルパセージ）ともいう）、最後に西インドの産物を本国に運ぶ（第三辺）という三角貿易が、十七世紀の後半からフル回転しだした。西インド産のラム酒は西アフリカの奴隷獲得に利用されるし、本国と西インド間の直接貿易もこの三角貿易をおぎなった。

そして、この貿易の回転をつうじてリヴァプールやブリストルの商人たちにたくわえられる巨額の資本が、マンチェスターやバーミンガムなどの工業生産に大きな刺激と活力をあたえることになった。

十八世紀後半のイギリスの産業革命は、アフリカと西インドの市場の拡大にうながされてはじまった経済上の大変革であった。

産業革命の引金となった木綿工業も、この三角貿易の刺激を受けておこった。

もともと寒冷なイギリスでは、熱帯性植物の綿花は栽培できない。綿（コットン）ではなく羊毛（ウール）がイギリス人の生活と貿易を中世いらい支えてきた。テムズ河畔の国会議事堂のなかの上院議長席は、ウールサック（羊毛袋）とよばれる。飾りのない質素な羊毛の皮袋のいすである。ここに、古いイギリスの象徴がある。

毛織物がお国柄のそのイギリスに、インドから綿織物がはいってきた。ヴァスコ＝ダ＝ガマがついた港町で、ポルトガルのインド貿易の拠点であったカリカットの名から、キャラコ（calico）と名づけられた。とうぜん、このアジアの布地の値段ははじめは高かった。だが、東インド会社が十七世紀の後半からキャラコをたくさん輸入するようになると、砂糖と同じように中産階級にもひろがりだした。

白いキャラコは肌ざわりがよく着ごこちがよい。それで女性に人気があった。部屋のカーテンにもなるし、ベッドのシーツにも使える。キャラコの輸入は十七世紀の後半に七倍にふえた。

そうなると、伝統的工業である羊毛工業のほうがだまっていない。毛織物業者はインド綿布の輸入に猛反対し、キャラコを国内で使用させまいとした。ロンドンを中心に十七世紀末にはげしくくりひろげられた「キャラコ論争」は、一七〇〇年にひとまず決着がつけられ、「わが製造業を奨励することによって貧民に多くの雇用をあたえる法令」という長ったらしい名の法律によって、キャラコの輸入は事実上禁止された。

しかし、活路は西アフリカにひらけた。奴隷貿易が東インド会社の輸入するインド綿布とむすびついたのである。そして、その刺激を受けて国内でも木綿工業が急速に発展しだした。その工業地帯が、リヴァプールに近接するマンチェスターであったのも偶然ではなかった。

マンチェスター繁栄のうらで

イギリスから西アフリカに運ばれるさまざまな商品のなかで、人気のまとになったのは綿織物であった。黒人がほしがるのにつけこんで、赤や緑・黄色の綿布をエサにかれらを誘いだし、奴隷船にひきずりこむというような、悪らつな手段をとる奴隷商人もあらわれた。

十七世紀のすえにはマンチェスターで綿織物の製造もはじまっていたが、染色技術がたちおくれていて、インド製のような色のおちない綿布はつくれなかった。そこで、アフリカの市場では、圧倒的にインドの綿織物がよろこばれた。イギリスの製品が歓迎されたのは、インド製綿布が品薄か高値であるばあいにかぎられた。

十八世紀のはじめ、フランス王室からスペイン国王の後つぎがおくりこまれたことにイギリス、オランダなどが反対して、スペイン継承戦争(一七〇一～一三年)がおこった。フランス王ルイ十四世は、孫フィリップの王位の継承を認めてもらうかわり、スペインがもっていた奴隷貿易権（アシエント）をイギリスにゆずった。イギリスの奴隷貿易が猛烈になるのはそれからである。

それにともなって、綿布の需要も増大した。インドからの綿布だけでは間にあわなくなる。イギリスの綿織物業者がここぞとばかり綿布を織り、アフリカ市場に売りこんだ。

インド製とイギリス製の綿布輸出総額は急上昇した。一七五一年は二一万四六〇〇ポンドであったが、六三年にはその二倍、七二年には四倍をこえた。

マンチェスターやランカシャー地方で製造される綿織物の原料は、西インドの奴隷制プランテーションでつくられた綿花が大部分であった。一七八〇年度の輸入額は六五〇万ポンドをこえたが、その三分の二は西インド諸島から供給された。このように、三角貿易の最後の一辺にあたる西インド・イギリスの貿易で、砂糖やラム酒とともに西インドの綿花が、イギリスの新興産業にとって重要な品目であったのである。

すでにのべたとおり、イギリスの国内では、十七世紀のすえから綿織物の需要が高まっていた。インド製品は高い関税をかけられて、はいりこめなくなったが、かわりにランカシャー製の綿織物が国内にもでまわるようになった。マンチェスターは、十八世紀には国内市場の独占権を法令で保障されるにいたった。

需要の高まる国内市場とアフリカ市場のために、能率のよい綿布機が必要なことは、だれの目にもあきらかであった。「必要は文明の母なり」ということわざのとおり、一七三三年、ランカシャー生まれのジョン＝ケイという職人が、自動的に梭を動かせる「飛梭」という綿布機を発明した。そういう便利な綿布機はおれたちの仕事をうばうといって、職人たちにこわされたり、資本家に使用料をはらってもらえなかったりで、ケイはにげるようにしてフランスにわたり、そこで貧乏に苦しみつつ世をさった。

だが、ケイの飛梭は一七六〇年代から普及しだした。そうなると、糸が不足してきた。農村の副業だった糸づくりでは、農繁期になると中断されることが多いからである。この糸不足をだれよりも強く感じたのは綿布工であった。

生まれた年もはっきりしないぐらい無名の、ランカシャーの綿布工ジェームズ＝ハーグリーヴズが、一七六四年ごろ、知恵をはたらかせて新しい紡績機を考えだした。紡錘を八箇もった多軸紡績機というもので、今までの糸つむぎ機よりもずっとはやく糸がつくれた。彼の妻の名をとってジェニー紡績機ともよばれた。

しかし、この機械も職人たちのうらみをかって打ちこわされた。そのためハーグリーヴズは、東南方にずっとはなれたノッチンガムへ住居を移して、機械の改良をつづけねばならなかった。

サミュエル＝クロンプトンも綿布工の息子で、子どものころから糸つむぎの仕事を手伝わされ、一〇歳のときから綿布工として訓練を受けた。ジェニー紡績機でつくられる糸が、たて糸としては不十分なので、ひまをみては実験をかさね、一七七九年に細くて強いたて糸をつむげる、四八錘（すい）付紡績機の製作に成功した。

この機械は、しばらくたってミュール紡績機とよばれるようになった。ジェニー紡績機と、一七六八年にリチャード＝アークライトというかつら仲買人が発明した水力紡績機との長所がとりいれられているので、「らば」（馬とロバの雑種）という名がついた。このミュール紡績機は、一七九〇年代から広く普及しだし、ハーグリーヴズやアークライトの機械よりも多く使用されるようになった。

良質の糸が機械でたくさんできるようになると、飛梭よりずっとはやく大量に綿布を織る機械がのぞまれるようになる。これを解決したのが牧師のエドマンド＝カートライトであった。オクスフォード大学の出で、四〇歳をすぎるまで織物業にはなんの関心もなかったカートライトを発明家にしたのも、やはり時代の勢いであったといえよう。

一七八七年に発明されたカートライトの綿布機は力織機（りきしょくき）といわれ、最初の動力は一頭の牡牛だったが、のちに蒸気機関がもちいられて、おおいに威力を発揮した。一八〇九年には、カートライトの力織機発明の功績にたいして一万ポンドをおくることが、イギリス議会で決議されたほどである。

こうして、十九世紀にはいると、イギリスの産業革命は唸りをたてて進行し、政府は木綿工業に手あつい保護政策をとった。マンチェスターの資本家たちは、かつては手ごわい競争相手であったインド＝キャラコを、経済上では機械製綿布の輸出によって、政治上ではインドの植民地化政策をつうじて、一八二〇年代になると完全に打ち負かした。

十八世紀のインドで木綿工業都市として栄えたベンガル地方(今のバングラデシュ)のダッカは、すっかりさびれ、一五万人もあった人口が、一八四〇年ごろにはわずか二万人に減ってしまった。

奴隷貿易がリヴァプールの繁栄をうみ、リヴァプールの繁栄がマンチェスターを木綿(コットン)の都(ポリス)とした。そして、そのマンチェスターの繁栄のうらで、インドの木綿工業がほろんだ。西アフリカ、西インド諸島、インドがやせほそることによってのみ、イギリスの産業革命は成功しえたのであった。


　こうしてイギリスは世界に対して経済的優位を確立し、「世界の工場」(のちに「世界の銀行」)として世界経済の中核を構成した。これにつづいたのがフランスやドイツ、アメリカ、ロシア、日本などの後発資本主義国家で、一八三〇年代から十九世紀末までにイギリスの技術を導入しつつ、国民経済の保護と富国強兵をとなえてイギリスに対抗した。これらの国ぐには現在「先進国」と呼ばれる諸国家群として位置づけられているが、いっぽうでラテンアメリカ、アフリカ、アジア諸国は植民地または半植民地とされて、従属経済に甘んじることになった。産業革命は交通、運輸手段の発達もかさなって世界の一体化を促進し、「中核」、「半周辺」、「周辺(周縁)」という序列化された構造をもった資本主義的世界経済を確立させた。現在、世界で深刻化する南北格差(問題)の基本構造はここからはじまったのである。

16

中国の夜明け前 アヘン戦争と太平天国

ヨーロッパ諸国の侵略にたいして 中国の民衆はどのように反応したのだろうか

清朝は十九世紀はじめ
続発する農民反乱、アヘン輸入激増による
銀の流出などで危機に直面した。
一八四〇年、清朝のアヘン没収を理由にイギリスは開戦し、
清を破って不平等条約を強制した。
危機がさらに深刻化するなかで
洪秀全（こうしゅうぜん）は秘密結社を組織、
一八五一年清朝打倒と平等社会をめざす
太平天国（たいへいてんごく）をおこし、
約一四年、華中を統治した。

アヘンの禍

夜明け前の闇はひときわ暗い。十九世紀なかごろの中国は、まさにその夜明け前の闇のなかにあった。

広大な国土と四億の人民をつつむその闇のとばりは、アヘンによって織りなされていたといってよい。中国には、一八三〇年代のすえごろ、少なく見積っても一〇〇人にひとりのアヘン吸飲者がいたという。皇族、中央・地方の役人から、軍人・庶民にいたるまで、吸飲者は社会のほとんどあらゆる階層にひろがっていた。

アヘンのもともとの産地は西アジアからインドにかけての地域で、その名をアラビア語ではアフィユンといった。ポルトガル人によって中国にもちこまれると、アフィユンは阿芙蓉（あふよう）と書きあらわされ、やがて阿片（アヘン）、鴉片（アヘン）とよばれるようになった。

アヘンは、けしの実に傷をつけて分泌する乳液を干しかためてつくる、黒色の膏薬（こうやく）のようなものである。中国ではじめ、これをもち米とまぜて万病に効く「一粒金丹（いちりゅうきんたん）」なる丸薬とした。それが十八世紀になると、タバコにまぜたり、雁首（がんくび）をつけたキセルにつめて火にあぶりながら吸うようになった。アヘンは、吸えば酔ったように気持よくなり、一度のめばやめられなくなる麻薬であった。

これを常用するうちに、肉体も精神もまひしていき、兵士の戦闘力はにぶくなる。そればかりではない。アヘン一日分の代金は、一日の労賃銅貨一〇〇銭にたいして、八〇銭から一二〇銭になるほど高いものであったから、これを常用すれば財産はなくすし、家は破滅に追いこまれるという、社会的にもおそろしい麻薬であった。麻薬のアヘンを大量に中国へ運びこんだのはイギリスであった。イギリスのアジア貿易は、十七世紀いらい東インド会社(一六〇〇年設立)が独占しておこなっていた。インドとの貿易を主としていたこの会社が、広州に商館をもうけて中国との貿易にも本格的にのりだしたのは、一七一五年からである。

東インド会社は、銀と交換で茶・生糸・陶磁器を買いつけたが、イギリス国内で茶の需要がふえるにつれて、中国茶(紅茶)の輸入がとりわけ増大した。その結果、銀をどんどん中国にもちだすことになり、銀の調達をどうするかが大きな問題になりだした。

本国からもちださずにすむ方法はないか。そこで考えだされたのが、インド人につくらせたアヘンを売りこんで、中国にもちだした銀をふたたび回収することであった。

すでに十八世紀のなかばには、イギリス東インド会社は、ベンガル地方を足場(あしば)にしてインドにがっちりとした勢力をきずきだしていた。そのベンガル地方のインド農民にアヘンをつくらせ、専売制で中国へ輸出するアヘンの箱数(一箱一〇〇〜一二〇斤づめ)は、十八世紀の後半から年々増大するようになった。一八三〇年代には、中国へ輸入される銀の七・五倍以上の銀が、中国からイギリスに吸いあげられるにいたった。

中国は一六四四年に明がほろびたあと、漢民族とは異なる満洲族の清朝が支配していた。清の皇帝はなんどかアヘンの輸入を禁止する法令をだしたが、ほとんどまもられなかった。なぜなら、輸入を取り締まるはずの役人が、イギリス商人やそれとつながっている中国商人から賄賂をもらって、密貿易をゆるしていたからである。

一八三〇年代に銀の流出がはげしくなるのを見て、さすがに政府も狼狽し、アヘン問題がさかんに論議されるようになった。

銀の保有量が減っていくために銀の価格が急騰した。農民が作物を売って受けとる日常の通貨は銅銭であるが、税は銀でおさめることになっていた。銀価があがり、換算される銅銭の額は二倍以上になってしまった。地主にかぶさる税の負担は小作人にしわよせされ、自作農は重荷にたえられずに没落する。

いまや国家がゆゆしい事態にあることを、清の皇帝や政治家はいやでも認めなければならなくなった。だが、論議はされても事態はいっこうによくならなかった。

アヘンの密輸場所は、広州沖合の島々ばかりでなく、海岸ぞいにも北上した。この沿岸アヘン貿易をくりひろげたのは、ジャーディンとマセソンというふたりのイギリス商人であった。ふたりは共同して広州に商会をつくり、沿岸航海をおこなって、一八三八年までに長江(揚子江)河口一帯にかけてアヘン貿易の拠点をひろげた。

商会の船にのってアヘンの売りこみと、キリスト教の伝道パンフレットをばらまく活動をおこなった男もいた。ギュツラフというプロテスタントであった。ギュツラフの行動は、まさに「左手にアヘン、右手にバイブル」であった。

アヘンの輸入量は、一八三五〜三六年には三万二〇二箱、一八三六〜三七年には三万四七七六箱と急増した。一八三八年アヘンの輸入量が四万二〇〇箱にも達すると、皇帝(道光帝)もついに強硬手段をとることにふみきり、翌年三月湖広総督の林則徐を特命大臣(「欽差大臣」という)として広州に派遣した。

林則徐は断固たる措置をとり、イギリス商人が所有するアヘン二万二九一箱を没収した。そのアヘンを塩水に投げいれ、石灰をまぜて化学反応をおこさせてから全部海へ流してしまった(三週間もかかったという)。

半年後に事件を知ったイギリス政府に、ジャーディンが武力制裁の必要をうったえ、作戦意見書をだした。政府はこれを受けいれて翌一八四〇年三月軍事行動をおこした。これがアヘン戦争である。イギリスの強硬な態度にうろたえた道光帝は、林則徐を罷免し、遠い西域の新疆に左遷した。

戦争は二年つづき、イギリス艦隊が南京にせまったところで清は降伏した。一八四二年八月、イギリス軍艦コンウォーリス号の上で南京条約がむすばれ、清は、香港島をゆずり、六〇〇万銀ドルの賠償金を支払い、上海など五港をひらくことを約束した。翌四三年には、外交通商関係の細目がさだめられ、イギリスには領事裁判権が認められて清の裁判権にしたがわなくてよいことになり、また、貿易品への関税率も清だけではきめられなくなった(五港通商章程と虎門寨追加条約)。

こうして、中国をつつむ闇はいよいよ黒々とふかまり、中国人は屈辱の日々を生きていかねばならなくなった。

洪秀全の夢

アヘン戦争が終わって数年後のことである。三〇歳をちょっとこしたぐらいの男が、広州から五〇キロあまり北の花県地方を行商しながら、「上帝」を崇拝しようと説教しまわっていた。

その男は、自分は上帝すなわちヤハウェの子であり、イエスの弟だとも称した。その説教というのは、

「土地も食物も衣服もみな天主である上帝のもので、上帝はこれらをだれにも平等に分けあたえてくださるのだ。だから、上帝を信じれば貧乏人はいなくなり、生きているうちは地上の天国にくらせるし、死んだら天上の天国にのぼれるのだ。」

という教えであった。

男の名は、洪秀全といった。広東省花県の貧しい村に生まれ、小さいころからかしこかった。大き

くなると村の塾の先生をしながら、役人になるために科挙(かきょ)(国家試験)を三度受けた。だが、みな失敗し、一八三七年の三度めの失敗のあと落胆のあまり高熱をだし、四〇日も寝こんでしまった。

このとき彼は夢をみた。——天上のりっぱな宮殿につれていかれると、金髪の老人がいた。老人は、世界の人類はみな自分の子で、自分が養っているのに、それを忘れて悪魔を崇拝している。おまえは、これでその悪魔を退治せよ、といい、一ふりの剣をくれた……。

病気がなおると、洪秀全はこの夢のことを忘れ、塾の教師と、四度めの科挙の受験勉強で六年がすぎた。そのあいだにアヘン戦争がおこり、中国は敗れて不平等な条約をおしつけられた。その一八四三年、洪秀全は広州で四度めの試験を受けたが、またも落第した。

情けないやら腹立たしいやらで、やりきれない毎日をおくっていた洪秀全は、ある日、以前に広州の試験場前で中国人プロテスタントの梁発(りょうはつ)からもらった『勧世良言(かんせいりょうげん)』という題名の、中国語で書かれたキリスト教入門書をなにげなしに読んだ。ところが、そこに書かれてある話は、なんと病気のときに見た夢とよく似ているではないか。

おどろきがしずまったあと、洪秀全は、自分に悪魔を退治せよと語ったあの夢にあらわれた老人は、上帝ヤハウェであり、老人のそばにいて自分をはげましてくれた人がイエスなのだ、そして、自分はヤハウェの第二子なのだと信じるようになった。以上の話は、香港に住んでいた宣教師ハムバークの『洪秀全の幻想』(一八五四年)によって、世に知られるようになった。

さて、このように考えだした洪秀全には、役人になることも、そのための受験勉強をすることも、もう無意味になった。人びとに偶像崇拝をやめさせ、上帝だけを信仰するようにするのが自分の使命なのだ、とかたく信じた。

さっそく塾の孔子像を取っぱらった。それを非難され、村を追われた。だが、それぐらいでくじけはしない。親せきの洪仁玕や、科挙に失敗をかさねて不平のかたまりになっていた馮雲山を仲間にして、布教をはじめた。しかし、花県での反響は少なかった。

そこで彼らは、となりの広西省の南東部に移った。そこは山間の僻地で、「客家」とよばれる貧農や炭焼き・鉱山労働者など、よそからの移住者が多かった。客家のものは、古くから住む「本地」の人びとにさげすまれることが多く、客家と本地人の衝突がよくおこった。洪秀全や馮雲山も広東省の客家の出身であるだけに、彼らのとく「拝上帝教」は、広西の客家のあいだに浸透していった。

最初の布教から三年ほどたった一八四七年ごろ、桂平県の紫荊山を根拠地にして「拝上帝会」が正式に結成され、会員は約二〇〇〇人になった。洪や馮とならんで幹部となった炭焼きの楊秀清や蕭朝貴は、この初期の入会者である。同じ幹部でも、韋昌輝や石達開などは、有力な地主であった。

地主は村の指導層であり、経済的には裕福であったが、清朝のきびしい税のとりたてに反発し、地方役人を憎むものが多かった。そこで、アヘン戦争の前後から、中国の各地で、私兵をかかえた地主と、県の役人との武力抗争が続発した（これを「抗租・抗糧闘争」という）。拝上帝会はこういう地主にもはたらきかけた。本気で拝上帝教を信じない地主でも、反清朝の立場から参加するものがあった。

農民たちは「上帝を敬わないと蛇や虎にかまれる。敬えば災難や病気をまぬがれる」という拝上帝会の宣伝にひかれ、また神像や仏像を破壊してもなんの祟りもないとわかると、安心して入会した。貧しい彼らに、おれたちは上帝のお力で平等になれるという信念が強まっていった。

一八五〇年にはいると、楊秀清や馮雲山ら少数の幹部たちは、新しい国をおこそうと遠謀をねりはじめた。六月、各地の会衆はおふれにしたがって柴荊山のふもとの金田村にぞくぞくと集まった。彼らは、家や土地を売って手にいれた金や現物を、公有の倉庫（聖庫）におさめ、そのうえで一律平等に衣食を支給される、平等な共同生活をいとなみだした。

すでに会衆は洪秀全が「モーセの十戒（じっかい）」にならってつくった、博打・殺人・飲酒・吸煙・姦淫などをいっさいしないという「十款（じっかん）の天条」をまもる生活をはじめており、金田村での共同生活の規律もきわめてきびしいものであった。

金田村へは、本地人と開墾地の所有権を争って敗れた三〇〇〇余人の客家、一〇〇〇余人の鉱夫、そのほか上海に貿易の中心が移ったことで物資輸送の仕事をなくした運送人たちが、平等な共同生活をたよってやってきた。あわせてその数約一万人。

このような形勢をみて、大地主は団練（だんれん）とよぶ自警団を、政府は正規軍を派遣して金田村の包囲にとりかかった。これに対抗して拝上帝会は、会衆を年齢別・男女別に分けて軍団に編成し、蜂起の態勢をととのえた。

そして、洪秀全の三六回めの誕生日である一八五一年一月十一日(陰暦の一八五〇年十二月十日)、拝上帝会は正式に蜂起を宣言した。

すべての人が太平を楽しめる新国家「太平天国」の建設にむかって、革命軍団は出発した。蜂起の直前、清軍のうち数千が太平天国がわに寝がえったが、そのほとんどが、客家の出身者であったという。

太平天国の理想と現実

太平天国軍(以下「太平軍」とするす)は北にむかった。九月、永安城を占領、ここで太平天王洪秀全のもとに、東王楊秀清、西王蕭朝貴、南王馮雲山、北王韋昌輝、翼王石達開という最高指導部の陣容がととのった。東王以外の五人の王は、それぞれ一万三〇〇〇余人の兵士をひきいる将軍であるが、楊秀清はヤハウェの、蕭朝貴はイエスの託宣(たくせん)を伝える人物として、洪秀全につぐナンバー2、ナンバー3の権威をもった。

半年後、清軍の包囲を破って永安城から北上し、以後いくつもの城市を攻めおとしてはすぐそこをはなれ、湖南省を進んで洞庭湖(どうていこ)にでた。そこから、一八五二年末、長江につうじる岳州(がくしゅう)を攻め、大量の武器弾薬と船を獲得した。これは、太平軍のその後の行動をきわめて有利にした。
すでに湖南を北上するなかで、清朝に反抗する他のいくつもの秘密結社（たとえば「天地会」など）が協力し、太平軍の軍勢はふくれあがっていた。太平軍が長江の流れにのって翌五三年一月、漢陽、漢口、武昌のいわゆる武漢三鎮を占領したときには、総数五〇万にのぼった。ただ、見おとせないのは、このときまでに洪秀全は、最初の同志馮雲山と蕭朝貴が戦死したことで孤立しだし、ナンバー2の楊秀清の権力がますます強まったことである。のちの内紛がここにめばえた。

二月、太平軍は水陸両路に分かれて武昌をたち、わずか三週間で南京城下に殺到した。

太平軍が進撃してくると、民衆はどこでもこれを歓迎し、日ごろの恨みをはらすのだと、県庁や質屋に集団でおしかけ、放火・物品略奪をおこなったり、あるいは牢獄の囚人を救いだしたりした。また抗租・抗糧闘争がもえあがり、地主にたいする小作人（佃戸）の反抗がはげしくなった。

他方、太平軍の軍規はきびしく、民家に侵入して略奪したり飯をたかせたり、あるいは荷物を運ばせたりしたものは、上帝への反逆として処刑された。夫といえども妻のいる女子軍にちかづくことはゆるされず、立小便や日中裸体をさらすものも姦淫とみなされ、禁をおかせば死刑にされた。民衆の支持を受ける太平軍のすがたを、政府がわの記録も、つぎのように認めないわけにはいかなかった。

賊ははじめ、もっぱら城市をかすめとり、村民から略奪しなかったばかりか、行軍の道みち、城市でうばった衣服を貧者に分けあたえた。また、流言をまきちらし、将来は租税・賦役を免除すると宣伝した。村民はこれを徳とし、富者が城中で困っていても平気で、一銭の援助をあたえようともしなかった。（張徳堅編『賊情彙纂』）

約三万の清軍にまもられた南京城は、十数日におよぶ激戦のすえ陥落した。ときに一八五三年三月二十日。以後太平天国では、これを天京とあらためて首都とし、ようやく腰をすえて国づくりのかまえをとった。その具体化の手はじめとして発表したのが、「天朝田畝制度」である。

これは、男女一律平等に耕地を配分し、生産物は食用以外すべて公有とし、住民は自治的な共同体

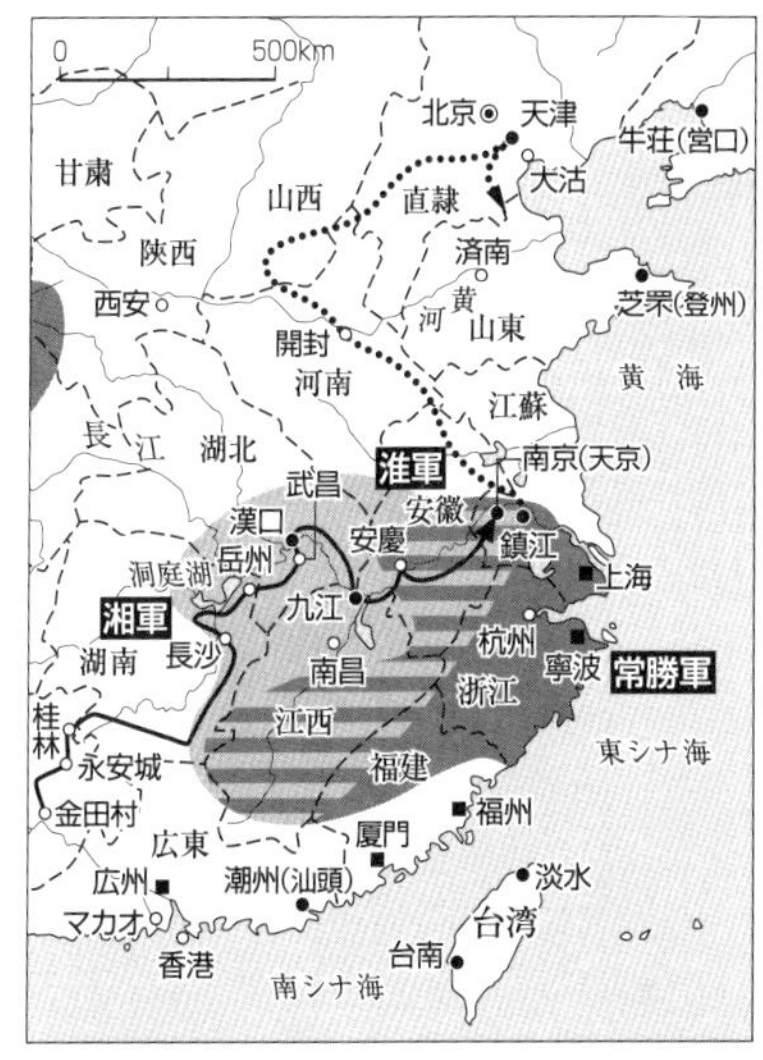

19世紀半ばの東アジア

に編成され、選挙でえらんだ郷官のもとで生産と軍事にあたる、というユートピアをめざしたものである。だが、太平天国をとりまく内外のきびしい情勢が、その実行をはばんだ。

太平天国は、一般には女性問題にきびしい姿勢を要求していながら、洪秀全は南京の宮殿に六〇人の美女をはべらせて享楽の日をおくった、という。さらに、その指導者たちは血なまぐさい内紛をおこした。

一八五六年九月、北王韋昌輝は、洪秀全をまつりあげて最高の実権をにぎる東王楊秀清とその一味二万人を虐殺した。地主と炭焼きというふたりの出身階級のちがいが投影されていたのだろうか。この残虐さを責めた翼王石達開をも北王は粛清しようとし、翼王がにげると、彼の母・妻子ほか何十人もの人びとを殺害した。洪秀全はこれらをただ眺めていただけであった。

韋昌輝の恐怖政治は二カ月つづいたが、石達開が四万の兵をもって南京にせまると、人心を失っていた北王はあえなくクーデタでたおされた。その首は翼王にとどけられ、その身は二寸(約六センチ)四方にこまぎれにされたという。

ところが、この翼王石達開も洪秀全にきらわれ、失望した彼は、かつての『三国志』の時代の蜀(しょく)のような独立国をつくろうと、四川(しせん)へさった。こうして五人の王はすべて洪秀全のもとから消えた。その後の太平天国を、忠王李秀成(ちゅうおうりしゅうせい)のような若い指導者が支えるが、かつての活力はだんだんおとろえていくのだった。

太平天国をとりまく軍事情勢もかわった。無気力な正規軍にかわって、湖南省出身の役人曾国藩が編成した自衛軍(湘軍)がむかってきた。地主の自警団である団練よりもよく訓練され、団結もかたかったから、太平軍はしだいに守勢に立たされることになった。曾国藩の部下の安徽省出身の役人李鴻章(のちの日清戦争の指導者)も、まもなくべつの軍隊(淮軍)をつくって太平天国を攻めたてる。太平天国がわの指導者の争いと統率力のおとろえは、敵に有利な情勢をつくっていく。

欧米諸国の動きも見のがせなかった。アヘン戦争後の一〇年間は、有利な貿易条件にもかかわらず、綿織物などイギリスの商品の売れゆきはかんばしくなかった。開港場を長江流域や華北にもっとふやそう、というのがイギリスおよびイギリスと同様の条約をむすんだアメリカ、フランスののぞみであった。清と太平天国の戦いをおおいに利用しようと、機会をねらったのはとうぜんである。

各国ははじめ太平軍の鎮圧に力を貸そうかと清に申しいれたが、清は太平天国と同じキリスト教徒はゆだんならないと考えて拒絶した。つぎに、太平軍が南京を占領すると、イギリスは太平軍に使者をおくってさぐりをいれた。太平天国の方針は明白であった。アヘン貿易や不平等条約は認めない、それをやめるのなら外国人との自由な貿易をしよう、というのであった。これは、列国が受けいれるつもりがない。結局、列国は太平天国の要求におうじて、はじめは中立の態度をとった。

しかし、一八五六年広州でおきたアロー号事件という、領事裁判権にからむできごとから、イギリスはフランスとともに清朝と開戦した(アロー戦争)。この第二次アヘン戦争ともいうべきアロー戦争がふたたび清の敗北となって終わった一八六〇年以後、太平天国は苦境に立つ。

この年、李秀成らが三〇〇〇名の兵で上海を攻めた。ここにのがれていた江南の地主や富豪は、曾国藩や外国人に防衛を懇願した。アメリカ人ウォードは外国人部隊をつくり（清は「常勝軍」とよんで歓迎した）、そののちイギリスのゴードン少佐が指揮して太平軍を攻めた。イギリス軍艦も砲撃をくわえた。上海攻略は失敗した。もはや、列国が太平天国の壊滅に共同歩調をとろうとしていることはあきらかであった。

太平天国の占領地域は、湘軍・淮軍・常勝軍によってつぎつぎにうばわれ、南京も包囲された。洪秀全は一八六四年六月一日、病魔に冒され絶命した。降伏した李秀成は八月処刑された。すでに石達開は四川で捕えられ、前年の六月二十五日に処刑されてしまっていた。

こうして、太平天国は金田村の蜂起いらい一三年あまりの短い歴史をとじた。しかし、生きのこった農民、鉱夫などの貧しい兵士たちは、ここかしこにひそみながら、人間らしく生きることができた十数年の経験を、のちの世のために語り伝えた。太平軍の残党である機織り（はたお）じいさんのその話を、四川の村で聞いたであろう少年のひとり朱徳（しゅとく）が、やがて中国紅軍（人民解放軍）の建設者となる。

17

リンカンの時代
南北戦争

南北戦争はアメリカ合衆国に何をもたらしたのだろうか

独立後のアメリカ合衆国は
西部へ膨張しつづけ、
一八四八年メキシコから
カリフォルニアを獲得して太平洋岸に達した。
黒人奴隷制も拡大したが
反対運動も強まり、南北の対立が激化した。
奴隷制を批判する弁護士リンカンの大統領就任は
ついに内乱をうみ、
五年にわたる多大の流血ののち
北軍が勝利し、奴隷制は廃止された。

カリフォルニアへ

「だ、だんなさま、放水路の底にこんな光ったものがありましたんで……」

どしゃぶりの雨のなかをはしってきた大工のマーシャルは、息をはずませてそういいながら、しっかりにぎった片手をひろげた。

製材所の主人ヨハン＝オーガスト＝サターは、マーシャルの手のひらで、にぶく光る数箇の豆粒のような物体を、じっと見ていたが、いそいでドアに鍵をかけた。そして、薬剤師用の小さなはかりと『アメリカ百科辞典（アメリカン　エンサイクロペディア）』をもちだしその物体を調べはじめた。

あることを予測する四つの目の色は、しだいに確信にかわっていった。この豆粒のような物体は、まちがいなく、金であった。それも、並はずれて純度の高い金であった。

これが、一八四八年一月二十四日の朝、カリフォルニアはシエラネバダ山脈のふもとでの、黄金の発見の瞬間であった。

サターは、スイスに生まれた男で、アメリカにわたってきていろいろ商売をしたあげく、メキシコの領土であったカリフォルニアに移って、大地主になった。

今のわたしたちにはなかなか想像できないことだが、十九世紀の三〇年代には、アラスカはロシアの領土であり、ロシア人の一部は、さらに太平洋岸ぞいに南下してきて、サンフランシスコの一六〇キロほど北に、開拓基地（フォート＝ロスという）をもうけていた。そこには、二〇〇〇人ものロシア人がいたこともあるという。

このロシアの動きをおそれたメキシコの総督は、ロシア人に対抗する基地にするという条件で、サクラメント地方の広大な土地を流れ者のサターにあたえた。ところがロシアがわは、らっこの毛皮を集める仕事が思わしくなくなったこともあって、アラスカに撤退した。一八四一年のことである（なお、アラスカは一八六七年アメリカ合衆国に売却された）。

サターは、ロシア人のさったフォート＝ロスを手にいれ、さらに、シエラネバダ山脈のふもとにも進出して、そこに製材所をたてた。金を発見したのはその製材所においてであった。

ふたりは金の発見を秘密にすると誓ったが、その秘密もほんの一週間しかもたなかった。うわさはカリフォルニアにひろがりだした。まず、沿岸貿易にしたがっていた船員が、仕事をほおりだしてシエラネバダの山に飛んできた。アメリカ兵も、金をほりあてるのがさきだとばかり、兵舎をぬけだした。

じつは、カリフォルニアは、サター製材所の放水路で金が発見されたわずか九日あとに、アメリカ領になったのである。

アメリカ合衆国は、一八四六年五月から、テキサスの国境をめぐってメキシコと戦争をおこしていた。このとき、イリノイ州選出の下院議員であった三七歳のエブラハム＝リンカンは、このメキシコ戦争は不正な戦争であるとして反対した。しかし、南部や西部の人びとの熱烈な支持を受けて戦争はつづけられ、合衆国の勝利となった。

一八四八年二月二日、和平条約がむすばれてテキサスとメキシコの国境はリオ＝グランデ(グランデ川)となり、カリフォルニアとニュー＝メキシコが一五〇〇万ドルで合衆国にゆずられた。合衆国の領土は、ついに太平洋岸にまでひろがった。

カリフォルニアのモンテレーにアメリカ駐屯兵がやってきたのは、こういう事情からであったが、おりからおこっていた金鉱のほりあて競争に、兵士たちはたちまち巻きこまれてしまったのだ。

こうして、カリフォルニアでは、六月のはじめまでに二〇〇〇人以上の人が金をほっていた。そのころには東部にもうわさがひろがり、人びとの心をおちつかなくさせたが、年末にポーク大統領が「うわさは真実といえないこともない。」と国会で公式にのべたからたいへんなことになった。

明けて一八四九年は、カリフォルニアめがけてのゴールドラッシュの年となった。この年だけで約一〇万人の人が「一かく千金」を夢みて殺到した。この人びとのことを「フォーティ＝ナイナーズ(四九年の連中)」とアメリカ史ではよんでいる。

東部からカリフォルニアにいくには、帆船で南アメリカの南端ホーン岬をまわるコースがあった。ただしこれは、六カ月から九カ月もかかり、費用は五〇〇ドルにものぼった。

同じ船を使うコースでも、船でパナマまでいき、陸路で地峡を横断したのち、また船でサンフランかった。

シスコにむかうコースもあった。しかし、この近道は、パナマ地峡でコレラや赤痢にかかる危険が高かった。

そこで「フォーティ゠ナイナーズ」の多くは陸路をとった。メキシコの砂漠を横断するもの、テキサスの山道をとおり南西部からはいるもの、そしてもっとも多くの人が使ったのは、合衆国の中央部を延々三二〇〇キロ以上も横切るコースであった。

この大陸横断ルートのスタート地点は、ミズーリ州のセント゠ジョゼフであった。ここで移住者は牛とらばを数頭手にいれる。らばはどんなけわしい山のなかでも、足場を見つけてくれるから貴重だ。それに馬車だ。ふつう一台に五人がのれる。猟銃や斧、修理道具はもちろんかかせない。

また、つるはしと選鉱鍋は、金鉱をほりあてるための絶対的必需品である。鍋・樽・ろうそく・カンテラ・長靴・帽子、それに食品として小麦粉・砂糖・ベーコン・コーヒーなどがくわわる。

したくのととのった人びとは、たいてい、春のおとずれとともに西にむかった。

雪よ岩よ
われらがやどり
おれたちゃ町には
住めないからに

という『雪山讃歌』のもとの歌は、『クレメンタインの歌』といって、このフォーティ゠ナイナーズのあいだにひろまった歌と伝えられる。

三二〇〇キロの道には、ロッキー山脈・ユタ・ネバダの荒地が待っていた。そのうえ、九月のなかばをすぎてからシエラネバダ山脈にかかるようだと、大雪のために命を失う覚悟をしなければならなかった。それでも人びとは、カリフォルニアへ、カリフォルニアへとむかったのであった。

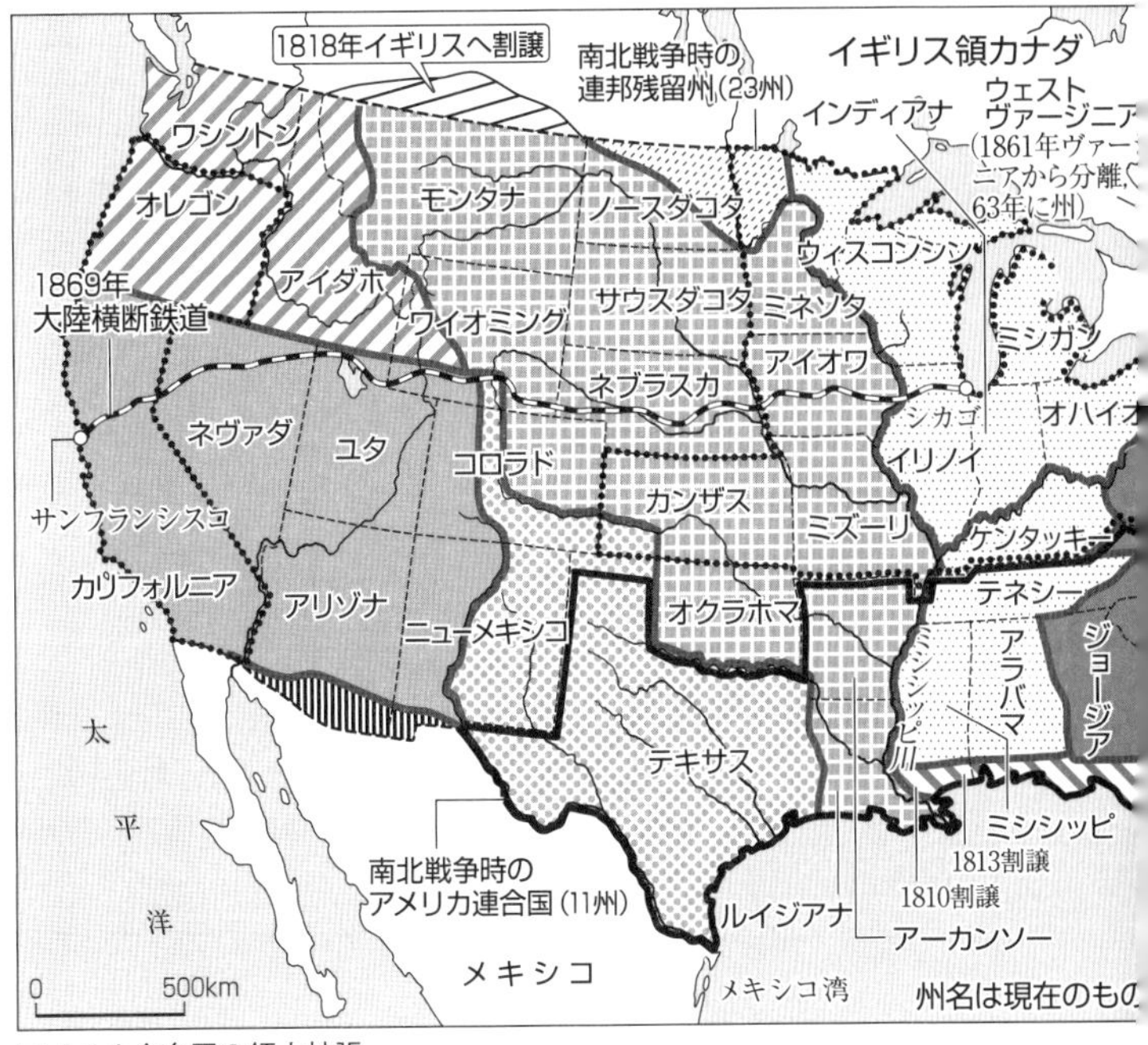

アメリカ合衆国の領土拡張

黒人奴隷制とリンカン

そのころのアメリカ合衆国の州の数は、ちょうど三〇になっていた。イギリスから独立した一七八三年には、十三州であったから、六〇年あまりで一七ふえたことになる。

合衆国では、西部の土地に男子の自由民五〇〇〇人以上が住むようになると、准州(テリトリー)の資格があたえられた。さらに六万人以上になると、州(ステート)として連邦に加入できるしくみになっていた。州はこういうふうにしてふえてきたのである。

カリフォルニアははやくも一八四九年、州として連邦への加入を希望した。ところが、ここにはやっかいな問題があった。というのは、このときの合衆国の三十州というのは、黒人奴隷制を認める南部の奴隷州と、奴隷制を認めない北部の自由州とが、ちょうど一五ずつの同数であったからだ。

カリフォルニアは、自由州として加入することを希望した。上院には、各州から二名の代議員がえらばれる。カリフォルニアの希望を認めれば、上院での南北の勢力関係は北部が優勢となるだろう。

こうして、南部の諸州はカリフォルニアの自由州昇格に強く反対した。議会は激論のすえ、翌年「一八五〇年の妥協」なるものを成立させた。つまり、カリフォルニアの希望を認めるかわりに、メキシコから獲得したほかの土地に、ユタとニュー＝メキシコという二つの准州をつくり、これが州に昇格するさい、どちらの州になるかは住民の意志にまかせるというのである。

これは大きな問題をふくんでいた。じつは、一八二〇年にミズーリ州がミシシッピ川以西で最初の奴隷州となったとき、今後はミズーリ州の南境である北緯三六度三〇分より北には、永久に奴隷州をつくらないというとりきめがなされていた。ユタとニュー＝メキシコの州昇格のさい、住民の意志＝投票にまかせるという「妥協」は、北緯三六度三〇分以北にも奴隷州がうまれる可能性を認めたわけであり(ユタはあきらかに北緯三六度三〇分以北にある)、これは重大な変更であった。

しかし、一一年後に大統領に就任するはずの弁護士リンカンは、この重要な意味をもつ決定に、このとき、あまり関心をはらっていなかった。

リンカンは、南部のケンタッキー州の生まれだが、仕事をもとめて点々とする貧しい父とともに、インディアナ州、イリノイ州と移住した。二一歳までの間に学校教育を受けたのは、インディアナの小学校で読み・書き・算数を学んだ一年たらずだけである。

リンカンは背が高く力もあったが、からだを使う労働はきらいで、冗談をまじえて人とおしゃべりをするほうが好きであった。はたちすぎから独学で法律を勉強し、イリノイ州議会の下院議員に二五歳のとき初当選し、政治家の道を歩みだした。やがて弁護士の資格もとり、人口わずか一四〇〇人ほどのスプリングフィールドで、法律事務所を開業した。そして一八四六年、三七歳のとき、イリノイ州選出のホイッグ党下院議員として、はじめて中央政界にすがたをあらわした。

ケンタッキーの丸木小屋に生まれた貧乏ぐらしの少年が、はなやかな議事堂の階段にたどりつくあいだに、合衆国の奴隷制はいっそう強く南部で根をおろしていった。

　リンカンが生まれた翌年の一八一〇年には、合衆国の黒人奴隷の数は一一九万一〇〇〇人であったが、二〇年後には二〇〇万九〇〇〇人、一八四〇年には二四八万七〇〇〇人、一八五〇年には三二〇万四〇〇〇人と増加した。奴隷がもっとも多いのはヴァージニア州であったが、州総人口のうち黒人奴隷が占める割合では、サウス＝カロライナ州の五七パーセントを筆頭に、ミシシッピ、ルイジアナ、アラバマ、フロリダ、ジョージアの六州はみな四〇パーセントをこえていた(ヴァージニア州は三一パーセント。いずれも一八六〇年調査)。

　これらの黒人奴隷は一八五〇年当時、その数一〇万一三三五といわれる南部の大農園(プランテーション)ではたらかされていた。その大部分は綿花の栽培であり、のこりの奴隷がタバコ・砂糖・麻・米などの生産労働にしたがっていた。

　奴隷の畑仕事は、一日中冷酷な監督の鞭の恐怖のもとにおかれた。住居は、そまつな板を打ちつけた一間だけの、床などない小さな小屋で、そまつな毛布にくるまって地面にごろ寝した。食事は、どうやら生きていけるていどの、小麦やとうもろこしを農園主からあたえられたにすぎなかった。

　奴隷の逃亡はあとをたたなかったが、持ち主はどう猛な犬を使ったり、賞金つきの新聞広告をだしたりして、必死になってさがした。見つけたあとは、身の毛もよだつ残酷なリンチをくわえた。国家は、逃亡奴隷取締法(一七九三年制定)によって、奴隷のにげ道をふさぎ、農園主の「財産」をまもってやろうとした。

このような奴隷制度を廃止(アボリション)しようという運動が、一八二〇年代のすえごろ、北部の白人のあいだでようやく高まりだした。マサチューセッツ州のボストンでは、一八三一年、ウィリアム＝ギャリソンが即時廃止を主張する『解放者(リベレーター)』を発刊し、二年後にはアメリカ奴隷制反対協会が設立された。この奴隷制廃止論者(アボリショニスト)の全国組織は、一八四〇年までに地方支部二〇〇〇、会員二〇万人にまで成長した。

かれらの運動は、集会・出版物刊行・議会請願などいろいろな方法をもちいたが、奴隷を直接救いだすためにとられたのが、「地下(アンダーグラウンド)鉄道(レイルロード)」とよばれる非合法の組織活動であった。

これは、逃亡奴隷を北部の自由州や、もっと安全なカナダへひそかに輸送する組織である。鉄道にならって「停車場」(宿泊所)や「車掌」(輸送隊の指揮者)などの隠語をもちい、熟練した「従業員」(運動の仲間)が危険をおかして奴隷を「終着駅」(北部やカナダ)におくりとどけるのであった。

しかし、奴隷制度を認めない北部といえども、人種差別と偏見は根強かったから、奴隷制反対運動は命がけであった。ギャリソンはボストンの路上で暴徒におそわれたし、イリノイ州のオルトンでは、ラブジョイという熱心な廃止論者が、暴徒におそわれて三回も新聞印刷機をミシシッピ川に投げこまれ、最後は建物に放火されて殺された。リンカンが、同じ州で法律事務所をひらいた翌年のことである。

イリノイ州は北部にぞくしてはいたが、南部の色彩が強い州であった。ラブジョイが暗殺された一八三七年の州議会では、「奴隷は所有者の同意なしには何ぴともこれをうばうことができない神聖な財産権利である」、という決議文が通過した。

このとき議員のリンカンは、ストーン議員と連名で抗議文をだした。そのなかで「奴隷制度はがんらい不正義と悪しき政策にもとづくものである」といいながらも、「しかし、廃止論の原理を高揚することは、同制度の害悪を、減少するよりもむしろ増大させるおそれがある。」として、即時廃止論には反対の立場をあきらかにした。

リンカンがメキシコ戦争に反対したことはすでにのべたが、翌一八四八年末からの第二会期では、「奴隷制度廃止は漸進的で、かつそのばあいにも、奴隷所有者にたいして金銭的な補償をあたえ、同時に、廃止その他は、住民の一般投票で採択されないかぎり、おこなわれるべきでない。」という意見をのべている。

奴隷制度には反対する、しかし奴隷制度をただちに廃止することはできないし、またするべきでもない、というのがリンカンの考え方であった。

一八六三年一月一日

カリフォルニアの砂金ブームは、その後一〇年のあいだにしずまっていった。だが、奴隷制問題のほうは、合衆国の亀裂をいっそうふかめていた。

一八五二年三月、ハリエット＝ビーチャー＝ストウ夫人の『アンクル＝トムの小屋』が出版された。この奴隷の家族の悲惨な物語は、人びとの心をゆり動かし、一年間で三〇万冊も売れ、奴隷への同情と南部への反感をつのらせた。

一八五四年、連邦議会は中西部の広大な土地をカンザスとネブラスカの二つの准州とし、ここが奴隷州となるかどうかは、「五〇年の妥協」のように住民の多数意志できめることにした(「カンザス＝ネブラスカ法」)。カンザスには、となりの奴隷州ミズーリから移住民がおくりこまれ、これに対抗して北部からも奴隷制反対派が進出した。

この結果、二年後にカンザスでは流血の惨事がおこり、連邦議会でも北部議員にたいする南部議員の殴打事件がおこった。この暴挙に憤激した北部の奴隷制反対派は、一二日後の六月三日、共和党を結成した。

リンカンは、奴隷制批判におよび腰なホイッグ党をぬけてこの共和党に加入し、イリノイ州の上院議員候補に指名された。このときの彼の演説は有名である。

「〝分かれて争う家は立つことができない〟(注・『新約聖書』のマルコ伝にある言葉)のです。わたしは信じます、この国が永久に半分奴隷で半分自由という状態に耐えることはできない、と。わたしは連邦が解体するのをのぞむのでもない。家がたおれるのをのぞむのでもない。ただ分かれて争うことをやめてほしいのです。」

ここにあらわれているように、リンカンがもっともおそれたのは連邦の統一が破壊されることであった。だから、今までの奴隷州には干渉せず、これ以上の奴隷制の拡大には断固反対する、これが実際的な政策である、と信じていたのである。

上院議員選挙に落選したリンカンは、一八六〇年の大統領選挙に打ってでる野心をいだいた。だが、共和党にはほかに有力な候補が数人おり、指名される可能性はきわめて低かった。そのことがかえって彼とその支持者たちのやる気をかき立てた。

リンカン派がシンボルとしたのは、二本の棒杭である。リンカンがむかしつくった棒杭をもちだし、連邦の分裂をくいとめる男こそリンカンである、と大衆にアピールした。また、ひげをのばしたほうが大統領候補らしい、との一少女の手紙に教えられて、リンカンのトレード＝マークともいえる黒々としたあごひげを、五一歳のときはじめてはやしだした。

結果は、リンカンの作戦勝ちとなった。六月の共和党大会は、はじめの予想をくつがえしてリンカンを大統領候補に指名した。ライバルの民主党は、南部と北部に分裂したので、情勢は共和党に有利になった。

大統領選挙は一八六〇年十一月十六日におこなわれ、リンカンが選挙人投票でも一般投票でも、南北の両民主党・立憲統一党（ホイッグ党とノー＝ナッシング党が合同して結成）の三候補を破って第一位になった。ただし、選挙人投票(一八〇票)では、南部からは一票もとれず、一般投票(一八六万六四五二票)は約四〇パーセントで、三人の競争相手の合計のほうが一〇〇万票も多かった。リンカンの勝利は辛勝であった。

すでに南部には、リンカンが当選したら連邦を脱退しようという声があがっていた。そのリンカンが、憲法の規定にしたがい、翌一八六一年三月四日に大統領に就任するまでの過渡期に、事態はいっきに悪化した。

まず十二月二十日サウス＝カロライナが連邦脱退を宣言し、つづいてミシシッピ、フロリダ、アラバマ、ジョージア、ルイジアナ、テキサスもつぎつぎに脱退した。この七州の代表が、六一年二月八日アラバマ州の州都モントゴメリーに集まり、アメリカ連合国を結成、臨時大統領にジェファソン＝デービスをえらんだ。

これにたいして、奴隷制反対論者のなかには、南部が連邦から脱退するのに賛成するものがあるいっぽう、ブキャナン大統領や議会の有志は、准州への奴隷制拡大を認めても南部と妥協しようとこころみた。この間、就任前のリンカンは、公式にはかたく沈黙をまもり、他方では共和党の幹部に極秘の手紙をおくって、奴隷制拡大の妥協にはいっさいおうじないよううったえた。奴隷制を南部だけに封じこめることで平和的に連邦の統一がまもれる、という楽観があったのである。

だが、リンカンの見通しは甘かった。三月の就任以前から、連邦を脱退したサウス＝カロライナ州知事より、州内のチャールストン港入口のサムター要塞から、連邦守備隊を撤退するよう要求されていた。大統領に就任したリンカンはこれを拒絶し、サムター要塞に救援隊をおくったが、南軍は四月十二日要塞の砲撃を開始した。これが南北戦争のはじまりである。

要塞をうばわれたリンカンは、ただちに、三カ月期限で七万五〇〇〇人の志願兵募集を決定した。内戦が短期間で終わるだろうという予測があったことがありありとわかる。しかし、南部のアメリカ連合国がわにには、あらたに四奴隷州（ヴァージニア、ノース＝カロライナ、テネシー、アーカンソー）がくわわって十一州となり、南北戦争はそれから四年間もつづいたのである。

戦争はながびき、北軍は苦戦をつづけた。この間に、暴動や逃亡、あるいは北軍に参加して勇敢に戦う黒人奴隷の力を見て、リンカンは勝利のための奴隷の解放をついに決心した。一八六二年九月二十二日、奴隷解放予備宣言がだされ、反乱諸州がきたる一月一日までに連邦に復帰しなければ、諸州の奴隷には自由があたえられることになった。

この年の十二月三十一日の夜ほど、黒人にとってながい夜はなかったであろう。時計が一二時をまわり、四〇〇万にちかい黒人奴隷は、この瞬間に自由をえた。アメリカ史を画した一八六三年一月一日の到来の瞬間であった。

しかしこの奴隷解放宣言には気になる箇所もある。その一部に

指定した州および州内の地方において奴隷として所有されているすべての者は、自由であること、

また今後自由になるべきことを、私はここに命令し宣言する。

（高木八尺、齋藤光訳『リンカーン演説集』岩波文庫）

とあり、いっけん奴隷の解放を高らかにうたっているように読めるが、最初の部分の「指定した州および州内の地方」とは、合衆国から離脱し「反逆」した、北部がわと戦う南部の州のことをしめしている。それゆえ奴隷解放宣言は、南部がわにぞくする州の奴隷は解放するが、奴隷制を維持しているが合衆国から離脱しなかった州（たとえばデラウェア州やケンタッキー州など）ではこの宣言を適用しないと主張しているのである。こうして奴隷解放宣言は連邦の統一を優先するリンカンの政治的思惑が明確であった。しかし、たとえば南部に好意的だったイギリスはすでに一八三三年に奴隷制を廃止しているように、内外の世論の動向を北部がわ有利に転換させ、勝利を決定的にしたことは間違いない。

戦争がなおつづく二年後の一八六五年一月、憲法が修正されて（第十三条）、この自由は確定した。だが、この自由が黒人のほんとうの解放を保証はしなかったことを、その後のアメリカの社会と歴史が、無数の例をもってしめしている。「解放」されたがきびしい「差別」が残ったのである。

戦争は、四月九日、南軍が降伏して終わった。その五日後、リンカンは狙撃され、翌日死んだ。

18

血の日曜日
1905年のロシア革命

第一次ロシア革命を指導した
僧侶ガポンとは、どのような人物だったのか

二十世紀はじめ
ロシアの専制政府は国民の不満をそらすため
極東への侵略政策をとり、日露戦争をおこした。
開戦二年めの一九〇五年一月、
生活に苦しむ首都の
労働者・市民の、立憲政治や戦争中止をもとめる
請願デモに軍隊が発砲し、
流血の惨事となった。
国民は怒って全土に革命がひろがり、
政府は戦争をやめ、改革を約束して
革命をしずめた。

ガポンの訴え

二〇三高地の激戦のすえ、一九〇五年(明治三八)の元旦、難攻不落といわれた旅順(りょじゅん)要塞のロシア軍がついに日本軍に降伏した。その約二週間後の一月十六日、ロシア帝国の首都ペテルブルクでは、プチロフ金属機械工場の労働者一万二〇〇〇人が、朝八時までに全員ストライキにはいった。四人の労働者の解雇にたいする抗議のストライキであった。

工場がわは四人の解雇の理由をあれこれならべたが、ほんとうの理由は、彼らが、神父ガポンがつくった「ペテルブルク市ロシア人工場労働者の集い」(通称「ガポン組合」)の会員であることを、うとましく思ったからである。

「ガポン組合」とは、労働者の組合結成がゆるされないロシアで、ペテルブルクだけに、ガポンの尽力により、講演や討論、ダンスや音楽を楽しむ文化サークルとして、当局公認のもとに、前年の四月正式に発足した団体である。解雇事件がおきたときは十一支部、約一万人の会員を数えるにいたっていた。

ロシアの労働者は、企業家の日ごろの横暴な態度や、日露戦争とともにはじまった大はばな時間外労働の強制に腹を立てていたから、プチロフ工場のストライキは、ネバ造船をはじめ、おもに首都の南部にかたまる多くの工場の連帯ストライキをよびおこした。プチロフ工場長スミルノフは、解雇撤回や超過勤務の廃止、衛生・医療状態の改善などの労働者の要求に、まったく耳をかさなかった。その結果、ストライキは日をおってゼネストの様相を強めだした。

三五歳の長身のガポンは、労働者の集会をまわり、満洲で死んでいく兵士たちのこと、自由をもとめ牢獄につながれている人たちのことを語り、政府がわれわれをなんら援助しない以上、このような官僚政府は打倒しなければならない、とうったえた。そのバリトンの美声は、他のだれの演説よりも聴衆をひきつけ、どの集会でも、ガポンに対する熱狂的な支持がひろがった。

このうねりのなかで、社会民主労働党のメンシェヴィキとボリシェヴィキ、および社会革命党の活動家の影響力は、はじめはほとんどなかった。労働者はこの革命派にむしろ反発したほどである。

しかしガポンは、闘争への支持と協力をえるために、一月十九日、この三党の代表ともあい、「請願書」にもりこむ労働者の要求をねった。そして、支部代表者会議をひらき、一月二十二日(ロシア暦では一月九日)日曜日午後二時に、ペテルブルクの全労働者が冬宮広場に集まって、「請願書」を直接皇帝のニコライ二世にさしだそう、という方針を決定した。請願書は、その日の夕方ガポンが書きあげ、写しが各支部にとどけられた。その書きだしはこうである。

陛下！　わたしたちペテルブルク市の労働者および種々の身分にぞくする住民は、わたしたちの妻や子、よるべなき年老いた親たちとともども、プラウダ(正義)と助けをもとめて、陛下の御許(みもと)へやってまいりました。わたしたちは貧しく圧迫され、無理な労働に苦しめられ、辱められ、人間として認められず、つらい運命をじっとだまって堪え忍ぶ奴隷のような取り扱いを受けています。わたしたちは堪え忍んできました。しかし、わたしたちは、ますます貧乏、無権利状態、無教育のどん底におしやられるばかりで、専制政治と横暴にのどもとをしめつけられ、窒息しそうです。陛下、もう力が尽きました。辛抱できるぎりぎりのところまできました。堪え難い苦しみがこれ以上つづくくらいなら死んだ方がましだという、おそろしい時がきてしまいました。

（和田あき子氏訳による）

ガポンは農民の子であった。頭がよかったので神学校へいったが、神父になってからも、つねに貧しい人びとのためにつくした。彼の言葉も文章も、無学なだれにもわかるようなものであった。この請願書の文体には、貧しい人びとの気持と願いがこめられていた。

ロシアの民衆(ナロード)のあいだには、ほんとうの皇帝(ツァーリ)はわれわれに自由と幸福をあたえてくださるのだ、という古くからの観念があった。革命派が、皇帝は人民の友ではなく敵なのだ、吸血鬼だとうったえても、民衆になかなか受けつけられなかったのはそのためであった。

ガポンは、皇帝が民衆の期待を裏切るか裏切らないかを、民衆自身に、直接行動によってたしかめさせるときがきた、と判断した。だから、請願書は立憲政治の実現、人権と自由の確立、税制の改革、日露戦争の中止、法による労働者の保護などの切実な要求項目をしるし、その実行を政府に命じてくれと願ったうえで、こうむすんだ。

もしそうお命じにならなければ、わたしたちの祈りにお答えくださらなければ、わたしたちは、ここで、この広場で、あなたの宮殿の前で死にましょう。わたしたちにはもういくところがありません。またその必要もありません。わたしたちには二つの道しかないのです。自由と幸福への道か、さもなければ墓場への道かです。わたしたちの命が悩めるロシアへの犠牲となればよいのです。わたしたちはこの犠牲をいといはしません。わたしたちはよろこんでそれをはらいます。

ガポンは、この請願書をもって一月二十一日までに全支部をまわり、請願書を朗読し、説明し、冬宮への請願行進の方針をしめした。

「ツァーリはわれわれの話を聞くのを拒絶するかもしれないが、そのときには、わたしたちにはツァーリはない。」と、もうかすれてしまった声でガポンが話し終わると、集まった労働者たちは、こだまのように「そのときにはわたしたちにツァーリはない！」といっせいにこたえたという。

司法大臣はガポンをよびだした。が、請願書の写しを見ても、ガポンの必死の説明にも、首を横にふるだけであった。作家のゴーリキーをふくむ文化人の代表一〇人は、流血の惨事になるのをうれえて、政府に誠意ある姿勢をとるよう申しいれたが、むだであった。

一月二十一日、ストにはいった工場は四五六、参加労働者は一一万一〇〇〇人（ペテルブルクの全労働者数は約一八万人）にのぼった。政府は、翌日にせまった冬宮請願行進にそなえて、歩兵一万二〇〇〇人、騎兵三〇〇〇人を出動させること、いかなる行進もゆるさないよう、橋、広場、おもな道路の警備をかためること、などを決定した。
こうしてついに、一月二十二日の朝がきた。

首都の雪に血が流れて

雪は、この日もペテルブルクの街路を一面に埋めつくしていたが、めずらしく雲一つない好天気で、日の光が白い雪の上にまぶしく輝いていた。どの支部でも朝から労働者たちが、きめられた集合場所に集まり、まず集会をひらいて、生命がけの行進であることを覚悟した。出発の時間は、冬宮までの距離におうじて支部ごとにべつべつにきめられた。

ガポンがくわわったのはプチロフ工場にちかいナルバ支部で、この支部の行列は、先頭に大きな白い横断幕と、額いりの皇帝ニコライ二世の肖像、教会旗、十字架、イコン（聖像画）をもつ人びとをならべた。横断幕には、「兵士よ、人民を撃つな」と書かれてある。皇帝の肖像はプチロフ工場の老木挽工が、十字架はガポンが、イコンは一七歳の少年がそれぞれもった。

午前十一時すぎに行進がはじまり、四、五千人の人びとは、「主よ、なんじの僕を救いたまえ」の讃美歌を歌いながら、ゆっくりした足どりで冬宮へむかった。だが、このときすでに、ネバ川ぞいのシュリッセル通りでは、騎兵隊が行進する人びとにおそいかかっていたのである。

このネバ支部は約一万の人が九時半に出発したが、十時ごろシュリッセル消防署前についた。ここに阻止線をはっていたカザーク騎兵隊の隊長カーメネフ大佐は、解散しなければ撃つぞ、とくりかえし威嚇し、空砲を三度撃った。

だが人びとはひるまず、「とおしてくれ」「おれたちはツァーリに味方しにいくんだから。」と口々にさけんだ。行列がすこし前へ進んだとたん、カザーク騎兵が長剣(サーベル)をぬいて行列に突っこんできた。馬がかけまわり、騎兵が剣をふりまわす。負傷者がで、人びとは列をみだしてネバ川ににげた。そして、氷結した川の上を横切って対岸に移った。

いっぽう、ペチェルゴーフ街道を北に進んだナルバ支部は、前方のナルバ凱旋門の前に歩兵の一団が整列しているのが見えた。門まであと一五〇メートルほどのところまで進んだが、そのとき、むこうで手袋をした隊長がなにやらさけんだ。その直後、門の後方から長剣をぬいた騎兵隊がものすごい勢いで突進してきた。

行列の先頭はドドッとくずれたが、ガポンの「諸君！　前進せよ！」の声に隊列をたてなおし、門まであと七、八〇メートルにせまった。おりから、昼のミサのための教会の鐘がなったが、それをぬうように、ラッパが三回なった。それを合図に、歩兵のかまえた銃がいっせいに火をふいた。

皇帝の肖像をもっていた老木挽工がたおれた。べつの老人がその肖像をとりあげてかかげたが、つぎの射撃でその老人もたおれた。教会旗をもっていた男は腕を撃たれて旗をおとし、たおれても燈明をはなさなかった一〇歳ぐらいの少年は、いちど立ちあがったが、二回めの射撃で絶命した。一斉射撃は五回おこなわれ、ナルバ門の前の雪は、まっ赤な血で染まった。

ガポンは、最初の発砲のときたおれた。五回めの射撃が終わって数分後、すぐそばにいたプチロフ工場の技師ルーチェンベルクにだきおこされると、ふたりですばやくその場をのがれた。

ネバ川の北でも、ビボルク区とペテルブルク区の労働者約二万四〇〇〇人が、ネバ川の手前で、騎兵の突進と歩兵の銃撃を受け、負傷者をだし、前進をはばまれた。どこの場所でも、軍隊は死者や負傷者をたすけだす活動をいっさいしなかった。労働者の仲間が、また、沿道の市民や見物人が、あるいは、とおりかかった馬車が、負傷者を病院へ運びこんだ。

各地点で行進ははばまれたが、それでもなお多くの労働者が、なかには子どもづれで、冬宮広場にむかっていた。ネフスキー大通りは、冬宮広場につながる幅六〇メートルの目抜き通りで、午後一時までは日曜日もこの大通りは多くの市民が自由に往来していた。そのなかを、労働者は広場にむかって群衆とともに進んだ。

冬宮前には、かなりの部隊が配置されていた。大砲ももちこまれていた。広場につながるアレクサンドル御苑の柵には、はやめについた労働者が腰をかけている。木によじのぼって広場を眺めている子どももいる。だれもが、つくはずのないガポンを、そして、あらわれるはずのない皇帝を、知らずに待っている。

午後二時まえ、いよいよ軍隊はこの御苑前の群衆を追いだしにかかった。だが、群衆はひきさがらず、兵士たちにむかって口々にさけんだ。

「撃つなら撃ってみろ！　解散なんかしないぞ！」

「おまえらだって勤務が終われば、おれたちと同じひどいくらしにもどるんだぞ！」

「日本人からは退却しても、同じロシア人は撃つというのかっ！」

ナルバ門での発砲のうわさは伝わっていた。だが、群衆は、兵士がほんとうに発砲するとは思っていなかった。

海軍本部の時計塔から、二時を知らせる音が流れた。あたりが静まりかえり、だれもが息をつめた。その沈黙を破ってラッパが三回なった。なり終わったとたん、近衛(このえ)連隊の兵士の銃声が、広場の空気をするどくひきさいた。

柵に腰かけていた男のからだが、ガクッと前にのめった。撃たれたからすのように、木から子どもがおちた。冬宮前の広場と御苑前の白雪に、血がみるみるうちににじんでいった。

その後数時間、軍隊は大小の街路、広場から群衆を追い立て、ときおり、発砲した。騎兵はパトロールして進んだ。群衆は兵士にくってかかりながらも、なすすべもなく後退した。ただ、バシリエフスキー島の四番通りとガポン組合支部の前には、バリケードがきずかれた。その上には「専制打倒」と書かれた大きな赤旗が立てられた。だが、これも午後五時すぎ、兵士たちに打ちたおされた。

一九〇五年一月二十二日、この「血の日曜日」の行進に参加したものの総数は、おそらく六、七万人。死傷者数は正確にはわからないが、四〇〇〇人はくだらないだろうといわれる。

この日、皇帝はツァールスコエ゠セロの離宮におり、冬宮広場に血が流れている時間に、お茶を飲んでいた。請願書は、もちろん読んではいない。

ガポンは労働者に変装し、ゴーリキーの家に身をかくした。そして、つぎの手紙を書いた。

「同志諸君！　ロシアの労働者諸君！　われわれにはもうツァーリはいない。今日、ツァーリとロシア人民とのあいだに、鮮血の川が流れた。ロシアの労働者が、ツァーリぬきで人民の自由のための闘争をはじめるべき時がきた。」

全土にひろがる革命

「血の日曜日」のニュースは、スイスに亡命しているロシアの革命家たちのもとに、ただちにとどいた。レーニンは、一月二十三日、いつものようにジュネーヴの図書館にいく途中で、「ロシアに革命」という朝刊の大きなトップ見出しを見る。ミュンヘンにいたトロツキーは、ジュネーヴに立ちよったところでこのビッグニュースを知る。だれもがみな興奮した。

二六歳の青年トロツキーは考える――蜂起した労働者は武装しなければならない。いや、それだけではだめだ、動揺する兵士たちを自分たちのがわに寝がえらせねばならない。はやくロシアに帰りたい――。

トロツキーはシベリアからの逃亡者で、見つかればもっと重い刑でシベリアにもどされるのはあきらかだったが、二月、ウィーンをへてキエフにはいり、偽名を使って潜伏した。レーニンが帰国するのは、ずっとおくれてその年の十一月である。

この一〇カ月のあいだに、ロシアの形勢はかつてない激動をみせた。

「血の日曜日」以後約ひと月で、それまでの一〇年分のストライキ参加者総数をうわまわる、四〇万の労働者が全国で抗議のストライキをおこなった。二月にクルスク県で農民の暴動がはじまり、年末まで枯草に火がついたようにひろがっていった。同じ二月、モスクワのクレムリンで、皇帝の叔父セルゲイ大公が社会革命党員に暗殺される。自由主義者たちさえ、時の勢いで改革の声をあげだす。政府は、これらすべての運動に弾圧という高姿勢でのぞんだ。

しかし、日露戦争の形勢が不利になってきた。旅順陥落につづき、三月上旬の奉天(ほうてん)会戦で、三二万のロシア軍は死傷者約九万、捕虜二万余名をだして大敗した。さらに五月二十七日、バルチック艦隊が日本海海戦で壊滅した。ニコライ二世はようやくアメリカ大統領・ドイツ皇帝のすすめにしたがい、日本との講和交渉に同意した。

それからひと月のちの六月二十七日、こんどは兵士が反乱をおこした。黒海艦隊の戦艦ポチョムキン号の水兵が、あまりの食事のそまつさに怒り、士官を殺して艦を占拠した。ポチョムキン号のマストには赤旗がひるがえり、一〇日間は人民の軍艦であったが、食糧と燃料がつき、ルーマニアの港にはいって降伏した。

ガポンはどうしていただろうか。彼は一月中にジュネーヴに亡命し、ロシアのすべての革命的党派が、協力しあって専制政治打倒の武装蜂起にとりかかるよう、公開状でうったえた。ボリシェヴィキのレーニンはこれを歓迎し、「分かれて進むものが、ともに撃つべき時がきた。」と書いた。社会革命党も同意したが、メンシェヴィキは、今はその時ではない、と消極的であった。

ジュネーヴには、ポチョムキン号の反乱を指導した水兵マチュシェンコが亡命してきた。ガポンは、自分と同じ農民出身のマチュシェンコとはすぐ気があって親しくなった。ふたりに共通する「土地は神のもの、人民全体のもの」というロシア農民に固有の考えをのべて、レーニンともよく議論した。

同じジュネーヴに亡命中の、メンシェヴィキの指導者プレハーノフは、ガポンにつめたかったが、レーニンは、労働者をあれほど強くひきつけて動かしたガポンに、まじめに、あたたかく接した。レーニンの妻クルプスカヤによれば、それまで農民のことはあまり知らなかったレーニンが、ガポンとの交際によって、農民もまた大きな革命勢力だということを知ったという。

ガポンは、首都にのこったガポン組合の幹部に国外から送金したりしたが、筋金いりの革命家たちのようには、きびしい亡命生活に耐えられず、九月ふたたびロシアにもどった。

ロシア政府は、九月五日、日本との講和条約に調印すると、全力をあげて国内の革命運動と対決するかまえをみせた。しかし、十月にはいると、労働者の空前のゼネストが政府の両ほおをひっぱたいた。

まず、モスクワ＝カザン鉄道の労働者が十月十九日の夜からストライキにはいると、鉄道全体にひろがって輸送が完全に麻痺状態になった。八日後、モスクワ全市の工場・郵便・電信・銀行・学校などがストライキにはいった。同じ日、同じことがペテルブルクでもはじまった。この二つの都市だけではない。ハリコフ、スモレンスク、サマラ、ミンスクと、多くの都市にもストライキはひろがった。ストライキの要求の中心は、八時間労働制と普通選挙による憲法制定会議の召集であった。八時間労働制の要求は、まだ一〇時間労働制も完全には実現していない西ヨーロッパ諸国の先進的な労働運動にたいする、おくれていたロシアからの、だいたんな挑戦であったといえるだろう。

この労働者の闘争を指導する組織はソヴィエトであった。ソヴィエトは、一定の割合でえらばれた労働者代表の会議のことで、バルチック艦隊完敗の翌日の五月二十八日、イバノボ＝ボズネセンスク市で組織されたのが、ロシア史上最初のことである。

十月、モスクワにもペテルブルクにもソヴィエトがうまれた。ペテルブルク＝ソヴィエトの代議員は五〇〇人前後であるが、ここに、潜伏中のトロツキーがすがたをあらわし、みごとな演説で影響をひろめだす。

政府は狼狽した。ポーツマス講和会議から帰国したウィッテが大臣会議議長に任命され、彼が起草した宣言書に皇帝が署名し、十月三十日、基本的人権の承認、議決権をもつ国会の設立などが公約された。この「十月宣言」は、自由主義者たちを反政府運動の戦列からおりさせるのがねらいであり、事実、そのとおりになった。

しかし、これに抗するように、トロツキーは、ペテルブルクの群衆を前に熱弁をふるう。

「市民諸君！　われわれの力はわれわれ自身のうちにひそんでいるのだ。われわれは剣を手にして自由をまもらねばならない。しかし、ツァーリの証書などは……見たまえ！　こんなものは一片の紙切れにすぎないのだぞ。今日はわれわれに自由があたえられたが、明日はそれがうばいさられるに相違ないのだ。」

「十月宣言」ののちも、反乱・蜂起はつづいた。レーニンはそのさなかに帰国した。政府は極東から軍隊を移動させ、その力も使って年末までにほぼ革命運動をねじふせた。ペテルブルク＝ソヴィエト議長となったトロツキーは逮捕され、レーニンは追及の手をのがれてフィンランドにさった。

いっぽう、ガポンは、労働運動が革命党派によって指導されるようになると、これに反発して、しだいに政府との取引におうじるようになった。

こうして、「血の日曜日」からまる一年がすぎた。あの日ガポンをたすけてにげたルーチェンベルクは、社会革命党にくわわっていた。ガポンは、内務省警保局次長との約束で、ルーチェンベルクに転向と内通をすすめた。それを知らされた社会革命党は、一九〇六年四月十一日、ルーチェンベルクを使ってガポンをおびきだし、殺害した。五月十三日、死体が発見された。

葬儀に参列した二〇〇人あまりの労働者は、労働歌『同志はたおれぬ』を歌ってガポンの死をいたんだ。

危機を切りぬけた政府は、一九〇七年からきびしい反動政治を一〇年にわたって強行した。だが、一九一七年、ペテルブルクでまたも革命の火がふいた。そして、三月に専制政治はたおされ、十一月にソヴィエト政権が樹立される。一九〇五年の革命は、まさにそのための予行演習であったことがあきらかになるだろう。

19

1914年・夏
第一次世界大戦

第一次世界大戦前夜のヨーロッパ各国はどのような状況にあったのだろうか

日露戦争後、英・仏・露は三国協商を結成し
独・墺・伊の三国同盟と対抗、
強国間の軍事衝突の危険が増大した。
民族紛争のつづくバルカン半島では、
オーストリアの進出にセルビアが反発し、
一九一四年六月
セルビアの青年が
オーストリア帝位継承者暗殺事件をおこした。
社会主義者の反戦平和運動も効果なく、
一カ月後
世界大戦に発展した。

二つの暗殺事件――サライェヴォとパリ

「ちがう、通りをまっすぐいけ!」

オープンカーの左がわのステップに立っていたボスニア総督が、運転手をどなった。運転手は右にまがりかけていた車をあわててとめ、バックしようとした。

その瞬間、まがり角の人ごみのなかから、するどい金属音があたりの空気をつんざいて、銃声が一発、もう一発となった。車のなかで、オーストリア帝位継承者フランツ＝フェルディナント大公夫妻が、折りかさなってくずれた。車は左に半廻転すると、フルスピードで直進した。病院についたが、ほとんど同時に大公妃ゾフィーは絶命し、その一五分後には大公も息をひきとった。午前十一時半ごろであった。

一九一四年六月二十八日、ボスニア州(当時はオーストリア領、今はボスニア・ヘルツェゴヴィナ領)の首都サライェヴォでの惨劇であった。

この日は日曜日で、天気は快晴、サライェヴォの町は、オーストリア帝位継承者夫妻のはじめての訪問ということで、駅から市庁舎につうじるアッペル＝ケー通りの沿道は、朝から市民でうずまっていた。だが、この群衆にまじって、六人の暗殺者が配置されていた。彼らはみなセルビア人であった。

セルビアは中世にはバルカン半島の大国であった。十四世紀のすえにオスマン帝国にほろぼされ、一八七八年にようやく独立を回復した。セルビア国王や貴族たちの望みは、同じスラブ人の土地であるボスニアとヘルツェゴビナを併合して、むかしのような大セルビア王国を建設することであった。

ところが、オーストリアが一九〇八年、この二つの地方を併合し、セルビアの望みをたった。これに憤慨したセルビア軍の青年将校たちは、「黒い手」(正式の名は「結合か死か」)という秘密結社をつくって、反オーストリア運動をおこした。六月二十八日の六人の暗殺者たちは、その一味であった。

帝位継承者フランツ＝フェルディナントは、オーストリア皇帝の甥で五〇歳。この日は、ボスニア地方でおこなわれた陸軍大演習を監督したあと、首都サライェヴォを視察するため、午前十時、特別列車でサライェヴォ駅についた。オーストリア人のボスニア総督や随員が帝位継承者夫妻にしたがったが、オーストリア軍の警備はなぜか手薄であった。

夫妻は、市長が用意した幌つきオープンカーにのって、ミリャチュカ川ぞいのアッペル＝ケー通りを市庁舎にむかった。車がキュミリア橋のたもとまできたとき、歩道からひとりの青年が飛びだし、車をめがけて爆弾を投げた。運転手がとっさにアクセルを強くふんだので、爆弾は車のうしろの幌にあたって車道におち、大音響をあげてさく裂した。

このため後続車が大破し、随員三人と歩道の市民十数名が大けがをした。犯人はすぐつかまり、六人の暗殺者のひとりカプリノビッチという一九歳の植字工であることがわかった。

憤然とした大公は、市庁舎での歓迎会には出席したものの、市民の視察は中止し、負傷者の見舞いにいくといってふたたびオープンカーにのった。

はじめの予定コースは、さきほどの通りを途中で右折し、フランツ＝ヨーゼフ街（オーストリア皇帝の名）へでるはずであった。それが、右折せずに直進すると変更されたことを、手ちがいで運転手に知らされていなかったのである。

こうして、運命のまがり角で、ブローニングの短銃からはなたれた二発の弾丸が、帝位継承者夫妻の生命をうばうことになった。

犯人は、暗殺者の一味でやはり一九歳のガブリロ＝プリンツィープという学生であった。彼はその場でピストル自殺をはかったが、とりおさえられて失敗した。プリンツィープは四年後、禁固二〇年の刑に服していたオーストリアの監獄で、肺結核のために死ぬ。自分のはなった二発の銃弾によって世界大戦にまで歴史がはしってしまったことを、彼がどう思っていたかはさだかでない。

それからひと月あまりあとの七月三十一日夜のパリ——。

モンマルトル街のカフェ＝クロワッサンで、午後九時すぎ、フランス社会党の幹部ジャン＝ジョレスが、社会党議員や党の機関紙『ユマニテ』（今は共産党機関紙）の幹部と夕食をとっていた。

このひと月のあいだに、ヨーロッパの形勢は、ドイツ・ロシア、それにフランスも巻きこんだ大戦争に発展する気配が濃くなった。フランス政府は明日にでも総動員令をくだすらしい。戦争に強く反対しているジョレスは、この日にわかに緊張してきた政局に対処するため一日中動きまわり、すこしおそめの夕食を党の指導者ととっていた。

九時半ごろ、タイヤがパンクしたような、短いかん高い音がつづけざまに二度なり、通りに面したガラス窓と室内の鏡がくだけた。ほとんど同時に、レザー＝クロスの長椅子に腰かけていたジョレスが、ガクッと横むきにたおれた。ナプキンに血が染まった。ちかくにいた婦人の悲鳴。室内のものが総立ちとなり、「医者をよべ！」「はやく警察に！」のさけび声。

外科医がきた。カフェの前はたちまちのうちに人だかり。犯人はすぐ捕えられて警官に引きわたされた。カフェの外の歩道から打ちこまれたピストルの弾丸はジョレスの頭部に命中し、ジョレスは意識がもどらないまま数分後に死んだ。

電流のようなはやさで、事件のうわさが町をかけぬけた。集まってきた群衆は、警官隊にさえぎられて遠巻きにカフェをかこみ、不安なまなざしをむける。警視総監やセーヌ県知事をのせた二台のタクシー、兵士をのせた数台の箱自動車、鈴の音をひびかせた病院馬車があいついでつく。一〇分以上たって、ジョレスの遺体をおさめた白い柩が病院馬車に運ばれ、株式取引所のほうにむかって動きだした。群衆はざわめき、そのなかから「ジョレス万歳！　ジョレス万歳！」の声があがった。

翌八月一日、パリ市内には、ビビアーニ首相の名で、重大な政局にあたり冷静と一致団結の模範をしめすように、との市民への布告がはりだされた。そして同日午後三時五十分、政府は総動員令を発した。その五分後、ドイツも総動員令を発した。

ジョレスを撃った犯人は、ラウル＝ビレンという国家主義の熱にうかされた青年であるが、裁判は大戦後まで延期され、結局、無罪となる。

開戦まで

二十世紀の幕があいたときから、バルカン半島には、戦争のきなくさい臭が立ちこめていた。すでにオスマン帝国から独立していたギリシア、セルビア、モンテネグロ、ルーマニア、および、一九〇八年トルコから独立したブルガリアの各国は、まだバルカンにのこるオスマン帝国の領土をうばいかえそうとした。そして、実際に、一九一二年、これらの国ぐにとオスマン帝国が、また翌年には、オスマン帝国領の分割をめぐりブルガリアと他の国ぐにとが、バルカン戦争をおこした。

この紛争を利用して地中海への進出をはかろうとするロシアは、セルビアに味方した。オーストリアはセルビアの発展をおそれており、一九一四年六月には、セルビアに無警告で軍を進める意志をかためていたほどであった。だから、サライェヴォ事件は、セルビアをたたく絶好の口実となったのである。

オーストリア政府は、七月五日、ドイツ皇帝ヴィルヘルム二世のもとに特使をおくった。攻守同盟をむすんでいるドイツの援助が、確実にえられるかどうかをたしかめるためである。

皇帝も、首相のベートマン＝ホルベークも、国内に革命の火種をかかえるロシアに、武力でセルビアをたすける用意はできていないと楽観して、オーストリアへの援助を約束した。皇帝は翌日、恒例の夏のヨット旅行にでかけ、以後二三日間は海上にあった。

この期間に、オーストリアは強硬方針を決定した。それは、サライェヴォ事件にセルビア政府が関係しているという証拠が集められなかったにもかかわらず、セルビア政府が謝罪し、いっさいの反オーストリア活動の弾圧と、事件関係者の裁判のための捜査に、オーストリアが参加するという要求である。四八時間の期限つき回答をもとめるこの最後通牒が、七月二十三日午後六時、セルビア政府に手わたされた。

翌日、セルビア政府はロシアに外交上の援助をもとめた。ロシアは、皇帝ニコライ二世も出席して会議をひらき、軍事行動をおこさなければならないとしてもセルビアを支持することをきめた。このロシアからの回答に勇気をえたセルビアは、オーストリアの要求のほとんどを認めたが、独立国セルビアの主権をおかす前記の司法権への介入の二項目は拒否した。

オーストリア公使は、四八時間の期限が切れる七月二十五日午後六時の二分まえ、セルビアの回答を受けとった。そして、要求すべてが受けいれられてはいないのを知ると、本国からの訓令にしたがい、かねて用意してあった通告書をおくりだし、午後六時半の急行列車にのって、セルビアの首都ベオグラードをさった。

国交は断絶した。両国はともに動員令をくだし、開戦は時間の問題となった。

オーストリアの同盟国ドイツでは、皇帝不在のなかで参謀本部の開戦論が優勢となった。戦争をオーストリア・セルビアの二国間にとどめ、短期間にかたづけようという意図である。だが、ロシアの軍部も開戦のコースをはしっていた。戦争がオーストリアとセルビアの二国に限定される保証はどこにもなかった。

すでにロシアとフランスは、一八九四年いらい軍事同盟をむすんでいる。ロシアがセルビアをたすけて参戦すれば、ドイツとの開戦はさけられず、その結果、フランスをこの戦争に巻きこむであろう。フランス、ロシアと三国協商をむすんでいるイギリスは、七月二十六日、エドワード＝グレー外相が戦争回避のための国際会議をうったえた。しかし、各国ともすでに臨戦態勢をとっており、この提案は不成功に終わった。

二日後の七月二十八日、サライェヴォ事件からちょうどひと月め、オーストリアはセルビアに宣戦した。

オーストリアの最後通牒の期限日である七月二十五日、ドイツ社会民主党の機関紙『前身（フオアウエルツ）』には、こう書かれた。

「フランツ＝フェルディナントおよび同妃が一狂漢の撃った弾丸によって血潮を流したために、何千という労働者と農民の血潮が今まさに流されようとしている。この狂漢のおかした罪は、さらにいっそう狂的な罪悪によっておおわれようとしている。」

また、同党中央委員会は、

「横暴なるオーストリア国の野望のために、わがドイツ軍は一滴の血といえども流すべきではない。」

と声明した。

当時、ドイツ社会民主党は、国会でも第一党の座を占めるヨーロッパ最大の社会主義政党であった。そして、この党を中軸とする各国の社会主義政党の国際組織、第二インターナショナルは、これまでも何回か、せまりくる戦争の危機にたいして反戦決議をだし、政府が平和外交をとらざるをえないように、各国の労働者階級が足なみをそろえて共同行動をとるべきだ、とうったえてきた。しかし、ついに戦争をはばむことができなかった。

七月二十九日、ベルギーのブリュッセルで、第二インターナショナル事務局の緊急臨時会議がひらかれた。二日後には命を失うことになるフランス社会党のジャン＝ジョレスはこうのべた。

「われわれの任務は、ドイツの同志諸君のばあいよりも、はるかに容易なものだ。われわれはフランスに平和を強制する必要はない。国そのものが平和を要望しているからだ。わたしは厳粛に宣言する。フランス政府はこの瞬間にも平和を欲している。」

この事務局会議は、第二インターナショナルの緊急大会を、八月九日パリでひらくことを決定した。

だが、政治の急流のほうがはるかにはやかった。

セルビア社会民主党は、オーストリアの侵略は非難したが、この侵略のゆえに戦争を支持することは、党の社会主義の立場を否定するものだとして、政府支持を拒否した。しかし、オーストリア社会民主党は、七月二十九日にはすでにセルビアとの戦争を支持することをきめていた。

ロシアでは、社会民主労働党の国会議員一一人全員(ボリシェヴィキ五人、メンシェヴィキ六人)が戦争に反対し、軍事予算への賛成を拒否した。ドイツ社会民主党の態度は、日ごとに消極的となり、国会に軍事予算が上程されたら、だんじて投票しないという申し合せも、八月三日には否決されることになる。

七月三十日午後六時、ロシアは総動員令をくだした。翌日、ドイツはフランス政府に、ロシアとの開戦に中立をまもるか否かを、一八時間以内に回答するよう要求した。いっぽう、ドイツ社会民主党の代表が、ジャン＝ジョレスと戦争反対の意志を具体的なかたちであらわす手段について協議するため、あわただしくパリにむかった。

だがその日の夜、ジョレスはこの代表との協議を待たずに、カフェ＝クロワッサンで殺された。

八月三日、ドイツがフランスに宣戦布告。ジョレスの死は、フランス国民の愛国感情で清められる結果となった。

開戦の日のヒトラー

一九一四年八月一日、ミュンヘンのオデオン広場は、ロシアにたいするドイツの宣戦布告を、熱狂して支持する群衆でうずまっていた。その群衆のなかにまじって、燃えるような目つきで、演説する人を見つめている青年がいた。髪を右から左へきちんと分け、高いカラーのシャツにネクタイをつけた、身なりに気を使った青年である。その青年の名はアドルフ゠ヒトラー。後年の独裁者の、第一次世界大戦勃発の日のアリバイである。

ヒトラーは、この日の感情を、のちに『わが闘争』(一九二五年)のなかでこう書く。

「わたし自身には、この数時間は、さながら腹だたしい青年時代からの救いのように思われた。嵐のような感激に圧倒されて、思わずひざをつき、あふれんばかりの心で天に感謝した。今日でも、それをいうのを恥じない。」

ヒトラーはオーストリアのブラウナウに生まれ、このとき二四歳。前年の五月、ウィーンをのがれてミュンヘンにきた。オーストリアでの兵役を忌避するためである。

下級官吏の子に生まれ、リンツの高等学校を落第して学校をやめたヒトラーは、画家になるつもりで一九〇七年ウィーンにでた。しかし、造形美術大学絵画科の試験を二度失敗したあと、浮浪者収容所・独身者合宿所などを転々とし、スケッチなどをえがいて売る生活を数年おくった。

一九一〇年には徴兵検査を受けねばならなかったのに、ハンガリー人やチェコ人などいろいろな民族がいりまじるオーストリアの軍隊にはいるのをきらって、住所をわざとくらまし、そのあげくミュンヘンへにげこんだ。

ミュンヘンの下宿先は、シュライスハイマー街三十四番地の仕立屋ポップの家である。「無国籍者」と市にはとどけ、あいかわらずスケッチ・ポスター・広告図案などをえがいて売った。月平均一〇〇マルクの収入は、部屋代と食費をはらっても三〇マルクぐらいはのこる、なみのくらしぶりであった。ヒトラーの夢は建築家になることであった。だが、大学へはいかず、友人もなく、成功はおぼつかなかった。そのうえ、読みふけったパンフレットや本などの影響で、かたよった反ユダヤ思想や誇大なドイツ民族主義の感情を高ぶらせていた。また、規律ある生活のきらいなかれは、社会民主党や労働組合などを体質的にも受けつけなかった。こんな流れ者のヒトラーが、バイエルン州の首都ミュンヘンで、まともな社会的地位をえられる見通しなど立つわけもなく、不安がつねにまといついていた。

そんなヒトラーに救いとなる予感が、戦争であった。二カ月ほど同室に住んでいたグライナーに、ある日、将来の計画を聞かれてこう答えている。

「いずれちかいうちに戦争がはじまるのだから、以前になにか職についていたかどうかは、まったくどうでもいいことになる。だって、軍隊では、社長だってプードル犬の毛を刈る男と、べつにちがいはしないものな。」

兵役忌避者ヒトラーがついに逮捕されたのは、一九一四年一月十八日の日曜日である。オーストリア警察の依頼を受けたミュンヘン警察が、仕立屋ポップの家にあらわれた。兵役忌避の罪は軽くはない。ヒトラーは連行された領事館でひたすら弁明し、ドイツとオーストリアの国境にあるザルツブルクで、なんとか特別に徴兵検査を受けさせてもらえた。

二月五日、検査の結果、「身長一七五センチ、筋骨はなはだ薄弱、正規軍務・補助勤務とも不適。不合格」と判定され、これにヒトラーは署名した。以上の事実を、ヒトラーは最後までひたかくしにかくした。

またミュンヘンにもどり、いつもの生活がくりかえされた。六月二十八日、故国オーストリアの帝位継承者夫妻がセルビアの青年に暗殺されたと知り、「はかりしれない運命の復讐に軽い戦慄をおぼえた」(『わが闘争』。)そして、「天よ、もはやとどめえない運命を、その好むところにまかせたまえ、と念ずる気持になった。」(同上)

八月一日、オデオン広場のヒトラーは、待っていた時間がついにきたことで、胸をあつくした。同じ日、ベルリンでは、王宮のバルコニーにヴィルヘルム二世があらわれて、

「戦争がはじまれば、すべての政党はなくなり、われわれはみな同胞となる。平和な時代にあれこれの政党が余を攻撃した。だが、いま余は、彼らを心からゆるす。」

と、カイゼルひげをふるわせて演説した。

八月三日、ドイツ社会民主党の国会議員総会は、五〇億マルクの軍事予算に賛成することを絶対多数で決定した。この戦争は、ロシアの専制主義を打倒するための戦争であるとみなしたからである。

翌日、国会で党議員団団長のフーゴ＝ハーゼは、この非常時のもとで、社会民主党は階級闘争を停止し、戦争に協力するとのべた。軍事予算の採決には、党議員全員が賛成起立した。ただ社会民主党の議員のなかでもカール＝リープクネヒトひとりだけが同年十二月の第二回戦時公債に反対した。彼は一九一六年になってローザ＝ルクセンブルクらと一緒にスパルタクス団(のちのドイツ共産党)を結成し、反戦・革命運動を展開した。いっぽう、フランスでは、ジョレスを失ったフランス社会党議員全員が、国防予算に賛成した。

八月三日、ヒトラーは、国籍はオーストリアだがバイエルン連隊に志願兵としていれてほしい、とバイエルン王ルードウィヒ三世に直訴した。翌日にはもう回答がとどいた。ふるえる手で開封すると、バイエルン第十六予備歩兵隊に出頭せよ、とあった。この連隊は、大学生やインテリが比較的多い連隊であった。ヒトラーが「わが生涯における、もっとも忘れがたい、もっとも偉大な時」と名づける一九一四年八月が、こうしてはじまった。

数日のあいだ、ドイツのいたるところで、路上といわず広場といわず、集まった人びとは、興奮しながら一つの歌を歌った。

ドイッチュラント／ドイッチュラント／ユーバー　アルレス／ユーバー　アルレス／イン　デ

アベルト……

（ドイツよ　世界のすべてに冠たるドイツよ）

ホフマン＝フォン＝ファラースレーベン、ながいあいだ認められなかったあの三月革命時代の自由主義者の歌であった。ハイドンの弦楽四重奏曲『皇帝』のなかの旋律にあわせて歌われるこの歌は、勝利への幻想に酔うドイツ国民の斉唱をとおして、ほんとうの国歌となったといえるだろう。

このときはまだ、だれにも知られずにいた。戦争が四年以上もつづき、やがて革命と敗北とが、ドイツ帝国の国民を、あるものには新生に、あるものには奈落の底にむかわせることになる、ということを。

八月四日、イギリスもまた、ドイツが中立国ベルギーをおかしてフランスに侵入する行動をとったことを理由に、ドイツに宣戦した。イギリスの外相グレーが、その前日友人に語ったつぎの言葉は、一つの時代の終わりの象徴でもあった。

「光がヨーロッパから消えていく。もはやわれわれの生涯のあいだ輝くことはないだろう。西欧は夜のなかに沈んだことを感じた。」

20

大韓独立万歳
朝鮮三・一独立運動

現在の韓国の憲法にも記載されている三・一運動とは
どのような意義をもつ運動だったのだろうか

日本と朝鮮は江戸時代
友好関係にあったが、明治政府は大陸進出をめざし
朝鮮の開国と植民地化に着手した。
日清・日露両戦争により、
清とロシアをしめだしたあと、三次の日韓協約で
朝鮮の主権をうばい、
一九一〇年ついにこれを併合した。
苛烈な憲兵政治に朝鮮人民の怒りが
爆発し、一九一九年
三・一独立運動がひろがった。
日本はこのあと「武断政治」をゆるめて
「文化政治」と呼ばれる同化政策に転換する

立ちあがった朝鮮留学生

一九一八年(大正七)も暮れようとする十二月二十九日、東京の明治会館で、朝鮮人留学生数百人が忘年会をひらいた。その翌日には、神田の朝鮮YMCA会館で、留学生の雄弁大会がひらかれた。忘年会・雄弁大会という名称は、日本の官憲による弾圧・妨害をさけるためで、じつは、この集会で留学生たちは、日本からの独立問題を熱っぽく論じあったのである。

日本の当局は、これらの留学生のうち指導的な人物をマークし、ひとりにつき三人ないし五人の尾行をつけていた。彼らの言動を内偵した当局の記録から、このころの留学生の思想が浮かびあがってくる。

たとえば、徐椿(ソチエン)(二五歳、東京高等師範学校生)は、こうのべていた。

「今回ノ戦争モ各国トモ正義人道ヲ主義トスルモ之(コ)レ表面ノ言辞(ゲンジ)ノミ、若(モ)シ米国ノ主義ニシテ真ノ正義人道、自由平等ナリトセバ何故(ナゼ)ニ比律賓(フィリピン)ヲ独立セシメザルヤ、英国ニシテ真ノ正義人道ヲ説クトセバ何故(ナゼ)ニ印度(インド)ヲ独立セシメザルカ」

「今日ニ於(オイ)テ我青年同胞中ニハ米国大統領ノ宣言ヲ尊重シテ民族自決主義、正義人道、自由平等ヲ口ニシテ得々(トクトク)タルモ之(コ)レ誤レルノ甚(ハナハダ)シキモノトス」

この発言は、まったく正しかった。

前年の一九一七年十一月、ロシア革命が成功した。レーニンを首班とするソビエト政権は、ただちに「平和についての布告」を発表し、無償金・無併合・民族自決の原則で第一次世界大戦を中止することをうったえた。これを受けたアメリカ大統領ウィルソンは、翌一九一八年一月、「十四カ条」を発表し、講和は、民族自決――各民族はそれぞれの運命をみずから決定する権利をもつ――の原則に立ってむすばれるべきだ、とした。

大戦はなおつづいたが、十一月、ドイツに革命がおこり、帝政がたおれ、共和国政府が成立して連合国との休戦条約に調印した。四年余にわたる世界大戦がようやく終わり、一九一九年一月パリで講和会議がひらかれることが決定した。また、東ヨーロッパでは、ポーランド、チェコスロヴァキア、ハンガリーなどがつぎつぎに独立した。

このような情勢のなかで、在米朝鮮人(二〇〇〇人以上いた)のあいだに朝鮮独立への動きがおこり、講和会議に代表を派遣しようと決議し、運動資金を集めだした。東京の留学生たちは『ジャパン＝アドバタイザー』(英字新聞)や『東京朝日新聞』にのったこれらの小さな豆記事を、けっして見のがさなかった。ウィルソンとアメリカ合衆国は、独立をもとめる朝鮮人にとって、希望の星と見えた。また、このころアメリカから呂運弘(ロウンホン)が東京にきて、同胞の独立運動の動きをじかに伝えてくれたから、民族自決の確信はさらにかたまった。

十二月末の集会は、こういう事情を背景にしてひらかれた。

だが、ウィルソンのいう民族自決は、徐椿が見ぬいたとおり、「表面上ノ言辞」にすぎなかった。アメリカ政府は、民族自決の原則は、東ヨーロッパの領土問題の処理にかぎって適用するもので、戦勝国がわの植民地問題にはあてはまらないとし、パリ講和会議に参加しようとした在米朝鮮人の民族代表に、旅券をだすことを許可しなかった。

代表派遣の動きは、上海の亡命朝鮮人のあいだにもおこっていた。新韓青年党の総務呂運亨（ロウンヒョン）は、講和会議で朝鮮の独立問題がとりあげられる可能性はうすいということを、評論雑誌主幹ミルナードから聞いてはいたが、とにかく、請願書をもたせて金奎植（キムギュシク）をパリへ派遣した。あわせて、上海にきたウィルソンの特使クレインに託して、「韓国独立に関する要望書」(英文二通)を、講和会議とウィルソン大統領におくった。しかし、どちらもなんの反応もなかった。

東京で集会をひらいたのは、留学生の組織である学友会で、その中心になったのは李光洙（リグワンス）(二四歳、早大哲学科生)である。李は、世界大戦がおわったときちょうど北京に滞在していた。北京には、大戦中日本におしつけられた二十一カ条要求を廃棄し、完全な独立をかちとろうとする中国人の熱気がみなぎっていた。

この熱気を肌で感じ、自分も祖国の独立運動をおこさなくては、と自覚した李は、十一月東京にもどると、同志をつのった。崔八鏞（チエバルヨン）(二七歳、早大政経科生)を中心に、徐椿のほか金喆寿（キムチヨルス）(二四歳、慶大理財科生)、尹昌錫（ユンチヤンソク）(三一歳、青山学院生)ら八人が李のまわりに集まった。

年があけて一九一九年一月六日、雄弁大会が再開され、独立運動をすすめる実行委員一一人を選出した。八人はそのなかにえらばれた。当局の監視と圧迫は強まったが、委員はひそかに会合をくりかえし、つぎのことをきめた。

——独立宣言書をつくって、二月八日に留学生大会をひらきこれを決議すること、これを日本政府、国会議員、各国大使・公使にわたすこと、朝鮮・アメリカ・上海に代表をおくること。

独立宣言書は、文才のある李洸洙が起草し、英訳文もふくめて六〇〇枚印刷された。すでにソウルでも独立運動の計画が進んでいたから、東京とソウルで同時にのろしをあげるため、早大生の宋継白(ソンゲペク)を派遣することにした。宋は、独立宣言を絹の布に書いて学生服のなかにぬいこみ、一月すえソウルへむかった。

二月八日がきた。午後二時、朝鮮YMCA会館に、在京留学生のほぼ全員にあたる約六〇〇人が集まった。会の名目は学友会役員選挙であるが、実行委員の白寛洙(ペクカンス)が途中で「独立宣言大会」にすると宣言し、朝鮮青年独立団の名で独立宣言書を朗読した。宣言は、

「朝鮮青年独立団はわが二〇〇〇万の民族を代表し、正義と自由の勝利をえた世界万国のまえにわが独立を期成せんことを宣言する。わが民族は四三〇〇年のながい歴史を有し、世界最古の民族の一つである。」

という文章ではじまった。以下、日露戦争以降日本が韓国にたいしてとってきた暴虐ぶりを糾弾し、

ながい宣言書をつぎのようにむすんだ。

「たとえ多年の専制政治の害毒と境遇の不幸がわが民族の今日をまねいたものであるにせよ、今日より正義と自由とにもとづく民主主義的先進国の範にしたがい、新国家を建設するならば、わが建国いらいの文化と正義と平和を愛好するわが民族は、かならずや世界の平和と人類の文化にたいし貢献するであろう。

ここにわが民族は日本および世界各国にたいして自決の機会をあたえることを要求する。もしその要求がいれられなければ、わが民族はその生存のために自由な行動をとり、わが民族の独立を期成せんことをここに宣言する。」（朴慶植氏訳による）

この独立宣言書と決議文は、熱狂のうちに可決され、「大韓独立万歳」の声が会場をゆるがした。まもなく西神田警察署の警官隊があわててかけつけ、乱闘となり、司会の崔八鏞ほか数十人が検挙された。

しかし、留学生たちはなんど弾圧を受けても屈服せず、二月いっぱい運動をくりかえした。これが、朝鮮総督府の武断政治に苦しむ朝鮮人民への強い刺激となり、三月一日からの全民族的な独立運動へと発展するのである。

ふたたび反日義兵闘争

日本が「韓国併合」を強行したのは、一九一〇年八月二十二日であった。かつて十六世紀のすえ、豊臣秀吉は朝鮮侵略に失敗し、伏見城で死んだ。それから約三二〇年後、ついに日本は朝鮮を植民地にした。

統監寺内正毅(まさたけ)は統監邸で祝宴をひらき、得意になってつぎの一首をよんだ。

　小早川加藤小西が世にあらば
　　今宵の月をいかに見るらん

同席した小松緑がこれに唱和した。

　太閤を地下より起こし見せばやな
　　高麗やま高くのぼる日の丸

このような歌とはまったく対照的だったのが、石川啄木のつぎの歌である。

　地図の上
　朝鮮国にくろぐろと
　墨をぬりつつ秋風を聞く

石川啄木は、日本政府による「韓国併合」を、悲しく辛い思いをもって受けとめた、数少ない日本人であった。
江戸時代には、日本と朝鮮はともに鎖国政策をとってはいたが、友好的な外交関係をむすび、朝鮮通信使が一八一一年までに一二回来日した。幕府の儒学者は、随行した朝鮮の朱子学者から教えを受けて、日本の朱子学をきずいた。

ところが、幕末になり欧米諸国のアジア侵略の圧迫が強まると、尊王攘夷論者のなかに、欧米を打ちはらい、朝鮮・中国を攻略すべきだ、と主張するものがあらわれた。長州藩(山口県)の吉田松陰はそのひとりである。倒幕・維新を進めた木戸孝允(桂小五郎)・伊藤博文(伊藤俊輔)ら松陰の弟子たちにとって、朝鮮攻略論は「常識」であった。また、奄美諸島や琉球王国をなが年支配してきた薩摩藩(鹿児島県)出身者も、この点では共通していた。

欧米諸国にみならったこのような膨張意識が、明治初年に「征韓論」を流行させた。岩倉具視、大久保利通らは、内政優先を主張して西郷隆盛らの「征韓論」をいったんはしりぞけながら、その数年後の一八七六年(明治九)、日朝修好条規という名の不平等条約をおしつけて、欧米諸国よりひと足はやく朝鮮を開国させた(一八九七年から朝鮮は大韓帝国と改称)。

以後、日本は外交・貿易で朝鮮に圧力をくわえ、清との支配権の争いから日清戦争をおこした。敗れた清は、朝鮮にたいする宗主権をすてて独立を認めたが、三国干渉後はロシアが朝鮮宮廷内の親ロシア派とむすんで、朝鮮に勢力浸透をはかりだした。

あせった日本がわは、一八九五年十月、駐留軍人・壮士らが公使三浦梧楼(ごろう)の計画でソウルの宮廷に白刃(はくじん)をふりかざしてのりこみ、高宗(コジョン)の妃の閔妃(ミンビ)(反日派)を虐殺して石油をかけ、死体を焼きはらうという、暴挙をおこなった。そのうえで親日派の政権をたてた。

この事件は、目撃した西洋人をつうじて世界に知れわたり、あわてた伊藤博文内閣は関係者を取り調べたが、証拠不十分という理由で全員を無罪にした(三浦は晩年学習院院長になった)。憤激した朝鮮人は、秀吉の侵略のときの抵抗のように、すすんで義兵となり、武器をとって日本勢力の追放と親日派政権の打倒に立ちあがった。

その後、ロシアが朝鮮の動揺につけこんで露骨な干渉をくわえると、日本の軍部や民間人のあいだに対露強硬論が高まり、社会主義者幸徳秋水(こうとくしゅうすい)・堺利彦(さかいとしひこ)、キリスト教徒内村鑑三(かんぞう)らの声はおしつぶされて、一九〇四年日露戦争がおこされた。朝鮮政府は中立を宣言したが、日本は軍事力をたてに第一次日韓協約をむすび、韓国政府の財政・外交に日本人顧問をおいて支配を強化した。

ロシア政府が、国民の反乱によって、一九〇五年戦争を中止すると、日本は、ポーツマス条約で韓国にたいするいっさいの指導権が日本にあることを認めさせ、十一月、伊藤博文が韓国と第二次日韓協約(乙巳(ウルサ)(いっし)保護条約)を強引にむすんだ。

この条約の内容は、韓国の外交権は日本がにぎり、統監府をもうけて内政を指導するというものであったから、皇帝高宗も政府の閣僚も、受けいれるわけにいかなかった。すると伊藤は、王宮を軍隊でとりかこみ、閣議にのりこんで、大臣ひとりひとりに賛否を答えさせた。そして、八閣僚中五人が賛成したとして、係官に国璽(こくじ)(国の正式の印章)をもってこさせて調印させたのであった。

日本政府からの通告を受けたイギリス・アメリカ・フランスなど欧米諸国は、みなこの保護条約の締結を承認した。この条約を新聞ではじめて知った朝鮮人民の怒りはすさまじかった。前首相や駐英公使ら高官が何人も抗議の自殺をし、義兵闘争がいっそうはげしく燃えあがった。

この騒然たる情勢のなかに初代統監として伊藤博文が着任すると、朝鮮十三道に網の目のように日本人警察と憲兵を配置し、反日闘争を鎮圧させようとした。日本人だけでなく、朝鮮人を憲兵補助員として採用し、待遇をよくして情報集めにも役立てた。

王宮内で日本の官吏にたえず監視されていた高宗は、一九〇七年六月、ロシア皇帝ニコライ二世のよびかけで、オランダのハーグでひらかれる万国平和会議に、三人の密使をおくった。保護条約の無効と総監統治の実状をうったえるためである。会議の議長ネフリュードフ(ロシア全権)は、韓国政府あてに事情照会をもとめてきた。その電報をいちはやく読み激怒した伊藤統監は、高宗をなじり、使節派遣の事実はないと返電させた。ハーグ平和会議は訴えをとりあげず、密使のひとりは痛憤のあまり自殺した。

伊藤は、同時に、高宗を退位させ、第三次日韓協約を要求した。伊藤のいいなりになる李完用(イワニヨン)内閣は、原案をしめされてから調印するまで、たったの一日というはやさで、一九〇七年七月二十四日、一字一句の修正もなく承認した。この条約によって、韓国の行政・司法は完全に統監に支配されることになったが、とくに重大なのは、韓国軍隊が解散させられたことである。

八月一日、ソウルの韓国軍約四〇〇〇人(全国では一万余人)のうち、約一三〇〇人の兵士はこの解散に抵抗して日本軍と市街戦をおこなったが、弾薬がつきて敗れた。しかし、ソウルや各地の将校・兵士たちは、武器を手にしたまま義兵軍にくわわったものが多く、義兵闘争は翌年にかけてもっともはげしく展開された。日本軍のひかえめな数字によっても一九〇六年から一一年までに、義兵の戦死者一万七七七〇人、負傷者三七〇六人、逮捕者二一三九人、にのぼっている。

伊藤は、このような朝鮮人民の抵抗を目のあたりにして、家族への手紙に「小生一身上、万一の事これあり候時(そうろうとき)は……」と書いたように(一九〇八年七月一日付)、死の恐怖にたえずおそわれていた。はたして、一九〇九年十月二十六日、韓国皇太子垠(ウン)をつれてはじめての満州旅行にでむいたが、ハルビン駅で安重根(アンジュングン)(三二歳)がはなったブローニング銃の銃弾三発が命中し、六八歳の生涯をとじた。

安は、シベリアで活動していた義兵の指導者である。翌一九一〇年三月二十六日、刑場に立ち、

「わたしはみずから、朝鮮独立のために、東洋平和のために死ぬと誓った。死をどうしてうらもう。」

とのべ、従容(しょうよう)として死についた。

パゴタ(タプコル)公園の嗚咽

伊藤博文の遭難に、多くの朝鮮人が歓喜した。各地で祝賀会がひらかれ、安重根は愛国の烈士としてたたえられた。日本の官憲でさえ、「コレガ類例ニ至リテハ枚挙(マイキョ)ニイトマアラズ。」(朝鮮総督府編『朝鮮ノ保護及併合』)と認めるほどであった。

伊藤の遭難から七カ月あまり後の一九一〇年六月一日、日本の桂太郎内閣は、明治天皇の暗殺計画を立てたとして、幸徳秋水らを容疑者として検挙した。いわゆる「大逆事件(たいぎゃく)」である。逮捕されたもの全国で数百人。あきらかに意図的な、社会主義者にたいする弾圧であった。

このとき押収された秋水の持ち物のなかに、安重根の写真に「秋水題」という署名入りで秋水の漢詩を書きいれた、サンフランシスコ平民社作製の記念絵はがきがあった。その漢詩とはこうである。

舎生取義　生をすてて義を取り
殺身成仁　身を殺して仁をなす
安君一挙　安君の一撃
天地皆震　天地みな震(ふる)う

幸徳秋水は、一九〇〇年『二十世紀之怪物帝国主義』を著わして、ヨーロッパの社会主義者たちよりはやく、かつするどく、植民地化に狂奔する帝国主義の本質を批判した男である。この詩のなかには、朝鮮の植民地化に身をもって抵抗した安重根への共感と、その死への哀悼の心が流れている。
伊藤の屍をのりこえて韓国併合に突き進もうとしていた山県有朋、桂太郎（ともに長州出身）ら日本の支配権力の中枢が、これを批判する勢力を根こそぎ葬ろうと考えなかったはずはあるまい。「大逆事件」の背後にかくされていたと思われるこのどす黒い陰謀を推測するとき、りつぜんたる思いがよぎる。

桂内閣は、五月に、陸軍大将寺内正毅（長州出身）を第三代韓国統監とし（第二代は曾禰荒助で無能であった）、幸徳らを検挙した六月、韓国併合方針を決定した。寺内は、同月韓国警察を廃止し、日本人警官とあわせてこれらをすべて憲兵隊に組みいれた。

このようにして併合反対運動にたいする徹底鎮圧体制をとったうえで、八月二十二日、寺内と李完用両全権とのあいだで、「韓国併合ニ関スル条約」の調印をおこなった。八月二十九日、併合に関する明治天皇の詔勅がだされて、名実ともに日本は、二〇〇〇万人の住む朝鮮民族の国家を併合したのであった。

幸徳秋水らの逮捕と二カ月後のこの朝鮮併合とに、石川啄木は声もなかった。その断腸の思いをもってつづった三十一文字が、あの「墨をぬりつつ秋風を聞く」の絶唱であった。

併合したその日から、二〇〇〇万の朝鮮国民は、筆舌につくしがたい民族的屈辱と辛苦のなかにおかれた。

ソウルにはあらたに朝鮮総督府がもうけられ、結社・集会・言論の自由をいっさい禁じ、憲兵政治を強行した。憲兵の任務は、1諜報の収集、2暴徒の討伐にはじまり、23日本語の普及から29納税勧告まで、あらゆることをふくみ、朝鮮人民の生活のすべては、憲兵の懲罰、拷問の脅迫・実行によって支配されたのである。

「東洋拓殖株式会社」や日本人植民者によって、ぼう大な土地がうばわれた。村をすてて国外へ流亡する農民は、一〇年間で四〇万人にのぼった。朝鮮人による会社の設立は統制され、三井、三菱などの財閥に、鉱業・紡績業などで有利な権利があたえられた。

声もあげられない亡国の悲嘆のなかから、同胞ならびに世界にむけて独立の宣言を発したのが留学生たちであった。宋継白に独立宣言書をもたせて二月八日の同時行動をめざした留学生の工作は、計画どおりにはいかなかった。しかし、ソウルでも独立運動の準備は二月中に急速に進んだ。東京から留学生が郷里へ帰って、そこで運動の組織と計画を組み立てた。

これよりさき、一月二十二日、高宗が急死した。総督府は脳溢血による死去と発表したが、国内にはすぐ毒殺説が流れた。多くの朝鮮人は、今日でも高宗は毒殺されたと信じているし、その可能性は高い。ともあれ、高宗の国葬は三月三日と予定された。

このころ、結社の自由がないなかでわずかに認められていた、民族宗教の天道教(十九世紀末西洋文化に対抗してうまれた「東学」の後身)・キリスト教・仏教の三宗教の指導者たちが、民族自決という世界の世論を背景に、大衆的で非暴力の独立運動をおこそう、とひそかに計画を進めていた。李洸洙や宋継白の働きかけも、この準備に役立っていた。

二月末、三団体から三三人の民族代表がえらばれ、歴史学者の崔南善(チエナムソン)が起草した独立宣言書に署名し、二万数千枚の印刷が完了した。独立宣言書の発表は、高宗国葬日の予定が変更されて三月一日に、場所も、ソウルのパゴダ(タプコル)公園が明月館支店奉華館にかえられた。公園では、総督府の弾圧で暴動がおこる心配がある、と判断したからである。

一九一九年三月一日、ソウルでは朝はやくから家々に独立宣言書がくばられ、各所に檄文(げきぶん)がはられた。パゴダ(タプコル)公園には、集会とデモの連絡を受けた中等学校以上の生徒・学生、それに一般市民がぞくぞくとつめかけた。五〇〇〇余人の参会者を前に、学生代表が独立宣言書を朗読した。

われらは、ここにわが朝鮮の独立と、朝鮮人民の自由民たることを宣言する。これをもって世界万邦につげ、人類平等の大義を明らかにし、かつこれを子孫に教え、民族独立を天賦の権利として永遠に保持させるものである。

一語一語たしかめるように代表が読んでいく。場内は静まりかえり、やがて嗚咽の声があちらこちらからあがる。

われらは、ここに奮起した。良心はわれわれとともにあり、真理はわれわれとともに進む。男女老若、陰鬱なる古巣よりおどりいで、万民群衆とともに、欣快(きんかい)なる復活をとげんとするものである。千古の世祖(祖先)は、かげながらわれらをたすけ、全世界の気運はわれらをまもっている。着手はすなわち成功である。ただ前方の光明にむかって驀進するのみ。(山辺健太郎氏訳による)

独立宣言書の結びの言葉は、まことに感動的であった。「大韓独立万歳」の声が万雷のようにひろがった。

いっぽう、同じ時刻に、独立宣言書の署名者たちは明月館支店において、宣言書を朗読し、祝杯をあげたあと、総督府に電話して進んで逮捕された。また、同月、平壌、鎮南浦、元山などでもキリスト教系学校の生徒を中心に運動がおこった。ソウルでは、この日、夜の十一時ごろまで、独立万歳をさけぶデモ行進の波がつづいた。

独立運動は、三月一日だけのことではなかった。五月までの示威集会数一五四八回、のべ参加人数二〇五万人に達し(朴慶植氏による)、全国的に、かつあらゆる階層の人びとに運動がひろがった。日本の原敬内閣は、内地から軍隊をおくり、流血の弾圧をこの運動にくわえた。そのため、死者の数は同じ期間に七五〇〇名をこえ、負傷者は約一万六〇〇〇名に達した。

三・一独立運動は、朝鮮国内だけでなく、中国東北部の間島地方、上海、ソ連のシベリア沿海州や欧米諸国など、朝鮮人民の住むところでは、さまざまな形をとって進められた。原首相は、長谷川好道総督にたいし、厳重な処置をとって二度と発生しないように努力せよといいつつ、他方で、内外にむけては、これを軽微な問題とあつかい、外国人が注目しているから、残酷だという批判を受けないように注意せよ、と二つの顔を使い分ける訓令をあたえた。

このような日本帝国主義の必死の工作のため、朝鮮の独立はなお実現されなかった。しかし、朝鮮人民は、三・一精神を受けつぎつつ、第二次世界大戦で日本が敗北するその日まで、独立の悲願をかたときも忘れず、独立の戦いをひそかに、あるいは公然と進めていった。

現在の大韓民国の憲法前文には「悠久な歴史と伝統に輝く我々大韓国民は、三・一運動で建立された大韓民国臨時政府の法統(以下略)」とあり、三・一独立運動が大韓民国の原点であると明記している。ただ朝鮮民主主義人民共和国(北朝鮮)の憲法の場合は三・一独立運動ではなく、金日成が指導した抗日革命闘争を正統性の根拠としている。

21

ガンディーの戦い インドの独立運動

ガンディーはどのような理念のもとで独立運動を指導したのだろうか

インドは十八世紀なかごろから
イギリスの侵略に直面した。
一八五七年からのインド人による大反乱も鎮圧され、
英国王を皇帝とする
インド帝国となったが、十九世紀末から
民族運動がもりあがった。その指導者となった
ガンディーは、第一次世界大戦後、
自治の約束をはたさず
弾圧でむくいるイギリスにたいし、
大衆とともに非暴力の
抵抗に立ちあがった。

ガンディーのアフリカ体験

日露戦争がすんで五年がすぎた一九一〇年秋、ロシアの文豪トルストイは、日記につぎのような文章を書いた。

「けさ、ふたりの日本人の訪問を受けた。彼らは、西欧文明たいして有頂天になっていた。それに反して、南アフリカのヒンドゥー教徒が書いた本は、西欧文明がもたらすすべての結果を、よく理解していた。」（一九一〇年九月十九日付）

この文章のなかの、南アフリカのヒンドゥー教徒とは、インドのガンディーである。ガンディーは、このときイギリス領の南アフリカにいた。

ガンディーはこの半年ほどまえ、西部ロシアのヤースナヤ＝ポリャーナに住んでいたトルストイに、英文で七六ページの『ヒンドゥー＝スワラージ』（インドの自治）と題した自分の本をおくった。尊敬するトルストイに批評してもらいたいと思ったからである。

この本の一節で、ガンディーはこう書いている。

「機械はヨーロッパを荒廃させかけている。イギリスは、いまや破滅の寸前にある。機械は近代文明の主要な象徴であり、重大な罪悪を意味する。」

また、こうもいう。

「インドがはぐくんできた文明は、この世界でも不敗不滅のものだとわたしは思う。ローマはほろびた。ギリシアも同じ運命をたどった。エジプトのファラオ（皇帝）の権力も崩壊した。日本は西洋化してしまった。中国についてはなんともいえないが、ともかくインドだけは、いまだに、どうにかこうにか、その基礎は健全である。……これは、インドの光栄として誇るにたることである。」

トルストイは、ガンディーのこのような考え方に、共鳴をかくさなかった。そのことが、日記の文章によくあらわれている。

それからひと月あまりたった一九一〇年の十月下旬、トルストイは放浪の旅にでた。そして、アスターポボ駅（今のトルストイ駅）でたおれ、十一月七日、ついに息をひきとった。

その一週間後に、ガンディーは、トルストイの最後の手紙を受けとった。

「親愛なる兄弟へ。今わたしは、はっきりと死がちかづいたことを感じていますが、わたしの心にとってもっとも重要なことを、あなたにお伝えします。あえて申しあげれば、それは、消極的抵抗といわれることについてです。この消極的抵抗とは、いかなるいつわりの解釈によっても、けっして破壊されることのない愛の教えにほかなりません。その愛とは、人間生活の最高にして唯一の法則をいうのであります。人間の魂の奥底のなかで、それは、幼児の心のなかにだけ、はっきり読みとれうるようなものでありますが、その愛こそは、われわれ人間が、たとえば、誤った教えによって道をふみ誤るまでは、なかなかわからない愛だと思います。（以下略）」

ガンディーは、やがて、このトルストイの遺言ともいえる言葉をまもって、三億の民衆とともに、インドの独立のため、非暴力・不服従運動をおし進めていくのである。


ガンディーが南アフリカにきたのは、一八九三年四月のことである。

ガンディーは、インド西海岸のグジャラート地方ポルバンダールという町に生まれた。日本でいえば明治維新の翌年になる（一八六九年）。ガンディーの家は、バニャーという商人のカーストにぞくし、父が、小さな藩王国で、大臣をつとめるほどの名門であった。ガンディーは家の意志にしたがって、一三歳のとき、同じカーストで同い年の少女カストルバと結婚した。五年後、弁護士になるためイギリスに留学した。ロンドンの法曹（ほうそう）学院に約二年学び（のちネルーもここで学んだ）、弁護士の資格をえて帰国した。

イギリスについてまもないころのガンディーは、イギリスふうの紳士になろうと、いろいろ努力した。だが、それはむなしいことだと気づき、肉はけっして食べず、菜食主義でとおした。生涯をつうじて感化を受けるインドの古典『バガバッド＝ギーター』を、英訳ではじめて読んだ。

インドに帰るとすぐ、ボンベイに法律事務所をひらいたが、かけひきもハッタリもきらいなガンディーでは、弁護士商売ははやらなかった。たまたま、南アフリカで成功しているインド人商社が顧問弁護士をもとめていたので、その仕事を引き受けることにし、妻とふたりの子を郷里にのこして、単身南アフリカにわたった。二三歳の春である。

当時、南アフリカには、出かせぎにきた貧しいインド人がたくさんいた。ガンディーがついたナタール州も、そのとなりのケープ植民地も、インドと同じイギリスの植民地であり、ひどい人種差別がおこなわれていた。白人からさまざまの差別を受けている同胞を見て、ガンディーは大きなショックを受けた。

弁護士ガンディーといえども、人種差別を受けるという点では例外ではなかった。ある日、駅馬車にのったガンディーは、白人と同席させたくない車掌の命令で御者台にすわらせられた。ところが、まもなくこの車掌は、自分がすわりたいからそこをどけ、とガンディーにいい、その身勝手な要求をことわったガンディーの顔を、平手打ちでなんどもなぐりつけ、ひきずりおろそうとした。

また、ある夜のこと、ガンディーが九時すぎに白人専用の舗道を歩いていると、巡査がちかづいてきて、ものいわずにけりたおした。有色人種は、「白人専用（ホワイトオンリー）」の舗道を歩くことをゆるされず、また、夜九時をすぎると、「夜間通行証」をもたねばならなかったのである。

ガンディーは、この南アフリカで、妻子をよぶため半年間インドに帰ったほかは、一九一五年までの二二年間を、南アフリカ在留インド人労働者の権利と生活をまもるために戦った。

そのあいだに、イギリスは、南アフリカの植民地をさらにひろげた。帝国主義者の典型といわれる、ケープ植民地の政治家セシル＝ローズは、アフリカ人のマタベリ王国を併合して、そこをローデシアと名づけた。また、ブール人（オランダ系植民者）が支配し、ダイヤモンドや金がとれるトランスヴァール、オレンジの両国を、イギリスは二年半も苦戦したすえ併合した（南アフリカまたはブール戦争。一八九九年～一九〇二年）。

白人の冷酷な人種差別を、二一年間も身をもって経験したガンディーであったればこそ、トルストイがいったように、西欧文明に有頂天になっている日本人とちがい、西欧文明がもたらすすべての結果をよく理解できたのであった。

インドの植民地化と抵抗

イギリスがインドの領土を本格的に侵略しはじめたのは、十八世紀のなかごろであった。

そのころ、ムガル帝国（十六世紀はじめにできたイスラーム系の国家）が北インドを支配していたが、東部のベンガル地方は事実上独立しており、太守（ナワーブ）が支配していた。イギリスの東インド会社は、このベンガルのカルカッタに城塞をきずき、フランスとむすんだ太守の軍隊を打ち破った（一七五七年、プラッシーの戦い）。

つづいて東インド会社は、ムガル皇帝に徴税と司法の権限を認めさせ、ベンガル一帯に支配の手をひろげていった。統治のしくみも十八世紀のすえまでにととのい、イギリス政府に任命された総督と参事会が、東インド会社理事会の指名を受けて統治するというかたちになった。インド人はせいぜい下級の役人になれるだけであった。

イギリスのインド侵略は、ガンジス平原ばかりでなく、ムガル帝国から独立していた南部・中部・西部の王国にもおよび、十九世紀前半までに、ほぼ全インドがイギリスの植民地とされるにいたった。

イギリスのインド支配は、地税の徴収を基本とした。ベンガル地方では、ザミンダールとよばれる地主階級に、高い地税を期日どおりおさめさせた。もし期日がおくれれば、地主は投獄され、彼の権利は競売にかけられた。その重い負担が、地主の土地を耕す小作農民にかぶせられたことはいうまでもない。

また、マドラスやボンベイの一帯では、イギリス人徴税官が査定した税額(年によってかわる)を、自作農民にはらわせた。インドのどの地域でも、税額はイギリスに支配されるまえよりもずっと高くなった。イギリスの支配によって、農民ばかりでなく手工業者も大きな打撃を受けた。

インドは大むかしから木綿の織物で知られた国であった(むかし日本で「天竺(てんじく)」といえば、インドのよび名であると同時に、インド木綿のことでもあった)。東インド会社はこのインド綿布をヨーロッパやアフリカに運び、高く売ってもうけた。ところが、イギリスに産業革命がはじまり、機械製の、安くて上質の綿織物が大量に製造されるようになると、インドは逆に、このイギリス綿織物の市場のされるようになった。

一八二〇年代からは、イギリス製品の輸出額がインド綿布の輸入額をこえ、その輸出カーブは急上昇をたどった。この上昇は、東インド会社のインド貿易の独占権が廃止され(一八一三年)、イギリスの商人が自由にインドにのりこむようになったこととも関係している。その結果、インドの綿布生産は首をしめつけられたありさまになり、織工たちは仕事を失って路頭に迷うことになった。

織物業で栄えたベンガル地方の都市ダッカ(今のバングラデシュの首都)は、十八世紀のすえごろ人口は一五万人であったが、一八四〇年ごろには、わずか二万人に減ってしまったという。イギリスのインド総督ベンティンクでさえ、一八三四年に「その惨状は、経済史上いまだかつてないものである。木綿織工の骨は、インドの原野を白色に染めている。」と報告書に書いたほどである。

インドは、いまやイギリス資本主義の繁栄のために、原料の綿花や染料のインディゴ(インド藍)をつくらされ、イギリスの綿布を買わされる植民地となった。さらに、ダージリンなどでは紅茶のほか、中国に売りこむアヘンの製造さえ強いられる。

このような状況のもとで、民族の怒りがふきあげないはずがない。プラッシーの戦いからちょうど一〇〇年たった一八五七年の五月、イギリス軍のなかのインド人傭兵(シパーヒー)が、人種差別と植民地支配への日ごろのうらみを爆発させ、反乱をおこした。反乱は、デリー・ラクナウを中心にヒンドゥスタン平原にたちまちひろがり、農民から地主までがこれにくわわって、インド最初の独立戦争となった。

イギリスは、このとき中国で清朝と第二次アヘン戦争(アロー戦争)をおこなっていたが、その軍隊もふりむけて、抵抗するインド人になりふりかまわぬ弾圧をくわえた。統一ある指導と作戦をとれなかった反乱軍はついに敗れたが、その抵抗は三年におよび、イギリスの支配階級をうろたえさせた。ガンディーが生まれたのは、この最初の独立戦争が終わってから、ちょうど一〇年後のことであった。

ガンディーの少年時代は、インド人がふたたび民族の力を結集しようとする時期にあたっていた。この時期に、インド人自身が経営する綿工業や鉄鋼業がはじまり、また、法律や自由主義思想など西欧文明を学ぶ知識階級がそだちだした。

いっぽう、イギリス政府は、インド大反乱のさなかにムガル帝国を廃止し、東インド会社も解散させてインドを直接統治下においたが(一八五八年)、スエズ運河の支配権をにぎった直後の一八七七年、イギリス国王(ヴィクトリア女王)を皇帝とするインド帝国にあらためた。そして、権利をもとめるインド人のさまざまな政治活動にたいして、取締りを強化した。

インドの各地で活動をつづけてきた人びとは、今こそ地域をこえて力を結集しなければならないと考え、一八八五年のすえ、ボンベイで最初の国民会議をひらいた。四年後の一八八九年(この年ネルーが生まれた)には、代議員は一万三八三九人であったが、その四〇パーセントは法律家で、あとは地主・商人・医師など全体にその出身階層はブルジョワであり、カーストでは、第一等のバラモン階級が四〇パーセント強を占めていた。

イギリスは、はじめ国民会議がインド統治に協力してくれることを期待した。国民会議も最初はイギリスに忠誠をしめしたが、ボンベイ州出身のティラクがあらわれると、彼の影響によって国民会議は急進化した。

ガンディーが南アフリカにあった一九〇五年、カーゾン総督は、ベンガル地方を二つに分け、東部にイスラーム教徒が多数を占める州をつくった。このベンガル分割は、インド人のなかのヒンドゥー教徒とイスラーム教徒の仲を割り、民族運動の力を弱めようとする策略であった。

ティラクは、この計画が発表されると猛然と反対し、イギリス商品を買うな、国産品を使えとうったえ、ベンガル分割令反対運動を大きくもりあげた。国民会議は政治組織としての国民会議派へと変身し、翌一九〇六年、カルカッタで大会をひらき、英国商品ボイコット（不買）、スワデーシ（国産品愛用）、スワラージ（自治）、民族教育の四つを運動目標として決定した。

ガンディーの南アフリカでの闘争は、期せずして、インド国内でのティラクらの闘争と、インド洋をはさんでひびきあっていた。

サティヤーグラハ闘争

国民会議派の運動は、そのまま一直線には進まなかった。ティラクら急進派の幹部は逮捕・追放されて、穏和派が指導権をにぎった。また、イギリスの工作もくわわって、一九〇六年全インド＝ムスリム連盟が結成され、インドの独立運動にながく尾を引くイスラーム・ヒンドゥーの宗教対立主義(コミュナリズム)がもちこまれた。独立運動は沈滞したまま第一次世界大戦をむかえた。

一九一四年八月、イギリスはドイツに宣戦すると同時に、戦後に自治をゆるすとほのめかして、インドを全面的に協力させる方針を打ちだした。国民会議派はこれにおうじる姿勢をとった。南アフリカのガンディーもイギリスに協力し、インド人衛生部隊を組織した。イギリスへの協力が、インドの自治と権利の発展という果実をもたらすだろう、という期待を、国民会議派もガンディーもいだいたのである。だが、その期待はまったくむなしいものとなる。

ガンディーはまもなく肋膜炎(ろくまくえん)をわずらい、やむをえず一九一五年一月、インドに帰国した。ガンディーがインドの大地をしっかりとふみかためて行動するのは、これからである。時に四五歳であった。

ガンディーは帰国早々、郷里にちかいコチラブというところに、南アフリカでも実行したアーシュラム（修道場）をひらいた。アーシュラムとは、ガンディーの考えによれば、非暴力という強い意志によって、なにものもおそれる必要のない「真理の力をつかみとる戦い」、つまり「サティヤーグラハ闘争」を進める拠点としての、共同生活の場であった。トルストイがいう消極的抵抗を、ガンディーはもっと組織的な、大衆的な、そして行動的なサティヤーグラハ闘争に発展させたのである。

アーシュラムに入門するものに、ガンディーは、真理のためにはなにものにもおそれず、動物的な欲望をたち、殺さず、盗まず、国産品を愛用して手織りの着物を着ること、など十の誓いを誓わせた。なかでも、不可触民とよばれ、カーストからさえ除外されて不当な差別を受ける人びとを、けっして差別しないという誓いは、ガンディーが身をもって実践し、不可触民の多い農民たちを感動させた。

一九一七年、ガンディーは貧しい不可触民のシュクラという農民の頼みを聞いて、ネパールにちかいチャンパランへでかけた。そこでは、地主(イギリス人が多い)から土地を借りた農民が、土地の一五パーセントには藍の栽培を強制され、しかも収穫は全部地主に地代としてとりあげられて、極貧の生活をおくっていた。

ガンディーはただちにサティヤーグラハ闘争をおこした。まず、農園調査をはじめたが、警察につかまって留置場にいれられた。だが、怒った農民数千名に包囲された警察は、ガンディーを釈放するほかなかった。たくさんの小作人から実状を聞き、地主の不当な収奪をたしかめたガンディーは、農民代表として地主および省政府代表を交渉の場にひきだし、断固主張をつらぬいて、藍の収穫の二五パーセントを農民に返済させる約束をかちとった。

チャンパランでの七カ月は、インド農民とともに戦うガンディーの後半生の第一歩であり、また、インドにおけるサティヤーグラハ闘争の最初の勝利であった。

この年の八月、イギリス政府は戦争協力の代償として、はじめてインドに自治をあたえる約束をした。その背景には、国民会議派とムスリム連盟が一致して自治要求運動をおこしていたこと、三月いらいロシア革命のうねりが高まっていたことなどの事情があった。

大戦中インドは、イギリスのために兵士一五〇万人、食糧・鉱石・ゴム・車両・木材・牛馬などの物資、総額一億四五〇〇ポンドに達する戦費を負担した。インド兵の戦死者は三万六〇〇〇人をこえ、その倍の負傷者をだした。

ところが、大戦が終わると、イギリスのインド政庁は、個人・団体をとわずイギリスの施策に異論をとなえるものを、裁判抜きで投獄するというローラット法をさだめた(一九一九年三月)。多くの苦難に耐えて戦争に協力してきたインド人にたいするむくいがこれであった。

ガンディーは、ただちにこのローラット法への抵抗を全インドによびかけた。四月六日、数百万の人びとが各地で聖なる水で身を清めたあと、黒旗とポスターをかかげて行列をつくって広場に集まり、ローラット法の撤回をさけんだ。またこの日は、非暴力抵抗のハルタール(商店閉鎖)によって抗議しようというガンディーのよびかけにこたえて、全インドで仕事が中止され、交通がとまり、町には集会以外の人影がたえた。

ちょうどその一週間後の四月十三日、北インドのアムリットサルで武器もなにもたずに抗議集会をひらいていた人びとを、イギリスのダイヤー将軍の部隊がおそった。機関銃が乱射され、ジャリアンワーラー広場は一瞬のうちに血の海となった。男女市民三七九人が死に、一二〇〇人の負傷者がでた。今もなお、広場のそばの建物にはこの日の弾痕が生々しくのこっている。

ガンディーは、四月八日アムリットサルへむかう途中、汽車のなかで逮捕され、虐殺事件の現場にはいあわせなかった。この事件は五カ月間厳重な報道管制をしかれ、インド人の調査団がはいれたのは十月になってからである。しかし、事件の衝撃はインドの各地にすぐとどき、抗議の声があがった。詩人タゴールは、イギリス政府からおくられた「ナイト」の称号を、怒りをこめて返却した。国民会議派大会は十二月、七〇〇〇名をこえる代議員を集めてアムリットサルでひらかれ、ガンディーの呼びかけで、虐殺事件の責任糾明と、ローラット法撤回要求を決議した。

翌一九二〇年からガンディーは国民会議派の最高指導者におされ、イギリスにたいする徹底的な非協力運動を推進していく。侵略文明を象徴する機械に背をむけて、紡ぎ車(チャルカ)で糸を引き、シャツも帽子もすて、手織の白い腰布をまとう丸めがねのガンディーのすがたは、三億のインド民衆の独立の悲願の象徴となった。

二〇歳若いネルーは、アムリットサル事件を機に、イギリスへの期待を完全にすてた。弁護士の道をすて、ガンディーにしたがってインドの独立のために生涯をささげる決意をかためた。

バラモン階級出身のこの名門の青年は、一九二〇年、はじめて農村にはいり、泥小屋に寝起きした。はだしの農民がネルーを歓迎して、目を輝かせて集まってきた。ネルーは、身にまとう着物もない半裸の農民たちが、希望の国へつれていってくれる案内人であるかのように、自分にそそぐ愛情のこもったまなざしに接し、これまでの生活と都市本位の政治を恥じた。彼らの信頼にこたえる責任を感じて身ぶるいした。

ネルーの「インド発見」は、まさにこのときであった。

22

人民中国への道
中国革命

毛沢東は中国共産党の主導権をどのようにして掌握したのだろうか

一九一九年の五・四運動後の中国では、
大衆の支持を背景に国民党と共産党が手をむすび、
軍閥と帝国主義に反対する運動がひろがった。
しかし、孫文の死後
国共両党の内戦となり、
共産党の毛沢東は農村を根拠地におき
土地革命を推進しつつ蔣介石と戦った。
満州事変後
国民党軍の猛攻撃を受け
瑞金から延安まで大迂回して根拠地を移しながら、
毛沢東は抗日の急務をうったえた。

根拠地をめざして

中国湖南省の省部長沙からすこしはなれた、人家もない、とある池のほとり。秋の日がしずみ、夕やみと冷気が池のまわりをつつみだした。さきほどまで手分けして脱走者をさがしていた兵士たちは、あきらめて引きあげた。数時間つづいた人声もたえ、池のまわりはふたたびしーんと静まりかえった。

と、高い草の茂みをわけて、ひとりの男がすがたをあらわした。はだしのこの男は、ため息ともつかぬ呼吸を一つすると、傷だらけの足を気にするふうもなく、追手とは反対の方角にむかって、いそぎ足で歩きだした。

三〇歳をすこしこえたこの男は、中国共産党中央委員の毛沢東であった。

毛沢東は、党の決定どおり農民部隊をひきいて長沙攻撃の蜂起をおこしたが失敗し、中国国民党とつながる地主の自警団につかまった。殺されるにきまっていたから、本部に連行される途中、すきを見て脱走し、高い草におおわれた池のほとりの丘に飛びこんだ。

追手の兵士はなんどかすぐそばまでちかづいた。毛沢東はもうだめかとそのつど観念したが、運よく見つからずにすんだ。こうして、翌日には、仲間のところにたどりつくことができた。ロシア革命から数えて一〇年めの、一九二七年九月中旬のことであった――。

毛沢東は、長沙攻撃をつづけることを中止し、部隊をまとめて南へ撤退した。だが、国民党軍に追撃され、動揺した将校・兵士たちがあいついで脱走した。江西省寧岡県の三湾というところについたときは、約一〇〇〇人しかのこっていなかった。

ここで、毛沢東は、家に帰りたいと思う兵士には旅費をあたえて部隊をさらせた。のこったもので新しい部隊をつくり、湖南省と江西省の境にある井崗山にむかった。

井崗山とは、うねうねとつづく羅霄山脈のなかほどにある、海抜一五〇〇メートルから一七〇〇メートル級の山々がつづく一帯をさす。東西四〇キロ、南北四五キロ、周囲は二七〇キロとひろがっている。

山中の盆地には、約二〇〇〇人の人がいくつかの部落にわかれて、ほそぼそと農業をいとなんでいた。毛沢東は、ここを革命の根拠地にしようと考えたのだ。ここで休養をとり、力をつけ、戦いを発展させようというのである。兵士たちには、「革命に根拠地が必要なのは、人にお尻が必要なのと同じことだ。人にもしお尻がなければ、すわることができない。歩きっぱなし、立ちっぱなしでは、ながくもちこたえられるはずがない。」と、わかりやすく説明してやった。

ところで、毛沢東が中国革命にかかわりだしたのは、一八歳のときであった。一九一一年秋、中国同盟会の努力がみのり、軍隊の蜂起から辛亥革命がおこって、中華民国が成立し、清朝はほろんだ。

湖南省の農家の子で、このとき中学生であった毛沢東は、湖南革命軍に応募して、短期間だが軍隊にはいっている。

ところが清国から中華民国にかわっても、大地主がはびこる古い社会はあらたまらなかった。大地主と手を組んで、軍閥とよばれるいくつもの武装軍団が各地でのさばり、人民を苦しめていた。

毛沢東は、湖南第一師範学校にはいり、楊昌済（ようしょうせい）先生の「正しい、道徳的な、徳性のある、社会に有用な人物になれ」という教えに、強い感化を受けた。夜間講習会をひらいて労働者に歴史を教えたり、「新民学会」という青年結社をつくるなど、活発な社会活動に飛びこんだ。ロシア革命のニュースを知ったのはそのころである。

それから数年がすぎた――。

一九二一年七月、上海（シャンハイ）のフランス人居留地にある女学校の、夏休みで人気（ひとけ）のない寄宿舎の二階に、一三人の中国人がこっそり集まった。そのなかに、小学校教師の毛沢東もまじっていた。全国でわずかに五七人の党員しかいない中国共産党の創立大会であった。

毛沢東はこの数年、湖南省で軍閥と戦ってきた経験から、中国の民主化は、民衆の団結した力にたよるほかないと確信するようになった。そして、マルクスとエンゲルスの著作やロシア革命から、民衆の力をひきだす理論と組織をもった政党が必要なことを学んだ。この創立大会に湖南地方代表として出席した毛沢東は、湖南省支部書記として労働運動を発展させる任務をあたえられた。

そのころ、広東省を足場にして、孫文を指導者とする中国国民党(一九一九年結成)が、軍閥をたおし、中国を統一しようと活発に動きだした。孫文も、ロシア革命に共感し、民衆の大きな力を党にむすびつけようと努力しだしていたのである。国民党員の数は五万人をこえていた。

そこで中国共産党は、一九二三年、ソ連の強い指導もあって、党員を国民党にも加入させる方針を決定し、国民党も翌年これを受けいれた(これを「国共合作(こっきょうがっさく)」という)。毛沢東は国民党の重要ポストについて、軍閥との戦いをさらに発展させるために活動した。

新体制をとった国民党が軍閥打倒の戦い(「国民革命」とよばれた)に立ちあがると、労働運動や、貧しい農民たちによる小作料引き下げ運動が、せきをきったようにひろがった。共産党員の数もこのなかで急速にふえ、約一万人になった。

毛沢東はまもなく農民運動の活動家を養成する農民講習所の所長となり、湖南省の農民たちが、地主の土地を没収するところまで闘争を進めているのを見て、中国の革命を達成するエネルギーは、これらの貧しい農民たちのなかにこそある、という信念をかためた。

しかし、国民党内の保守的な中小地主や商工業者は、社会の改造にまでむかいそうな民衆の動きにおそれをなし、孫文の死(一九二五年)のあと党の指導者となった蔣介石に、共産党と縁を切るようにのぞんだ。

同じ考えの蔣介石は、国民革命軍をひきいて上海にはいると、一九二七年四月十二日の未明、クーデタをおこして共産党員や労働者を多数殺害した。こうして、国民党と共産党の協力関係は、三年半で破壊された。

四カ月後、共産党は労働者の武装蜂起により、広州など広東省の都市にソヴィエト政権をつくる方針を決定した。そしてこれを援護する農民蜂起を、湖南、湖北、江西、広東の四省でおこすこともきめた。毛沢東は湖南の蜂起の責任者とされ、四つの連帯をひきいて長沙を攻撃した。

だが、成功の条件も見通しもなかった共産党の蜂起戦術は、すべて失敗した。毛沢東は都市奪取を優先させる党指導部の戦術は誤りだと考え、新しい革命の根拠地づくりをめざして、独断で井崗山にはいったのである。

中華ソヴィエト共和国臨時政府の成立

それから一年以上もたったころ、江西省寧都(ねいと)県の王坊(おうぼう)村は、こんなうわさでもちきりであった。

「労働者と農民の軍隊が、天からふったようにあらわれて、瑞金にむかって進軍していったそうだ。」

「それは、なんでも『紅軍』とかいう共産党の軍隊で、金持をやっつけて貧乏人を救うのが本職なんだって。」

「地主や村のボスたちの金銀財宝を道にばらまいて、貧乏人に取りほうだい取らせるとかいうはなしだ。」

しばらくして、福建省へ行商にいってもどってきたものの話が、村にひろがった。

「紅軍は、長汀（ちょうてい）を占領して、いばっていた地主やボスをやっつけ、貧乏人に田畑をわけ、村はいまや貧乏人の天下になっている。」

この話を聞いて胸をおどらせた陳昌奉（ちんしょうほう）という青年は、その年の一九二九年の暮れに紅軍をたずねて、長汀に旅立った（やがて陳昌奉は毛沢東の護衛兵としてはたらくことになる）。

共産党の軍隊が金持をやっつけ貧乏人を救ってくれるといううわさは、うそではなかった。毛沢東は、根拠地とした井崗山からまわりの県にたびたび部隊を出動させ、地主の土地を没収して貧しい農民にあたえる土地革命を進めたからである。

それに、その軍隊、つまり紅軍は、人をおどし物を平気で盗む今までの中国の軍隊とはちがっていた。

毛沢東は、紅軍の兵士にたいして、つぎの三つの規律を要求した。
一、行動は指揮にしたがう。
二、民衆のものはなに一つとらない。
三、地主からとりあげたものは公（おおやけ）のものとする。
この規律にあわせて、借りたものはかえし、買物には代金をはらい、こわしたものは弁償し、言葉づかいはおだやかにするなど、軍閥の兵にはとても考えられない日常生活の心がけ（八項注意）をまもらせた。

革命は、兵士が民衆の信頼を受け、革命の目的を民衆に理解させ、民衆をいっしょに戦いに立ちあがらせたとき、はじめて成功するのだという毛沢東の信念が、軍規のきびしい人民の軍隊、「紅軍」をつくりだしたのである。

根拠地井崗山は、まわりを敵にかこまれて、食糧も、塩も、くすりも、ニュースも、みんなきょくたんに不足していた。兵士にはきまった給与もなく、口にするのはかぼちゃばかり、という日がなん日もつづいた。

しかし、この紅軍では、士官は兵士と同じ苦労をし、兵士をなぐらず、兵士も、会議で意見をのべることができるなど、軍閥や国民党の軍隊には見られない解放感があった。もと軍閥のやとい兵や国民党軍の捕虜が、紅軍のメンバーになってから人がかわったようになった。

他人のために戦うのではなく、自分のため、貧しい人民のために戦うのだとさとり、不平をいわず規律をまもって、勇敢に戦う兵士にかわっていった。

はじめは少数だった井崗山の部隊に、まもなく朱徳がひきいる約一万の部隊が合流し、紅軍はいちだんと強力になった。すこしあとに、彭徳懐（ほうとくかい）の部隊三万もくわわった。

これを警戒した蔣介石は、江西・湖南の軍閥に命じて連続三回井崗山を攻撃させた。紅軍は、「敵が進んでくれば退き、敵がとどまればかく乱し、敵が疲れれば襲い、敵が退けば追撃する」と、という単純明快な遊撃戦術と、農民の協力によって、数倍の敵をみな撃退した。

井崗山のような革命の根拠地は、河南、湖北、湖南、江西、広西などいくつかの省でべつべつにつくられだした。一九三〇年のはじめごろには大小一五の根拠地ができ、三〇〇あまりの県（中国の県の広さは日本の「郡」にあたる）に支配力をひろげるまでになった。井崗山の毛沢東たちは山をおりて出撃し、江西省の南部、福建省の西武に根拠地をひろげていった。それが王坊村にうわさとなって伝わったわけである。

そのころ、共産党の中央指導部は国際都市上海のかくれ家におかれ、モスクワに本部がある国際共産主義組織（コミンテルン）との連絡や、中国各地の党員への指令・通達をひそかにおこなっていた。指導部は各地の根拠地の活動をつうじて革命気運が高まってきたのを見て、一九三〇年六月、長江流域の大都市を武力でうばう方針を決定した。一省か数省でまず勝利をおさめ、全国的に革命にいっきょに進むという考えであった。

党中央の指示にしたがい、七月二十八日、彭徳懐がひきいる軍隊が長沙を攻撃し、国民党軍のすきをついていったん占領に成功した。毛沢東と朱徳の軍隊は八月一日、江西省の南昌を攻撃した。だが、火器にまさる国民党軍のはげしい砲火をあび、やせた兵士たちは秋の木の葉が散るようにばらばらと撃ちたおされて、二四時間後にはやむなく撤退した。長沙を占領した彭徳懐軍のほうも、国民党軍の反撃と、これを援助するアメリカ、イギリス、日本の軍艦の砲撃にあってもちこたえられず、八月十日長沙を撤退した。

この二つの軍団にたいして、党中央はもう一度長沙を奪回することを命じた。毛沢東らは反対したが聞きいれられず、やむなく九月一日から一三日間、国民党軍との死闘をつづけた。しかし、軍艦と飛行機の援助を受ける敵には、いかに勇敢な紅軍の兵士とはいえ勝てるはずがなかった。ついに毛沢東は、党中央から派遣された代表を説得し、この作戦を中止して江西省の根拠地に引きあげた。

一九二七年につづく二度めの長沙攻撃も失敗した。当時の中国の情勢からみても、共産党の軍事力のていどからみても、国民党軍にかたくまもられた大都市を占拠することは不可能だったのである。ところが党中央は、陳独秀（ちんどくしゅう）、瞿秋白（くしゅうはく）、李立三（りりっさん）と最高指導者がかわっても、あいかわらず、一九一七年のロシア革命にならって、おもな大都市をうばえば革命を勝利にみちびけると信じていた。その戦術が、兵士たちにおびただしい流血の犠牲を強いた。

蔣介石は大攻勢に移った。一九三〇年のすえから半年のあいだに、一〇万、二〇万、三〇万と毎回兵力をふやして、江西省南部の共産党の中心根拠地にたいする三回の包囲討伐戦争をおこなった。紅軍は兵力ではかなわなかったが、敵を根拠地の奥ふかくさそいこみ、得意の遊撃戦術で西へ東へと引きまわし、弱い部分をみつけては各個撃破でせん滅した。

ところが、第三回討伐戦争のさなかの一九三一年九月十八日、日本軍が中国東北で侵略を開始した。

いわゆる「満州事変」がはじまったのである。

南昌で指揮をとっていた蔣介石は、討伐戦をいちじ停止して南京にもどった。いっぽう中国共産党は、九月二十二日、「反帝抗日、国民党打倒、ソヴィエト区の拡大強化」を国民にうったえるとともに、ソヴィエト政府の樹立をいそいだ。

準備の仕事には党中央の周恩来（しゅうおんらい）があたり、十一月、江西省の瑞金に革命根拠地の代表が集まって、第一回全国ソヴィエト大会がひらかれた。そして、二一県二五〇万の人口をもつ中華ソヴィエト共和国の成立が宣言され、臨時ソヴィエト政府の主席に毛沢東がえらばれた。東北では日本軍が占領地をひろげ、清朝の最後の皇帝（宣統帝（せんとうてい））をかつぎだして、「満州国」をつくろうとしていた。

涙の長征一万二〇〇〇キロ

冷たい秋風がマラリア熱でこけた毛沢東のほおをかすめていく。灰色の軍服と八角の軍帽をかぶっただけの毛沢東は、二十数人の一団の先頭に立って、大股に歩いていく。護衛兵の陳昌奉には、前線へでるというのに、なぜこんどにかぎってこんなに軽装にするのかふしぎであった。

やがて川岸についた。そこはもう暗やみにつつまれ、人また人がかさなりあうようにかたまり、そのあいだをぬうように松明（たいまつ）がゆれ動いていた。これらの人びとは、江西ソヴィエト区を脱出しようと

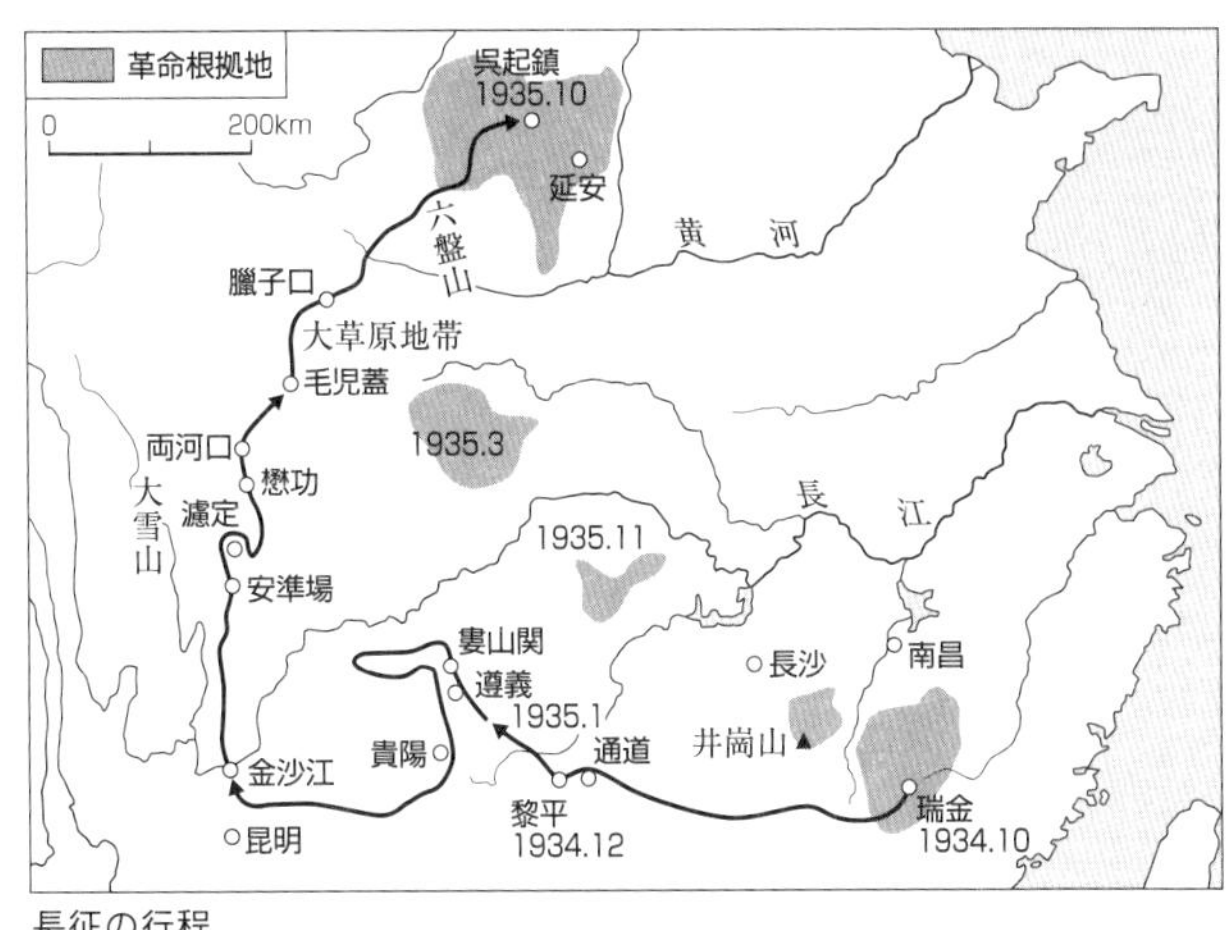

長征の行程

している紅軍の主力部隊である。その部隊におくれて出発した毛沢東がようやく合流した。一九三四年十月十八日の夜であった。

瑞金を首都とした中華ソヴィエト共和国は三年もちこたえた。このあいだに、毛沢東は軍の指揮をはずされ、もっぱら土地改革の仕事にあたった。この経済工作の面でも軍事作戦の面でも、モスクワの指導にたよる党中央には、毛沢東の方針を批判する空気が強かった。

いっぽう、蔣介石にとっては、日本軍の東北侵略よりも共産軍の討伐のほうがだいじであった。一九三三年五月、日本軍と停戦協定をむすぶとすぐ、第四回討伐戦を開始した。

翌三三年秋からは、軍事顧問にむかえたドイツのフォン＝ゼークト将軍の策で、封鎖戦術をとった。それは、銃眼だけあけたトーチカというコンクリートの砲台を、江西ソヴィエト区のまわりに何十万ときずき、その輪をじりっ、じりっとちぢめていくのである。この第五回討伐戦に投入される兵力は約一〇〇万、それに二〇〇機の飛行機と戦車であった。

共産軍の作戦は、毛沢東にかわって、コミンテルンからおくりこまれたソ連赤軍将校出身の、ドイツ人オットー＝ブラウン（中国名は「李徳」）が指導した。かれは毛沢東の遊撃戦術を匪のやり方だとあざわらい、全戦線に出撃して国民党軍と正面からわたりあう陣地戦をとった。だが、鉄壁の包囲網と、トーチカの集中砲火のまえには歯が立たなかった。

一九三四年、瑞金への入口にあたる広昌が陥落し、八月には瑞金の北一〇〇キロの駅前も国民党軍の手におちた。十月はじめ、毛沢東がマラリアにかかって寝こんでいたとき、党中央は、約三万の部隊（非戦闘員をふくむ。指揮は陳毅と項英）をのこして、主力軍すべてが江西ソヴィエト区を脱出することをきめた。

この脱出が、その後の一年間、どれほどの苦難と犠牲を強いることになるかということを、だれも予測することはできなかった。

脱出作戦の決定に直接くわわらなかった毛沢東は、のちに、「あと二、三カ月もちこたえて、そのあいだに軍隊の休養、整頓もできたはずだし、包囲を突破してからの指導がもう少し賢明だったら、状況はかなりちがっていたはずだ。」と、脱出のあわてぶりや指導のまずさを批判している。

ともあれ、一週間のあわただしい準備ののち、十月十五日夜から翌日にかけて、非戦闘員をふくむ一〇万の紅軍（数百人の女性もいた）が、西南にむかって江西の山野をはなれた。これを中国では「長征」とよぶ。

十八日にこの長征軍におくれて合流した毛沢東らの装備は、護衛兵もふしぎがるほど軽かったが、一〇万の部隊はまるで引越しのように、大量の物品をかかえてのろのろと進んだ。行先は賀竜の部隊がいる湖南・湖北の省境地帯がとりあえずの目的地で、それから先のことはなにもきめられなかった。たてに長くのびる紅軍の進路を、国民党軍は飛行機でキャッチし、先まわりして待ちぶせた。紅軍の損害はみるみるうちに増大し、二カ月後には兵力は三万に減った。このまま進めば全滅のおそれが生じた。

ここでようやく毛沢東の主張がとおり、賀竜の軍隊との合流計画がすてられ、敵の勢力の弱い貴州省に南下した。十二月十四日黎平の町を一日で占領すると、毛沢東は兵士に休息をとらせ、行進のじゃまになる重たい荷物はすてさせた。

あくる一九三五年一月五日、紅軍は貴州省第二の都会遵義を占領し、一二日間のながい休養をはじめてとった。ほぼ日本列島を縦断したにひとしい二二〇〇キロの道を戦いつつ歩きつづけ、生きのこって遵義にはいった兵士たちの顔には、怒りがあった。作戦に対する批判の声もあがった。

翌六日から三日間、毛沢東、周恩来、朱徳、秦邦憲、林彪、彭徳懐、李徳（オットー＝ブラウン）、劉少奇ら一八人の幹部が、中央政治局拡大会議（「遵義会議」という）をひらいた。

毛沢東は、兵士たちの声を背にし、これまでの党中央の指導の誤りを批判した。指導の実権をにぎっていた秦邦憲や李徳はこれに強く反対したが、これまでつねに党中央にいた軍事部長の周恩来は、指導の誤りを率直に認めた。そして、その職を辞任し平党員になったともいわれる。

この会議で毛沢東は中央政治局主席におされ、以後の軍事指揮権をあたえられた。また、これまで党中央がとってきた軍事路線を自己批判した決議が兵士たちに伝えられ、これからの紅軍の進路は、日本の侵略と戦うための根拠地づくりをめざして、西北にむかって前進する（「北上抗日」）と指示された。謄写刷りの決議を読んだある幹部は、感激のあまり涙を流したという。

しかし、抗日の拠点となる陝西省北部への道のりはけわしかった。蔣介石は紅軍の前進を予想して四川地方の迎撃態勢をかためる。これに対抗して毛沢東はたくみな機動戦法をとる。四川・貴州・雲南と相手の裏をかくように蛇行、反転しながら敵をたたきつつ、中国の西のはしを大きな弧をえがいて北上した。

その途中、長江（揚子江）の上流で、七〇年あまりまえ、太平天国の翼王石達開が清軍にはばまれて渡河できずに全滅した場所があった。国民党はそこで待ちぶせしたが、紅軍は意表をついてその上流一四〇キロの瀘定橋に進み、七〇〇メートルの鉄のくさりの吊橋をうばって、渡河作戦をみごとに成功させた。

つづいて、海抜四〇〇〇メートルをこえる大雪山を、兵士は歯をくいしばってこえた。力つきて白銀の雪原に身を埋めたものも少なくなかった。

大雪山の北には、四川省西北部から甘粛、青海につらなる南北三〇〇キロ、東西はその数倍という大草原地帯があった。ここにはいった九月は雨季で、はてしない草原は泥沼となった。力をいれてふむと足はずぶりとはいって抜けなくなった。ここでもまた、多くの犠牲者がでた。

やっとぬけでた草原の出口で、待ちかまえていた国民党軍を破り、最後の難所六盤山をこえて陝西省の呉起鎮についたのは、一九三五年十月二十日であった。出発のとき一〇万の長征軍がわずか八〇〇〇人に減っていた（女性は毛沢東・周恩来夫人ら三五人）。

十一月七日、延安の南方五〇キロのある小さな村。長征軍全員が集まっている。服はボロボロで、だれも疲れきってはいるが、瞳はすがすがしく輝いている。この八〇〇〇人の同志を前にして、毛沢東が演説する――。


「同志のみなさん、ご苦労でした。われわれの長征は勝利のうちに終わり、敵の包囲計画はすべて破産しました。われわれ労農紅軍の人数は、以前よりいくらか少なくなったが、しかしわれわれは中国革命の精華です。……長征は勝利のうちに終わり、われわれの新たな任務がはじまりました……。」

（野村浩一氏訳による）


長征終了の正式の宣言であった。みなの胸に、万感の思いがつきあげる。

一万二〇〇〇キロの大長征は、今終わった。だが、この終わりは、あらたなはじまりであった。革命の継続と日本の侵略への抵抗と同時遂行が、ここ延安を根拠地にして、一九三五年秋から開始されたのであった。

第二次世界大戦後、毛沢東が指導する中国共産党は国民党に勝利して国内の統一に成功し、中華人民共和国を成立させた。その後政策の違いから文化大革命などの深刻な対立がおこったが、毛沢東亡き後、鄧小平(とうしょうへい)が主導権を掌握してからは社会主義市場経済が導入され、経済が著しい成長をみせ、世界第二位の経済大国となった。政治・経済・軍事の分野でも中国の存在感は増大し、いまや国際関係を語るうえで中国抜きは考えられない。

23

独裁者への道 ナチスの政権獲得

ヒトラーはなぜ合法的に 権力を掌握できたのだろうか

ドイツは第一次世界大戦に敗れて
帝政から共和政にかわり
民主的なヴァイマル憲法を制定した。
またヴェルサイユ条約で
領土・軍備を縮小され
巨額の賠償金を課せられた。
これらに不満な国民のなかに
ヒトラーを党首とするナチ党が勢力をひろげ、
世界恐慌による
政治・経済の動揺を有利にいかして、
一九三三年政権をうばい
独裁体制を樹立した。

党員番号証555

一九一九年秋、ドイツ共和国バイエルン州の州都ミュンヘンの夕暮れどき——。

イム゠タール五四番地のシュテルンエッカー酒場(ブロイ)の奥の部屋で、小さな会合がひらかれていた。参会者はひとりの女性をふくめて四五人ほど。この日は九月十二日、「ドイツ労働者党」と名のる、ちかごろミュンヘンにはやる右翼政治団体の、週一回の定例会合日であった。

「資本主義を打倒する方法と手段」という、おおげさな題目の講演が終わって、討論の時間となった。まず、ひとりの男が、バイエルンはドイツからはなれてオーストリアと連合すべきだ、と話をきりだした。

じつはその二日まえ、第一次世界大戦に敗れたドイツの同盟国オーストリアと、連合国との平和条約(サン゠ジェルマン条約)がむすばれ、ドイツとオーストリアの合同は将来にわたって禁止された。化学を教える大学教授のこの発言には、そのことが念頭にあったのである。

ところが、その発言の途中で、髪が額にたれさがり、青白い顔をこわばらせた三〇歳ぐらいの男が立ちあがり、発言中の教授にくってかかって、はげしい反対論をぶちだした。そして、しゃべり終わると、その男は、こんな退屈な会合はもうたくさんだといわんばかりに、部屋をでていった。

その男の名はアドルフ゠ヒトラー。五年まえ、「大戦はじまる」と聞いてよろこびいさみ、このミュンヘンから西部戦線に志願していった、あのウィーンの流れ者であった。そのヒトラーが、この日、この会合にすがたを見せていたのには、つぎのようなわけがあった。

ヒトラーは第一次世界大戦中、伝令兵として活躍し、階級は上等兵どまりだったが、鉄十字章一級というりっぱな勲章をもらった。しかし一九一八年秋、イギリス軍の毒ガス弾に目をやられ、二度めの負傷の治療のため陸軍病院におくられた。

十一月はじめ、ドイツに革命がおこり、皇帝は退位してはじめての共和国がうまれた。十一月十一日、共和国政府は連合国との休戦条約に調印し、ながい世界大戦が終わった。

革命と敗戦のニュースを陸軍病院で聞いたヒトラーは、途方にくれた。

――軍隊では衣食住の心配もなく、だれもが戦友意識でつながっているが、戦争が終わってしまった以上、また、定職のない、不安な落伍者の生活にもどらなければならなくなる――。

休戦の日から一〇日後、ヒトラーはミュンヘンの連隊にもどった。行く先もないまましばらく兵営にとどまるが、ミュンヘンは、町も兵営もまったくおちつかなかった。人びとのあいだには、嘲笑まじりのこんな小唄がはやった。

こっちでも革命、あっちでも革命
なにもかも、ひっくりかえしうらがえし
おっぽりだして、ブム、ブム

革命化した兵士たちは、赤い腕章を巻いて兵営のなかをのし歩いた。バイエルンじたいが左翼政権の支配下におかれていた。ヒトラーも、本心からではないにせよ赤い腕章を巻いていたかもしれないのである。

四月はじめ、左翼急進派によって、ロシア革命にならったソヴィエト政府がミュンヘンにつくられた。しかし、ひと月後、反革命部隊が逆襲にでて、各地で血なまぐさい虐殺がおこなわれた。ヒトラーたちの兵営もおそわれ、かれは逮捕された。さいわい、むかしのヒトラーを知っている数人の将校のとなりしで釈放され、窮地を脱した。

つづいてヒトラーは、たぶんその将校たちの世話で、革命に同調して政治活動をした下士官や兵士たちを見つけだす任務をあたえられた。彼の仕事ぶりに上官は満足し、ドイツ国防軍第四集団(つまりバイエルン国防軍)司令部の情報課が企画した、ある講習会のメンバーにヒトラーをえらんでくれた。

この講習会は、捕虜収容所から帰ってきた兵士たちに、社会主義を憎み、民族主義をふきこむ宣伝活動家を養成しようとするもので、一九一九年六月上旬から八月上旬にかけて計四回ひらかれた。五、六十人のえりぬき兵士にえらばれたヒトラーは、生まれてはじめて、大学の教室で、右翼派の大学教授や知識人の講義を聞くことになった。

いっぽう、一月からパリでひらかれていた講和会議は、戦争の責任を全部ドイツにおしつけ、ドイツの領土をけずり(海外植民地はすべて)、兵力を減らし、巨額の賠償金を支払わせるという講和条約をまとめた。そして、五年まえのサライェヴォ事件の日にあたる六月二十八日、ヴェルサイユ宮殿にドイツ代表をよびよせて調印させた。

この屈辱のヴェルサイユ条約にたいするドイツ国民の失望と怒りを背にして、講習会参加者の討論は熱気をおびた。なかでもヒトラーの弁舌は、興奮してくるとますますさえ、まわりのものを同じ興奮のなかに引きこむ力をもっていた。その弁舌の才能を買った情報課長のマイル大尉は、郊外のレッヒフェルト兵営の兵士たちにたいするヒトラーの講演が、たしかに成功したのを見て、新しい任務をヒトラーにあたえた。それが、ドイツ労働者党の調査であった。

こうして、九月十二日、平服すがたのヒトラーがシュテルンエッカー酒場にあらわれたわけである。ところが、この会合への出席は、ヒトラーの運命を、予想もしなかった流れのうえにのせていく。

ヒトラーがまくしたてていたとき、となりのものに「あいつは使えるぞ」とささやいていた、党の議長のアントン＝ドレクスラーは、立ちさるヒトラーを追って「ちかくまたおあいしたい。」と言葉をかけ、『わが政治的目ざめ』と題した自作のパンフレットを手わたした。

翌日、ヒトラーは、パンくずあさりにネズミがちょろちょろする兵舎のなかで、このパンフレットを読んだ。そして、夜はカフェでツィター（弦楽器）を流してくらしを立てたというドレクスラーの過去や、彼のユダヤ人にたいするはげしい憎しみに共感した。

数日後、頼みもしないのに「５５５」という党員番号証（番号は５０１からはじまる）がとどき、九月十六日の委員会に出席してほしいとの手紙がそえてあった。ヒトラーは、このおしつけがましいやり方にすこし不機嫌になったが、面白半分も手伝って、その日、ヘレン街のひどくみすぼらしい飲み屋の会場にでむいた。

そして、さらに二日間考えたあげく、この党に入党することをきめ、連隊の宣伝工作員の仕事はまもなくやめた。

ミュンヘン一揆

それから四年後――。

一九二三年十一月九日の昼すぎのことである。約一〇〇人のバイエルン州武装警察隊が、ミュンヘンのオデオン広場の入口を厳重に警戒していた。その後方には、国防軍の装甲車も待機していた。

そこへ、約三〇〇〇人の武装デモ隊がすがたをあらわした。先頭のふたりの旗手(そのひとりは、のちのナチ親衛隊長ヒムラー)が鉤十字(ハーケンクロイツ)の党旗をもっている。そのうしろの列には、ヒトラーのすがたも見えた。

武装警察隊から
「止まれ!」

の声があがった。デモ隊のだれかが、

「射つな！　ここにはルーデンドルフ将軍がいる！」

とさけんだ。だが、その直後に一発の銃声がなり、警官隊の一斉射撃がはじまった。デモ隊の先頭はとっさに地面に伏し、後方のものが応戦した。しかし、射ちあいはものの一分とたたず終わった。ヒトラーと腕を組んでいた男は心臓を撃たれて即死し、いっしょにたおれたヒトラーの左肩は、地面に強くあたって脱臼した。射ちあいが終わったあと、ヒトラーは左肩をおさえて立ちあがり、混乱にまぎれてにげた。

二日後、ヒトラーはシュタッフェル湖（ミュンヘンの南方六〇キロ）のそばにあるハンフシュテングル家の別荘で逮捕され、ランズベルク要塞に投獄された。バイエルン州政府をベルリンに進撃させてヴァイマル共和国を転覆させよう、というミュンヘン一揆は、こうして無残な失敗に終わった。

ドイツ労働者党は、ヒトラーが入党していらい、年々勢力を増してきていた。敗戦、ヴェルサイユ条約、インフレーションとつづく苦境に、やりきれない思いの大衆を集会に集め、怒りとうっぷんをぶつける相手をさししめしたからだ。たとえば、ミュンヘン警察情報局の報告書によれば、ホーフブロイハウスに二〇〇〇人以上の聴衆を集めた、一九二〇年二月二十四日の大集会で、ヒトラーはこんな演説をしている。

「現在の政府は、われわれ人民の困窮にたいしてなにもしてくれない。しかも、政府はあまりに臆病なので、人民にたいして真実を語りえないのだ(活発な賛成と拍手)。われわれが政府に協力して努力してみても、われわれの利益にならないで、われわれの敵に利益をあたえるだけのことだ。平和条約の結果、たえず新しい苦しみがドイツにもたらされ、賠償支払いのためにインフレがますます激化しつつある。」　(村瀬興雄氏訳による。つぎも同じ)

人民の苦難の元凶は、今の共和国政府、そしてヴェルサイユ条約にあるというわけだ。

「ところで、われわれドイツ人としては、まず罪ある者たち、すなわちユダヤ人を追いだしてしまってからあとで、自分自身の純化をはかるべきだ(活発な賛成)。犯罪人やヤミ商人、暴利をむさぼる者にたいして罰金刑ぐらいを科したところで、奴らはなんの痛痒も感じはしない(笞刑!絞首刑!の声)。このような吸血蛭の徒党にたいして、わが同胞をどうやってまもったらよいのか?(絞首刑だ!)

わが国民はいつも国際的連帯を欲してきた(賛成!)。だが国際主義の労働者(注・マルクス主義的労働者のこと)にむかってはつぎのようにいわねばならない。〝他人を頼りにしていると、自分のほうが見捨てられるぞ〟と(嵐のような賛成の声)。」

ユダヤ人とマルクス主義者に対するヒトラーの非難・攻撃は、どの演説のばあいでもくりかえされた。ヒトラーの演説に酔った多くの大衆は、奴らが敵だ、と信じこんでいった。

この日の集会には、社会民主党系の労働者がはいりこんで、さかんに演説をやじったが、会場整理係が杖や警棒でなぐりかかり、ピストルまで発射して場外へひきずりだした。この暴力的な整理係は、翌年から「突撃隊」（SA〈エスアー〉）となった。

この日の集会で党の二十五カ条の綱領が決定されたあと、まもなく、党名が「国民〈ナチオナル〉社会主義〈ゾチアリスティッシュ〉ドイツ〈ドイッチェ〉労働者〈アルバイター〉党」（略してNSDAP）とあらためられた。反対者たちは、軽べつの意味をこめたナチ、またはナチスという呼び名でよんだ。

プロイセンのビスマルクが中心になってドイツ帝国が樹立されていらい、この帝国に統合された南ドイツのバイエルンの人びとには、プロイセンへの反発心があった。ヴァイマル共和国になっても同様で、その気分が、わずかのあいだつづいたソヴィエト政権がつぶれたあと、ベルリンの中央政府に反抗的な、右翼政治家たちの州政府をつくらせた。また、その政府が大目にみてくれるので、いくつもの右翼の民間軍事団体がはばをきかせていた。

ナチ党は、このような風土にたすけられて党員や支持者をふやした。一九二二年五月までに約四五の支部がうまれた。党員には、熟練労働者・手工業者・官吏・商人・使用人のほか、軍隊生活の味が忘れられない復員軍人が多数くわわりだした。鉤十字の党旗、腕章・党員章や、突撃隊員用のこげ茶色の服が党員のユニフォームになりだした。

ヒトラーは、一九二〇年三月軍隊をやめて党務に専念するようになり、翌年はもう党の最高幹部になった。集会に入場料をとり、会場で寄付金を集めるという彼のアイディアが成功し、国防軍や実業家からの援助資金もはいりだして、党の財政の土台がかたまった。週二回の党機関紙もだせるようになった。

そして一九二三年秋——。

この年一月に、フランス、ベルギー連合軍がルール炭田地帯に進入した。とどこおりがちなドイツの賠償金支払いに業をにやした制裁措置である。

ドイツ国民は憤激した。ドイツ政府はルール炭田の資本家・労働者に生産サボタージュをおこなわせた（受身の抵抗）。しかし、その補償のための財政支出が、通貨価値をきょくたんに下落させ、十一月には、一兆マルクでやっと戦前の一マルクにあたるという気の遠くなるようなインフレーションとなってしまった。

中央政府は九月に受身の抵抗を中止したが、バイエルン州政府首相カールらはこれに反対した。右翼の民間軍事団体も闘争同盟を組み、ナチ党は突撃隊がこれにくわわった。

ヒトラーは、カールらが自分の立場と同じだと判断し、大戦中の参謀次長ルーデンドルフ将軍を立てて、ベルリン進撃を開始させようと決心した。ヒトラーは十一月八日クーデターをおこし、カールを脅迫してこの計画に同意させた。

バイエルン国防軍司令官ロッソウもこれに同調した。だが、部下が動かない。バイエルン政府首脳は一転してナチ党をおさえにかかり、カールは十一月九日未明、ベルリン進撃を拒否した。ヒトラーが形勢不利なままにおこなった武装デモ行進は、オドオン広場でけちらされた。死者一九人、うち警官は三人である。ただし、国防軍はなぜか発砲しなかった。ヒトラーの政治家としての生命は、これで終わったかにみえた。

虚像の殉教者

その日から一〇年めの一九三三年三月二十三日、ヒトラーは、こげ茶色の制服を着、首相として国会の壇上にあった。

ベルリンの国会議事堂は、二月二十七日の夜、総選挙(三月五日)をまえにしてなぞの出火で焼けてしまったため、この日の国会はクロル＝オペラ劇場でひらかれた。建物の前をナチ親衛隊(SS)の部隊がものものしい警戒線をしき、内部は制服すがたの突撃隊員が、二列縦隊にならんでナチ反対派の議員に心理的圧力をかける。舞台の上には閣僚と議長ゲーリング(ナチ党幹部)がならび、その背後に大きな鉤十字の旗がかかげられていた。

ヒトラーは、政府に独裁的な権力をあたえる全権委任法を提案した。これによって、世界でももっとも民主的な憲法といわれた、ヴァイマル憲法が破棄されることになるのだ。社会民主党の党首オットー＝ウェルスは、突撃隊と親衛隊の脅かしのシュプレヒコールをはねかえすように、堂々と反対演説をした。

ウェルスの演説が終わるやヒトラーは興奮して壇上に立ち、ひやかしと脅迫を美辞麗句のなかにおりまぜて、ウェルスおよび社会民主党を非難してこういい放った。

「われわれ国家社会主義者は、今からドイツの労働者に、彼らが要求し請求しうるものに達する道をきりひらいてやるでしょう。われわれ国家社会主義者は、彼らの代弁者となるでしょう。諸君ら社会民主党はもはや必要とされないのです。……あなたがたは、自分たちの星が天空にのぼると思っている！　諸君、ドイツの星はのぼるでしょう、そしてあなたがたの星はしずむでしょう。……民族の生命のなかでくさり、古く、もろくなったものは、衰退して二度とふたたび浮かびあがってはこないのであります。」

さらにヒトラーは、「われわれは、そうでなくてもうばいとることができたものを、認めてもらうよう国家にうったえているだけなのだ。」とまでいってのけたのである。

全権委任法は、当日出席した社会民主党議員九四人（欠席二六人）の反対だけで、二八八人のナチ党議員および中央党などその他の政党議員をあわせて四四一人が賛成して通過した。ナチのおそろしい迫害・逮捕にあってひとりも出席できなかった共産党議員八一人の反対投票をくわえたとしても、全権委任法は、必要な三分の二を獲得した。

議長ゲーリングが採決の結果を発表すると、ナチ党議員は演壇のほうに突進し、両腕を高くかかげ、党歌「ホルスト＝ヴェッセルの歌」を得意満面に歌いだした……。

あのミュンヘン一揆の敗北の日に、ドイツ国民のだれが、一〇年後のこのような光景を想像できたであろう。ヒトラー自身、ランズベルク要塞にほおりこまれてしばらくは、銃殺されないうちにハンガー＝ストライキをして死んでしまおう、と考えたほど弱気であった。

だが、ヒトラーはこのときもまた、敗北を自分につごうのよい歴史に組みいれる技術をあやつった。つまり、裁判をおおいに利用したのである。

一九二四年二月から裁判において、一揆の責任を一身に引き受け、自分が反逆罪だというなら、ベルリンに反抗しようとしたバイエルンのお歴々はどうなのだ、と居直った。これはバイエルン政府当局の痛いところをついた。一揆と裁判をつうじて、ヒトラーには迫害される殉教者という虚像ができあがり、その虚像が各地にひろがった。

四月一日に判決がおり、ヒトラーは要塞禁固五年という軽い刑。しかも、その年の十二月にはもう釈放されるありさまだった。

ランズベルクの獄中生活も、四〇人ほどの一揆の仲間にかこまれて、ボスとしての満足感をじゅうぶん味わった。ヒトラーはこの牢獄で、未来の独裁者を夢みつつ、あれこれの幻想をえがいた。今でもドイツご自慢の高速自動車道路（アウトバーン）の建設などは、このときにうまれた着想だといわれる。

七月からは、熱にうかされたように『わが闘争（マインカンプ）』なる自伝を書きだした。夜おそくまで、ヒトラーの口述を記録する友人ヘスのタイプライターの音がなった。この『わが闘争』は、ひどい文体、いやしい比喩、いいかげんな理論、のぼせあがった主張、ごまかしの多い過去の決算のまぜあわせである。だが、ヒトラーがのちに総統となって実行する東方侵略やユダヤ人抹殺などの青写真は、このなかにちゃんとおさめられていた。

ヒトラーがこの敗北からえた大きな教訓は、国家の権力をわが手ににぎるまでは、ヴァイマル憲法のわくをこえて行動してはならない、ということであった。とくに、一揆のさい国防軍を味方にできなかったこと、だが、国防軍は発砲しなかったということの意味を、彼はよくかみしめた。そして、いつかは国防軍がわれらのがわにつく時がくるであろう、その日までは……、と心に誓った。「合法のアドルフ（アドルフレガリテ）」などと皮肉られてもはねあがらず、党の連中がしびれをきらしても、たづなをゆるめずにその日を待った。

一九二九年十月、アメリカにはじまった経済恐慌は、数年のあいだ世界をのみこんだ。一九二四年からのヴァイマル共和国の経済安定が、アメリカの投資にたすけられていただけに、このアメリカの強風をまともに受ける結果となり、ドイツは荒海の木の葉のように翻弄された。

失業者は六〇〇万をこえた。絶望的になった彼らの多くは、資本主義の終わりを予言する共産党に、進路の打開を期待した。その共産党の急上昇をもっともおそれたのは大工業家たちであった。ナチ党のなかにも資本主義を攻撃する一派があったが、ヒトラーはこれにはっきり反対した。大工業家たちはヒトラーのこの姿勢に安心し、共産主義の大波をふせぐ防波堤とするため、ナチ党に資本をつぎこむようになった。

一九三〇年九月の総選挙では、それまで一二議席のナチ党が、いっきに一〇七議席をえて社会民主党(一四三議席)につぐ第二党となった(共産党は七七議席で第三党)。他の保守党や右翼団体は、ヒトラーの顔色をうかがう地位に立たされた。

恐怖の影響は一九三二年にもっとも深刻となった。七月の総選挙で、ドイツ国民はナチ党をついに第一党におしあげた。議席は二三〇。一三三の社会民主党と八九の共産党が結束すれば、ナチ党の思いのままの行動はふせげないでもなかった。その年の秋に国会が解散され、再度の選挙ではナチ党一九六にたいして社会民主党一二一、共産党一〇〇であったからなおさらである。しかし両党は犬猿の仲にあり、戦線を統一することは不可能であった。

選挙という、形式上は合法的な手続きによって第一党の座を占めたナチ党の党首ヒトラーは、一九三三年一月、ヒンデンブルク大統領によって組閣を命じられた。そのふた月あまりのちに、ヒトラーは全権委任法を強引にとおし、独裁体制をかためた。

従来はこうしたナチ党による独裁体制の確立の背景・理由として、暴力による反対派への攻撃、ドイツを犠牲にするヴェルサイユ体制への国民の不満、経済恐慌による失業者の増大、政権獲得後の経済政策の成功など、政治経済の分野が注目されていた。しかし、最近ではナチ党による大衆を引きつけるためのイメージ戦略という大衆操作にも注目が集まっている。すなわちナチ党はニュルンベルク大会に見られる整然とした隊列と示威行為をおこなうことによって大衆に心理的な圧力をかけ、青少年の健全な育成のために自然のなかで育てることをうったえ、「清潔で健康な生活を維持するために」食品の安全基準やアスベストなどの有害物質対策をすすめ、フォルクスワーゲン(国民車)を一家に一台所有させる約束をした(結局だれももらえなかった)。ヒトラー自身も演説がうまいだけでなく、「清潔な指導者」というイメージをつくるべく努力している。彼はラフな格好で人前にはでなかったし、日常生活のなかで禁酒・禁煙を実践し、結婚もベルリン陥落直前に防空壕のなかでエヴァ＝ブラウンと正式に結婚するまでは表面的には「独身」をつらぬいている(あたかも聖職者?)。

こうしてナチ党の運動には、周辺諸国への侵略やユダヤ人の大量虐殺などの「暴力性」と同時に、ドイツ国民の支持をえるためのイメージ戦略が存在している。

このあと暗黒のファシズムがドイツをおおい、ヨーロッパはふたたび戦争に突入することになる。

24

パリとハノイのあいだ 戦中から戦後へ

植民地だったベトナムにたいしてド＝ゴールはどのような態度をとったのだろうか

フランスは大戦開始後
一〇カ月で降伏したが、
ド＝ゴール将軍はイギリスに亡命し、
自由フランス軍を編成して抗戦した。
国内でもレジスタンスがひろがり、
彼らはノルマンディーから進撃した
自由フランス軍と呼応し、
一九四四年八月パリを解放した。
これと並行してベトナムでは
フランス、日本にたいする民族解放闘争がつづき、
大戦後三〇年におよんだ。

ノルマンディーで

第二次世界大戦の末期、北フランスのノルマンディー海岸に、アメリカ合衆国のアイゼンハワー将軍を総司令官とする、連合国軍一七万が上陸した。一九四四年六月六日に決行された、略称「D(ディー)作戦」といわれるこの攻撃は、予想されたとおりドイツ軍の猛反撃にあって、多大の犠牲者をうんだ。

だが、ともかく、モントゴメリー将軍のひきいるイギリス軍が橋頭堡(きょうとうほ)づくりに成功し、六月八日、小さな田舎町バイユーを最初に解放した。

それから八日後、六月十六日の夕方午後四時ごろ、このバイユーの町を、けたたましい音を立ててオートバイを飛ばしながら、大声で市民にふれまわる男がいた。

「ド＝ゴール将軍がやってくるぞ!」

市民に聞きおぼえのあるその声のぬしは、この四年間、ロンドンのBBC放送をつうじて、ド＝ゴール将軍のもとに団結してドイツと戦おうと、フランス国民にうったえてきたアナウンサーのシューマンであった。

半時間後に、ノルマンディーに上陸する連合国軍団の最後の船で、二日まえ四年ぶりにドーバー海峡をわたり祖国の土をふんだド＝ゴールが、バイユーの町にはいってきた。円筒型のフランス軍帽をかぶり、すそのながい軍服を革ベルトできちっとしめた、二メートルののっぽの将軍は、両がわの家々に三色旗とロレーヌの十字旗がかかげられた、古い石だたみの目抜き通りを、広場にむかって進んだ。すでに町の人びとが、中心部の広場に集まっていた。ド＝ゴールは、広場にもうけられた台の上のマイクロフォンの前に立つと、空にむかって両腕を高々とななめにあげて、Vの字をつくった。イギリスのチャーチル首相が中ゆびと人さしゆびでつくるVサイン(VICTORY＝勝利のしるし)より、はるかに大きなド＝ゴール文字であった。

ド＝ゴールは語りだした。

「今、やっと祖国に第一歩をしるした。だが、諸君とともにつづけてきたこの戦いは、まだつづくのだ。フランスの土地にフランスの主権を打ち立てるまで、戦いはつづくのだ」。

広場は、たちまち、国歌「ラ＝マルセイエーズ」の大合唱のなかにつつみこまれていく。

立て、祖国の子らよ(アロン ザン ファン ド ラ パトリウ)
栄光のときはきた(ル ジュレ ド グロワレ タリベ)

フランスの栄光は、ドイツに降伏した四年まえの一九四〇年六月、消えさっていた。六月十六日、閣議で休戦派が多数を占めたレイノー内閣は総辞職した。フランス軍最高司令官ウェイガンさえ、ドイツの戦車部隊に戦線をふみにじられると、抵抗の意志をあっさりすてた。

徹底抗戦をとく陸軍次官ド＝ゴールは、十七日朝、帰国するイギリス特使の飛行機に飛びのるようにして亡命した。翌十八日午後六時、ド＝ゴールはロンドンのＢＢＣ放送のスタジオにあらわれ、チャーチル首相の承認をえて、フランスにむけて、抵抗をよびかけるうったえを電波にのせた。だが、反響は、まったくといってよいほどなかった。

新政府の首相、第一次世界大戦ではその名をかがやかした老雄ペタン元帥は、六月二十二日ドイツと休戦し、国土の五分の三、北部と大西洋岸をドイツ軍の占領下におくことを認め、政府を、中部の温泉町ヴィシーに移した。首都パリはすでに六月十五日いらいドイツ軍に占領され、エッフェル塔の頂上にも、そのほか多くの建物にも、黒・白に赤の鉤十字（ハーケンクロイツ）のナチス＝ドイツの旗がひるがえった。

ペタンは、国をあげてドイツに協力することを誓い、対ドイツ協力者やヤミ成金が、パリにもほかの都市・農村にもあらわれた。そんななかで、四九歳の軍人ド＝ゴールは、ロンドンにおいて、孤独な戦いを開始したのであった。

栄光のときはきたと歌う、「ラ＝マルセイエーズ」の合唱の渦のなかに立つド＝ゴールには、今、一つの確固とした決意があった。それは、どんなに小さな田舎町であろうと、このバイユーで、フランスの国土に臨時政府がうまれたという実績をつくること、ついで、フランス軍の手でパリを解放すること、であった。

ド＝ゴールは、随行した少数の助言者グループのなかからクーレをえらんで、さっそく、ノルマンディーのド＝ゴール派の知事第一号とした。臨時政府がスタートしたという既成事実づくりに着手したのである。

ド＝ゴールは、「D作戦」を、決行される直前までなにも知らされなかった。ドイツと戦う連合国にとっては、ドイツとむすぶヴィシー政府下のフランス政府は敵国であり、国外でのド＝ゴール派の抵抗勢力は、役に立たない存在としかみなかったのである。

イギリスはまだしも、ド＝ゴールをたすけてくれた。アメリカは、ド＝ゴールをまったく無視した。ド＝ゴールは、休戦に反対した兵士たちをつのって、自由フランス軍を編成した。その旗には、むかしジャンヌ＝ダルクがひるがえした、☨のマークの、ロレーヌの十字旗をえらんだ。この旗の、パリにむかう第一歩がふみだされた場所は、総督を自由フランスがわに奪回した、フランス領アフリカ植民地のチャドとカメルーンであった。

翌一九四一年九月、ド＝ゴールは、ロンドンで自由フランス国民委員会を結成した（四三年からフランス国民解放委員会に発展）。これは、事実上の政府である。独ソ戦争が三カ月まえからはじまっており、ソ連のスターリン首相は、このフランス国民解放委員会を承認した。

ドイツにたいする抵抗（レジスタンス）において、ド＝ゴール派とフランス共産党は、ソ連をなかだちにしてむすびついた。こうして、フランス国内では、党派のちがいをこえて、レジスタンスが組織されていった（その全国組織を「全国抵抗評議会」という）。ド＝ゴールは、国外で集めた資金と武器を、このレジスタンス組織に空と海からとどけることで、レジスタンス運動の指導権をにぎっていった。

アメリカは、このようなド＝ゴールの行動と意義をまったく重んじなかった。ド＝ゴールがバイユーに足をふみいれたその日にも、ローズベルト大統領は、アイゼンハワーに通達をおくり、

「フランス国民解放委員会（委員長はド＝ゴール）と協約をむすんでもいいが、これをフランス臨時政府として承認にするようなことは、してはならない。」


と命じていたほどである。

ローズベルト大統領は、ド＝ゴールという人間に、独裁者のにおいをかぎつけていたからである。もちろんド＝ゴールも、ローズベルトのひややかな敵意を感じとっていた。だからこそ、フランスの栄光を意地でもみずからの手でかちとろうとした。

バイユーのささやかな式典（セレモニー）も、ド＝ゴールにとっては、決定的に重い意味をもっていた。市民の喜びにあふれた表情とは対照的に、ド＝ゴールの顔に、にこやかな笑いがあらわれなかったとしても、あやしむにはおよばない。

パリは廃墟をまぬがれた

それから二カ月あまりあとの、八月二十四日午後九時半ごろ、ノートルダム聖堂をはじめ全教会が、

美しい鐘の合奏を、パリの夜空にひびかせはじめた。フランス軍の一番のりが、午後九時二二分パリの市庁前についたことを知らせる鐘であった。ドイツ軍に占領されてからは、ただのいちどもならされなかった、四年ぶりの鐘の音である。

パリの解放は、明日にも実現するだろう。市民たちは窓辺に出て、暗闇の夜空を見あげながら泣いた。

この夜、パリには二万のドイツ軍が配置についていた。占領軍の本部となったテュイルリー公園にちかいホテル＝ムーリスでは、パリ司令官のフォン＝コルティッツ将軍が、鐘の音を聞きながら、今夜がパリの最後の夜になることを、あらためて覚悟していた。

将軍は、ヒトラー総統から、最後の一兵になるまで戦い、いよいよのときは、パリを徹底的に破壊するよう命じられていた。すでに、公共施設、橋、駅などには、爆薬のしかけが終わっていた。

真夜中、就寝まえの将軍のもとに、エーベルナッハ大尉があらわれた。爆薬じかけに派遣されてきていた工兵中隊の指揮官である。最後の命令を聞きにきた、という。彼らは、パリ守備隊と運命をともにする義務はなかった。脱出の許可をもとめ、爆薬を爆発させる一個小隊をのこしていく、という大尉に、怒るような口調で、コルティッツはいった。

「もう命令はなにもない。君の部下全員ひきつれて、すぐパリを出発したまえ。」

パリは破壊しない！「全員」という一言のなかに、コルティッツは、ヒトラーの命令にさからう決心を、はっきりかためたのであった。

パリに一番のりしたフランス軍は、ルクレール将軍が指揮する第二機甲師団である。連合軍は、パリを迂回・包囲する予定であった。だが、パリのレジスタンス組織が、自力でパリを解放しようとして、八月十九日に武装蜂起した。これが成功すれば、共産主義者の指導下にパリがおかれるだろう。ド＝ゴールにはそれがこわかった。

ド＝ゴールは、アイゼンハワーをやっと説得した。参謀長のブラッドレーが、ルクレール機甲師団にパリ一番のりの名誉をさずけてくれた。そして、これをたすけるために、アメリカの精鋭軍団である第四歩兵師団をえらんだ。

八月二十四日いっぱい、パリのレジスタンスは、援軍がちかづくことを知らぬまま、弾薬もつきようとする絶望におののきながら戦っていた。だが、局面は一変した。

翌二十五日、士官学校からテュイルリー公園にかけて要塞地帯となったドイツ軍の防御陣地に、フランス軍とアメリカ軍の攻撃がかけられ、終日、死闘がつづいた。死傷者がふえていくいっぽうで、べつの街角では、熱狂した市民と、パリ解放にはいってきた兵士たちとがかわす笑い声が流れていた。奇妙な時間のデュエット(二重奏)ではあった。

午後一時すぎ、一五〇〇キロはなれたドイツの大本営では、首脳部を前に、ヒトラーが身をふるわせ絶叫していた。

「参謀総長ヨードル！　パリは燃えているのか！　今、この瞬間、パリは燃えているのか？

イエスかノーか、ヨードル、どうなのだ？」

ヨードル参謀総長は、沈黙したままであった。

パリは破壊されず、午後三時、コルティッツ将軍がフランス軍に降伏した。ホテル＝ムーリス前を、憎しみに顔をゆがめ、こぶしをふるわせた市民が半円にとりかこむ。玄関から車までの短い距離を、フランスの将校にまもられながら両手を高くあげて進む将軍に、ば声とつばがつぶてのように飛んだ。

そのころ、ド＝ゴール将軍は、パリの郊外ランブイエにある大統領別荘で待機していた。ドイツ軍降伏の知らせを受けるとすぐ、モンパルナス駅に車でむかった。モンパルナス駅には、興奮する市民にかこまれて、血と泥にまみれた戦闘服姿のルクレール将軍が待っていた。

ド＝ゴールは、ルクレールとかたく握手をかわした。そのあと、市庁舎で待つレジスタンスの指導者のもとへは直行せず、陸軍省と警視庁に立ちよって、さきにおくりこんでおいたド＝ゴール派の部下にあい、警官隊を閲兵した。レジスタンス派をおさえるつもりの、計画的な示威行動であった。

市庁舎についても、ド＝ゴールは、儀礼的な微笑のほかは終始表情をくずさなかった。バルコニーから広場の群衆にむかって、バイユーのときにはじめたVサインを両腕でつくり、

「敵はよろめいているが、まだ粉砕されてはいない。フランス国民の団結が、今こそ必要である。」

と、団結をうったえた。だが、レジスタンスによって戦われたパリ解放の革命的性質については、一

言もふれなかった。

八月二十六日、ド＝ゴールは凱旋門からノートル＝ダム聖堂まで、三キロの解放パレードをおこなった。二〇〇万のパリ市民が、シャンゼリゼ通りをうずめた。それでいて、全国抵抗評議会は、この行進に正式にはまねかれなかったのである。

このパレードは、あきらかに、国民投票にかわるド＝ゴール信任のための祝典として演出されたのであった。

パレードの先頭をいくド＝ゴールに、だれのしわざか、ノートル＝ダム聖堂で何発かの狙撃があった。ド＝ゴールは、銃声など聞えないかのように、大きなからだをゆうゆうと礼拝堂へ運び、床にひざまずいた……。

パレードの二日後、ド＝ゴールは、国内のレジスンタス運動の幹部に、諸君の愛国的で忠誠な仕事と任務は完了した、とつげた。あなたたちの役目はもうすんだ、というわけである。その十数日後、臨時政府がつくられてド＝ゴールが首相となり、中央による地方の統制をいそいだ。十月、おもに共産党員からなる愛国民兵組織に解散を命じた。

このようなド＝ゴールの方針にたいして、十一月亡命先のモスクワから帰ってきた共産党書記長のモーリス＝トレーズは、党員に全面的に協力するよううったえた。おそらく、ソ連のスターリン首相の意向でもあったろう。

共産党はド＝ゴール政権に協力し――ふたりの閣僚をおくっていた――、ド＝ゴールは共産党を利用しつつおさえこむというかたちで、フランスは「勝利の日」へとすべりこんでいった。

ド＝ゴールは、BBC放送による最初のレジスタンスのうったえのなかで、こういっていた。

「自由世界には、まだ巨大な力がかくされている。やがてこの力が敵をうちくだくであろう。その日、フランスは勝利の場にいあわさねばならない。」

一九四五年にはいり、「その日」は確実にちかづいていた。連合国軍は、ドイツと日本を、ヨーロッパ・太平洋で追いつめていた。二月、クリミア半島のヤルタで、第二次世界大戦後の世界の処理に関する首脳会談がひらかれた。

ド＝ゴールは、この会談にフランスも出席させてほしいと、ローズベルト、チャーチル、スターリンの三首脳に手紙を書いた。しかし、ついにド＝ゴールには声がかからなかった。ヤルタ会談は、フランスを出席させぬまま、フランスに、ドイツの占領権と、国際連合の安全保障理事会の常任理事国の地位を認めた。

ド＝ゴールのいう「フランスの栄光」とは、アフリカ、中東、インドシナなどの植民地を手ばなさずに、世界のフランスの威信をしめすことであった。「その日、フランスは勝利の場にいあわさねばならない。」という決意の意味は、そういうことである。

アメリカ、イギリス、ソ連の三「大国」に袖にされ、怒ったド＝ゴールは、パリ解放半年後、植民地の確保にむかって工作を開始した。その焦点はインドシナであった。

ベトナムの戦い

フランスがドイツに降伏する（一九四〇年）とすぐ、中国と交戦中であった日本は、フランスの植民地インドシナのハノイに「監視隊」なるものをおくりこんだ。ベトナムから重慶（じゅうけい）の蒋介石（しょうかいせき）政権へむかう援助物資の流れをたつため、というのが理由である。つづいて九月、ベトナムの北部に、翌一九四一年七月には南部に、ヴィシー政府との協定で日本軍が進駐した。この間、ベトナム人の蜂起はおこったが、フランス軍はまったく日本に反撃しなかった。

このような布石のあと、日本は十二月八日太平洋戦争を開始すると、サイゴンに総司令部をおき、フランス政庁に、ベトナムの基地・資材の提供など、全面的な協力を誓わせた。

ベトナムのフランス政庁は、日本軍に要求されるままに、米・石炭・セメント・ジュート・砂糖などを、ベトナム人から安い値段で徴発した。しかも、代金としてばらまかれたのは日本の軍票であったから、物価は、日本軍の侵入以後四年間に四倍もあがり、ベトナム人は苦しみつづけた。

このなかで、ベトナムの解放をめざすベトナム独立同盟、通称ベトミンが発展していった。

中国と国境を接するカオバン省の、コブのような高いハゲ山がつらなる山中の洞窟に、一九四一年五月、ボー＝グェン＝ザップらインドシナ共産党（一九三〇年創立）のおもな幹部が集まっていた。そこには、ながらく国外で亡命活動をつづけてきたホー＝チ＝ミン（当時はグェン＝アイ＝クォック、阮愛国といった）が中国からやってきていた。

かれらは、この洞窟で、第八回中央委員会をひらき、日本とフランスの支配に反対する、愛国的な地主もくわえた民族統一戦線としてベトミンをつくり、軍事活動を強化して、戦闘的な人民の自衛隊をつくることをきめたのである。

その一カ月後、グェン＝アイ＝クォックの名で書かれた『外国からの手紙』という印刷物が、ひそかにベトナムの各地にまかれた。ホー＝チ＝ミンの熱烈な救国のよびかけであった。

「尊敬する老人よ。愛国者よ。知識人・農民・労働者・商人・兵士、親愛なる同胞者よ！　フランスはドイツに敗れ、その力はくずれさった。フランスは、ひきょうにも、祖国を日本にひきわたした。わが人民は、これまでフランスという海賊に水牛のようにつかえ、今また日本という海賊の奴隷になった。何世紀もまえ、祖国が蒙古侵略の危険にみまわれたとき、老人たちはかんぜんと戦ったが、今、解放の鐘がなっている！　愛国心をもつものは、今こそ、祖国解放を第一にとりあげよ。日本とフランスのファシストと、その手先の犬どもを転覆するために団結しよう。」

ベトナムの解放区は、北部の山岳地帯から徐々にひろがりだした。フランスが「勝利の日」にむかいつつあったころ、ベトナムは、そのフランスの内部から、フランスとそのうえに立つ日本の支配をつきくずす、もう一つの勝利をめざして、戦いをひろげていた。

フランスでは、パリ解放の興奮もすでにおさまっていた一九四四年十二月二十二日、カオバン省のふかい森のなかで、ベトナム解放軍武装宣伝隊が結成された。隊長は、はだしのボー＝グェン＝ザップで、これがやがて、ベトナム人民軍に発展する。

ベトナムの情勢は、ヤルタ会談の直後、急転回しだした。連合国軍のベトナム上陸がちかいとみた日本は、一九四五年三月九日、フランスの行政権と植民地軍（七万四〇〇〇人）とを、実力で接収した。つづいて、バオ＝ダイを国王とするかたちだけの「独立国」をつくったが、これは、日本の政府と憲兵に見まもられて、わずかな予算さえ自由にならない傀儡(かいらい)国家であった。

この日本のクーデタ以後、ベトミンは、当面の敵を日本だけにしぼり、ゲリラ活動を強化し、武装蜂起の準備をいそいでととのえることにした。いっぽう、ド＝ゴールは、ベトナム通の銀行家ジャン＝サントニーを、ベトナム反日運動の国外の拠点であった中国の昆明(こんめい)におくった。戦後ベトナムにむけての工作のためである。

ド＝ゴールの考えは、総督の選出は原住民も参加させるという改善をはかるにせよ、ベトナム、カンボジア、ラオスからなるインドシナ連邦を、アフリカ旧植民地とともに、フランス連合として本国につなぎとめることであった。インドシナ人民の独立は眼中になかった。

四月三十日、ヒトラーはベルリンの地下濠司令室で自殺し、五月七日ドイツは降伏した。六月、日本軍は沖縄戦で玉砕した。七月、ポツダム会談がひらかれ、日本の降伏をもとめるポツダム宣言が発表された。今回もフランスはまねかれず、インドシナは北緯一六度線で分け、北を中国の国民党軍が、南をイギリス連邦軍が占領することが、この会談できめられた。

この年の春から夏にかけて、ベトナムの中部から北部は、目もあてられないほどの惨状となった。二〇〇万人の餓死者がでたのである。日本軍が、水田をつぶして軍需作物のジュート畑や唐ゴマ畑にかえたうえに、米を強制的に供出させたことや、前年秋の冷害に六月の紅河の大洪水がくわわって、口にいれられるものがなくなってしまったためであった。

八月六日と九日、広島と長崎にあいついで原爆が投下された。ホー゠チ゠ミンは、原爆が日本の降伏をはやめるにちがいないと確信し、八月十三日、共産党の全国会議をひらいて、一斉蜂起を決定した。連合国軍がはいってくるまえに、日本から権力をうばっておかなければ、独立はあやしくなるからである。

八月十五日、日本が連合国に降伏すると、ただちに蜂起指令が発令された。八月二十一日、ボー゠グエン゠ザップの指揮する解放軍がハノイに入城、五日おくれてホー゠チ゠ミンがついた。中部の、バオ゠ダイの「ベトナム国」の都フエでも、南部のサイゴンでも蜂起は成功し、金星紅旗がひるがえった。

九月二日、ハノイのバディン広場に五〇万の民衆が集まり、臨時政府を代表してホー゠チ゠ミンが独立宣言を読みあげた。ベトナム民主共和国がこの日成立した。

その日、日本の全権は、横浜沖のアメリカ軍艦ミズーリ号上で、降伏文書に調印した。甲板上の連合国がわにはフランスの代表もいた。ド゠ゴール首相がトルーマン大統領に強く要求し、調印式への参加権を獲得したためである。

そのフランス代表は、パリに一番のりした、あのルクレール将軍であった。四年まえにアフリカのチャドを出発し、サハラ砂漠を横断してアルジェ、イギリス、そしてノルマンディーをへてパリに突入し、自由フランス軍きってのこの将軍は、ついに日本にまでやってきた。

彼の任務はそこで終わらなかった。モロッコに帰りたがったルクレールは、ド゠ゴールに説得されて十月五日、機甲師団とともにサイゴンに上陸した。ベトミンは抵抗蜂起指令を発した。こうして、一九五四年、ディエンビエンフーの陥落によりフランス軍が撤退するまでの、第一次インドシナ戦争がはじまった。ド゠ゴールは翌年から一二年間も野にくだるが、ナチスと戦った兵士のいるフランス軍は、ベトナムで、第二次世界大戦よりもながい八年余の、不名誉な戦いをつづけた。そして、敗北した。

このナチスからの解放・自由を実現したフランス政府がベトナムにたいしては再植民地化の行動をとったという二面性の背景には経済的利害関係だけではなく、フランスをはじめとするヨーロッパ全体がアジアにたいしていだく「まなざし」があったことは明らかである。

二〇年後には、フランスがつくった轍(わだち)をアメリカがふみ、不名誉なベトナム戦争を戦ったすえ、これも敗北した。

筆者紹介

大江 一道 おおえ かずみち
1928年３月生まれ
1951年，東京大学文学部西洋史学科卒業
現在，前跡見学園女子大学文学部教授
著書『入門世界歴史の読み方』(日本実業出版，1985)『世界と日本の歴史６ 大航海の時代』(大月書店，1988)『世界近現代全史Ⅰ・Ⅱ・Ⅲ』(山川出版社，1991・1995・1997)『地域からの世界史18日本』(朝日新聞社，1993)『世紀末の文化史』(山川出版社，1994)『新物語 世界史への旅Ⅰ・Ⅱ』(山川出版社，2003)

山崎 利男 やまざき としお
1929年11月生まれ
1954年，東京大学文学部東洋史学科卒業
現在，東京大学名誉教授
著書『インド史における土地制度と権力構造』(共編，東京大学出版会，1969)『概説東洋史』(共編，有斐閣，1979)『日本とインド 交流の歴史』(共著，三省堂選書，1993)『英吉利法律学校覚書――明治前期のイギリス法教育』(中央大学出版部，2010)他
訳書 D.D. コーサンビー『インド古代史』(岩波書店，1966)R.S. シャルマ『古代インドの歴史』(共訳，山川出版社，1985)

編集協力

渡辺 修司 わたなべ しゅうじ
1948年４月生まれ
1972年，東京教育大学文学部西洋史専攻卒業
現在，歴史研究家
著書『詳説世界史研究』(共著，山川出版社，1995)『写真解説 世界の歴史 上・下』(共著，清水書院，2001)
監修「音の世界史」(共編，山川出版社，2006)

『物語　世界史への旅』
一九八一年八月　山川出版社刊

■ 写真引用一覧

p40————『詳説世界史図録』山川出版社　2020，p29
p47————ユニフォトプレス提供
p69————佐藤次高提供
p125————PPS 通信社提供
p136————ユニフォトプレス提供
p208, 209——ユニフォトプレス提供
カバー———ユニフォトプレス提供

YAMAKAWA SELECTION

物語（ものがたり）　世界史（せかいし）への旅（たび）

2020年5月20日　第1版1刷　印刷
2020年5月30日　第1版1刷　発行

著者　大江一道（おおえかずみち）・山崎利男（やまざきとしお）

発行者　野澤伸平

発行所　株式会社山川出版社
〒101-0047 東京都千代田区内神田1-13-13
電話03(3293)8131(営業)8134(編集)
https://www.yamakawa.co.jp/
振替 00120-9-43993

印刷所　株式会社加藤文明社

製本所　株式会社ブロケード
装幀　菊地信義＋水戸部功

Printed in Japan ISBN978-4-634-42387-9
造本には十分注意いたしておりますが，万一，落丁・乱丁などがございましたら，小社営業部宛にお送りください。
送料小社負担にてお取り替えいたします。
定価はカバーに表示してあります。